Dem großen Don Rinaldo gewidmet

Das Buch

»Dieses Fleisch stammt aus Massentierhaltung. Sie vergiften damit sich und Ihre Familie!«

Als Privatdetektiv Georg Dengler Aufkleber mit diesem Text in den Sachen seines Sohnes Jakob findet, steckt er bereits mitten in den Ermittlungen: Was ist mit Jakob und seinen Freunden Laura, Cem und Simon passiert? Auf Jakobs Computer findet er Fotos und Filme aus Schweine- und Putenmastanlagen. Widerliche Fotos, eklige Filme, die das Elend der Tiere dokumentieren. Ist sein Sohn ein radikaler Tierschützer geworden? Bereitet er mit seinen Mitstreitern eine große Aktion vor? Oder sind sie den Betreibern der Tierfarmen in die Quere gekommen und jetzt in Gefahr? Auf der Suche nach Jakob lernt Dengler seinen Sohn erst wirklich kennen – und kommt den brutalen Methoden der Fleischindustrie auf die Spur: der grausamen Massentierhaltung ebenso wie der ausbeuterischen Beschäftigungspraxis osteuropäischer Werkvertragsarbeiter als moderne Lohnsklaven. Die Ängste Hildegards, der ebenso überbesorgten wie nervtötenden Exfrau Denglers, erweisen sich als berechtigt: Die im Tierschutz engagierten Jugendlichen befinden sich in allergrößter Lebensgefahr – ein atemberaubender Wettlauf mit der Zeit beginnt.

Der Autor

Wolfgang Schorlau lebt und arbeitet als freier Autor in Stuttgart. 2006 wurde er mit dem Deutschen Krimipreis und 2012 mit dem Stuttgarter Krimipreis ausgezeichnet.

Weitere Titel bei Kiepenheuer & Witsch

Neben den weiteren Dengler-Krimis »Die blaue Liste« (KiWi 870), »Das dunkle Schweigen« (KiWi 918), »Fremde Wasser« (KiWi 964), »Brennende Kälte« (KiWi 1026), »Das München-Komplott« (KiWi 1114) und »Die letzte Flucht« (KiWi 1239) hat Wolfgang Schorlau den Roman »Sommer am Bosporus« (KiWi 844) veröffentlicht und den Band »Stuttgart 21. Die Argumente« (KiWi 1212) herausgegeben. 2013 erschien sein Roman »Rebellen«. Sämtliche Titel sind auch als eBook erhältlich.

Näheres über den Autor und dieses Buch unter www.schorlau.de

KiWi
1337

Wolfgang Schorlau

AM ZWÖLFTEN TAG
Denglers
siebter Fall

Kiepenheuer & Witsch

Informationen über dieses Buch:
www.schorlau.com

Verlag Kiepenheuer & Witsch, FSC® N001512

1. Auflage 2013

Umschlaggestaltung: Barbara Thoben, Köln
Umschlagmotiv: © plainpicture / Millennium / Thierry Clech
Gesetzt aus der Dante und der Formata
Satz: Buch-Werkstatt GmbH, Bad Aibling
Druck und Bindung: CPI books GmbH, Leck
ISBN 978-3-462-04547-5

*Für die Tiere ist
jeden Tag Treblinka.*

Issac B. Singer

Inhalt

Siebter Tag

Achter Tag

Neunter Tag

Zehnter Tag

Elfter Tag

Monolog Carsten Osterhannes

Niemand sagt es mir direkt oder gar offen ins Gesicht, aber ich weiß, dass ich Hühnerbaron genannt werde. Das ist natürlich grober Unsinn. Ich bin kein Baron. Ich bin auch kein König.
Ich bin der Kaiser.

Erster Tag

Sonntag, 19. Mai 2013

1. Stuttgart, nachts

»Sie haben heute noch nicht gelogen!«

2. Stuttgart, nachts

»Du hast heute noch nicht gelogen, Arschloch!«

3. Stuttgart, nachts

1000 Watt starkes, gleißendes Licht schneidet durch seine Augenlider.
Gleichzeitig pendelt die Zellentüre mit kreischenden Scharnieren hin und her, schlägt krachend ins Schloss, schwingt mit einem Höllenlärm wieder auf und donnert zurück. Über der Tür hängt eine Fledermaus und schaut ihn an. Er liegt auf der Pritsche und kann sich nicht bewegen. Ist er gefesselt? Er weiß es nicht. Sie beugen sich über ihn. Alle sind sie da. Der Präsident, Dr. Scheuerle und die anderen Abteilungsleiter. Die gesamte Führungsriege des Bundeskriminalamtes beugt sich über ihn, die Gesichter verzerrt. Warum schreien sie so laut? Dengler versucht sich aufzurichten und kann es nicht. Kein Muskel gehorcht seinem Kommando. Er verdoppelt seine Anstrengung – vergeblich. Alle brüllen auf ihn ein. Das Geschrei und das Getöse sind unerträglich. »Hast du heute schon gelogen?«

Er versucht einen Arm zu heben.

»Hast du heute schon gelogen?«

Er kann sich nicht rühren.

»Hast du heute schon gelogen?«

Er will sich aufrichten.

Er will fliehen.

Keine Chance.

Sie brüllen.

Die Scharniere quietschen.

Er hat Angst.

Er bekommt keine Luft.

Er erstickt.

Er bekommt keine Luft mehr.

Er stirbt.

Mit aller Gewalt reißt er den Oberkörper nach vorn, und endlich: Die Fesseln reißen, und er richtet sich auf der Pritsche auf.

Erwacht.

Das Hirn ist leer. Er weiß nicht, wo er ist. Er weiß nicht, wer er ist. Er hört jemanden laut keuchen. Es dauert eine Ewigkeit, bis er begreift, dass er es selbst ist. Georg Dengler sieht sich um. Ein beißender Geruch liegt im Raum – sein eigener, stinkender Angstschweiß. Langsam setzt er sich aus einzelnen Puzzleteilchen wieder zusammen.

Ich bin kein Polizist mehr.

Ich arbeite nicht mehr beim BKA.

Es ist vorbei.

Ich muss nicht mehr lügen.

Die Scharniere quietschen weiter.

Er liegt nicht in einer Zelle. Er ist in seiner Wohnung. Es ist keine Pritsche. Es ist sein Bett. Er atmet ruhiger. Aber noch immer schmerzt seine Brust wie nach einem langen Lauf in klirrender Kälte.

Regentropfen trommeln gegen das Fenster.

Die quietschenden Scharniere lärmen weiter. Ihr schriller Ton verwandelt sich jetzt in das aufdringliche Klingeln des Telefons. Er stützt den Kopf in beide Hände und sieht das Telefon auf dem Tisch blinken und läuten, er reißt die Bettdecke zur Seite und torkelt hinüber zum Tisch, nimmt den Hörer ab.

»Dengler.«

»Georgjetztmusstdudichmalkümmern.«

Er legt den Hörer auf.

Doch sofort klingelt es erneut. Er schließt die Augen und nimmt den Hörer ein zweites Mal ab.

»JakobistschonseitdreiTagenwegunderhatsicherstzweimalbeimirgemeldet. Dastimmtdochwasnicht.«

Tief Luft holen. Zwerchfellatmung. Sich beruhigen. Das immerhin hat er bei der Polizei gelernt.

Er schmeckt die Schweißtropfen in seinen Mundwinkeln, spuckt sie aus.

»Hildegard! Bist du wahnsinnig? Es ist drei Uhr. Mitten in der Nacht! Hast du getrunken?«

»Ich bin so nüchtern wie du. Aber ich bin verrückt vor Sorge. EslässtmireinfachkeineRuhe. Jakobmeldetsichnicht. UndseinHandyhaterabgestellt. DasisteinfachnichtseineArt.«

»Er macht Urlaub. Mein Gott, Jakob ist achtzehn. Hast du dich mit achtzehn jeden Tag bei deiner Mama gemeldet? Er ist mit seinen Kumpels verreist.«

Dengler setzt sich auf den alten Holzstuhl, auf dem seine Kleider liegen. Er spürt, wie ihm der Schweiß über den Rücken läuft.

»Aber trotzdem, ich meine, dasistdochnichtnormal. SoistderJakobdochnichtdassersichüberhauptnichtmeldet.«

»Hildegard, ruf mich nie wieder um diese Uhrzeit an. Nie wieder! Unser Sohn ist erwachsen. Er ist in Barcelona. Interrail. Ruf mich nie wieder um diese Zeit an.«

»Du musst dich kümmern. Versprichmir, dassdudichjetztauchmalkümmerst. DuhastdichnochnieumunserKindgekümmert. Immermussteichallesganzallein …«

Wütend drückt er die rote Taste, legt den Hörer zur Seite und wankt ins Bett zurück.

Es klingelt noch zweimal.

Er liegt mit offenen Augen auf seinem Bett und starrt in das Dunkel. Was ist das für ein Leben, in dem ein Albtraum den anderen jagt.

Typisch Hildegard. Sie kann ihren Sohn nicht loslassen. Sie denkt, Jakob mit achtzehn Jahren sei immer noch der liebe kleine Bub. Abhängig von ihr. Aber Jakob wird erwachsen. Damit kommt meine großartige Exfrau nicht zurecht. Aber ich bin hier der falsche Ansprechpartner. Du hast *mich* verlassen, meine Teure. Gott sei Dank – bin darüber hinweg. Und jetzt, nach all den Jahren, habe ich absolut keine Lust mehr auf diese hysterischen Anfälle.

Dengler richtet sich auf und fixiert die Marienstatue an der Wand.

Um mich hat sie sich nie Sorgen gemacht, als ich noch beim BKA war. Sie hatte keinerlei Vorstellung davon, was ich tat. Keine Ahnung von den zermürbenden Ermittlungen und der nervtötenden Kleinstarbeit, aus denen die Polizeiarbeit nun mal besteht, von den endlosen durchwachten Nächten, von den Großeinsätzen bei den Fahndungen nach Terroristen oder Leuten aus deren Umfeld oder von den zusätzlichen Diensten im Personenschutz im Schichtdienst oder rund um die Uhr.

Personenschutz. Damals, als ich noch gar nicht so lange dabei war: die Bombe am Straßenrand. Es ist ein Wunder, dass ich überhaupt noch lebe.

Er versteht es bis heute nicht. Er saß in dem ersten Fahrzeug der Kolonne. Sein Wagen raste als Erster durch die Lichtschranke. Doch die Bombe explodierte erst bei dem zweiten Wagen. Dem Mercedes mit dem Banker. Dem Mann, den er schützen sollte. Wie kann das sein?

Er stellte Fragen.

Und niemand gab ihm Antworten.

Dann sagten sie, er solle aufhören, Fragen zu stellen. Es sei gefährlich, solche Fragen zu stellen.

Dengler lässt sich zurückfallen und starrt an die Decke.

4. Landstraße, Nähe Oldenburg, nachts

»Du bleibst hier in der Hecke an der Kreuzung«, sagt Simon zu Cem.

Immer muss er kommandieren, denkt Jakob. Das ist vollkommen überflüssig: Sie haben alles tausendmal besprochen. Tausendmal geübt. Aber Simon kann nicht anders als kommandieren. Cem nickt und geht mit steifen Schritten auf das Gebüsch neben der Straße zu. Cem, der Held. Er ist der Stärkste von ihnen. Doch trotz der nächtlichen Schwärze kommt es Jakob so vor, als wäre er blass. Sofern ein türkischer Junge, der von Natur aus olivfarbene Haut hat, überhaupt blass werden kann. Cem, der sonnige Typ. Cem, der mutige Typ, der sich noch vor keinem Einsatz gefürchtet hat. Sie alle wissen, dass er zuverlässig Wache stehen wird.

Mit drei Schritten ist Cem im Gebüsch und drückt sich ins Unterholz. Von hier aus kann er die Straße in beide Richtungen überblicken. Er hebt das Walkie-Talkie vor den Mund und grinst. Jakob winkt Laura zu, und die sieht sich sofort nach Simon um.

Es ist nur ein kleiner Stich, aber Jakob kennt diesen speziellen Schmerz: Jedes Mal sticht es, wenn er sieht, wie sie Simon anschaut. Ihr erster Blick geht immer zu Simon. Ich bin nicht verliebt in sie, sagt Jakob lautlos zu sich selbst. Da der Schmerz noch nachklingt, wiederholt er den Satz wie ein Mantra. Ein oft benutztes Mantra. Ziemlich ausgefranst, dieses Mantra. Bis jetzt hat es ihm noch nicht geholfen. Und es währt nun schon ziemlich lange, dass Laura ihm diese Herzschmerzen verpasst.

Bauchschmerzen auch.

Die ersten Tropfen fallen. Es ist Mai. Dauerregen im Mai! Und das schon seit Tagen. Jakob zieht den Reißverschluss an seinem schwarzen Anorak hoch, sieht zu Laura hinüber und gibt ihr ein Zeichen. Er will nicht, dass sie sich erkältet. Sie lächelt und zieht sich die Kapuze über den Kopf. Nur noch ein paar blonde Locken schauen an der Seite hervor. Wunderschön sieht sie aus.

Zu dritt gehen sie in schnellen Schritten die Straße hinauf. Erst Jakob, dann Laura, hinter ihr Simon. Es ist dunkel. Neumond. Laura trägt das Walkie-Talkie.

»Test, Test …«, sagt sie. »Cem? Alles okay?«

»Klar, keine Panik«, tönt es blechern zurück. »Ich seh' euch ja noch.«

Hundert Meter vor sich erahnen sie ihr Ziel. Es ist dunkler als die Dunkelheit, die es umgibt. Wie eine Festung, denkt Jakob. Sie beschleunigen die Schritte.

Jetzt schüttet es vom Himmel.

»Auto von hinten«, meldet Cem durch das Walkie-Talkie.

»Verstanden«, sagt Laura.

Jakob dreht sich um. Die Scheinwerfer sind erst schwach zu erkennen. Der Wagen ist noch weit weg.

»Wir könnten losrennen«, sagt Simon. »Das könnten wir schaffen.«

Laura schüttelt den Kopf. »Kein Risiko«, entscheidet sie.

Sie wissen, was zu tun ist. Mit zwei Schritten sind sie im Straßengraben und liegen flach auf dem Boden. Jakob, der die beiden Kameras trägt, schützt sie mit der freien Hand und den Ärmeln der Regenjacke vor dem nassen Boden. Die Geräte sind teuer. Laura und Simon haben die Taschen unter sich verborgen. Nach einer Weile hören sie das immer lauter werdende Geräusch eines Motors, dann streicht der Lichtkegel der Scheinwerfer über sie hinweg, das Geräusch wird schwächer und verstummt. Nur der Regen trommelt gleichmäßig aufs nasse Gras. Schließlich hören sie Cems Stimme aus dem Walkie-Talkie: »Leute, alles klar: Gefahr vorüber.«

Sie stehen auf. Jakob klopft sich die Nässe von der Hose.

Weiter. Drei Schatten in einer dunklen Nacht. Sie biegen von der Landstraße in die Zufahrt zu dem Gehöft ein.

Jetzt riechen sie die Anlage. Der stechende Ammoniakgeruch liegt wie eine unsichtbare Mauer vor den Gebäuden. Bestialischer Gestank. Im Gehen binden sie sich die Schutzmasken vor den Mund. Jakob atmet durch den Mund ein.

Das Widerlichste, was ich je gerochen habe.

Er sieht sich nach Laura um. Sie steht aufrecht hinter ihm und verknotet mit beiden Händen die Atemmaske hinter ihrem Kopf.

Sie blinzelt ihm zu. Wie schön sie ist.

Er hört, wie Laura leise in das Walkie-Talkie spricht: »Wir betreten jetzt die Anlage.«

»Verstanden«, tönt Cems Stimme blechern aus dem Lautsprecher.

5. Rückblende: Kimi in der Schlachterei

Als Adrian das Messer aus der Hand legt, weiß Kimi genau, was sein Freund denkt. Er sieht es an der Sorgfalt, mit der er die Klinge an dem Tuch abwischt, an der Behutsamkeit, mit der er es in den Messerkorb zurückschiebt, und vor allem an dem langen, fast geistesabwesenden, verhangenen Blick hinter seinen langen, schönen Wimpern. Ja, er sieht an diesem Blick, mit dem Adrian zu Kimi und Vasile hinüberschaut, dass es jetzt genug ist. Adrian ist sein Freund, mehr noch, er ist für ihn wie ein Bruder, wie der ältere Bruder, den er sich immer gewünscht hat. Ohne Adrian hätte Kimi in Deutschland sich nie zurechtgefunden. Adrian hat ihm gezeigt, wie die Dinge hier laufen. Er brachte ihm Deutsch bei. Ohne ihn hätte er schon längst aufgegeben.

Gestern Nacht saßen sie alle um Kimis Bett: Adrian natürlich, aber auch Viktor, Dane, Livin und Vasile, die im gleichen Raum wie Kimi schlafen. Sie haben seit zwei Monaten kein Geld bekommen. Sie wissen nicht, ob sie im Mai bezahlt werden. Sie wissen überhaupt nicht, wie es weitergeht. Sie haben Toma gefragt, den Vorarbeiter: Warum bekommen wir kein Geld? Toma, den Adrian nur den Capo nennt: den Aufpasser. Toma ist Rumäne wie sie. Aber er hilft ihnen nicht. Er hat nur mit den Schultern gezuckt. *Face muncă*, hat er gesagt, macht eure Arbeit. Das haben sie getan. Sie haben ihre Arbeit gemacht. Harte Arbeit. Sie haben sich nie beschwert. Toma hat ihre Pässe eingesammelt. Auch darüber haben sie sich nicht beschwert. Sie haben sich nicht beschwert, wenn sie nachts aus den Betten geholt wurden. Nachts um zwei, manchmal um drei, manchmal um vier. Dann sind sie, schlaftrunken, hinüber in die Fabrik gewankt. Es sind ja nur fünfzig Meter. Dann haben sie gearbeitet, manchmal nur zwei Stunden, manchmal nur drei Stunden. Am Morgen oder am Mittag begann eine neue Schicht.

Sie haben die Schweine in den Paternoster getrieben, der sie zehn Meter tief in den Keller und ins Gas brachte, sie haben die betäubten Tiere an den Hinterläufen aufgehängt, nachdem sie aus dem Auszug gefallen waren, ihnen die Kehle aufgeschnitten, sie haben die Kadaver an den Hinterläufen aufgehängt, die Häute gebürstet, sie haben die Gedärme aus den aufgeschlitzten Bäuchen geholt, sie haben die Köpfe abgetrennt, die Füße abgekniffen, die Hinterläufe abgeschnitten, sie haben die Augen ausgestochen, sie haben hart gearbeitet.

Sie brauchen das Geld. Kimi muss sein Haus abbezahlen. Adrians Mutter ist krank. Sie braucht Medikamente, die er ohne diesen Job nicht bezahlen kann. Vasiles Kind wartet auf eine Operation. Alle, die in der Schlachterei schuften, brauchen das Geld. Jeder hat seine Geschichte. Jeder hat seine eigenen Sorgen. Und nun wurden sie seit zwei Monaten nicht bezahlt. Und niemand weiß, ob sie im Mai ihren Lohn bekommen.

Sie haben Kimi 1200 Euro im Monat versprochen. Auf die

Hand. Ein Essen am Tag umsonst. Freie Unterkunft. Nun ziehen sie jedem von ihnen sieben Euro Miete für die Betten ab, in denen sie schlafen. Pro Tag. Zwölf Männer in einem Raum.

Ihr Raum ist einer von vielen Räumen in den zweigeschossigen Gebäudereihen auf diesem großen Arial, das Adrian auf Deutsch *das Lager* nennt. Sie haben nicht einmal einen Schrank, die Habseligkeiten hat jeder unter sein Bett gestopft. Es ist eine alte Kaserne, mit Zaun und Stacheldraht, mit einem Wachhäuschen und einem Wachmann, der aufpasst und notiert, wann sie kommen und gehen.

Die Deutschen, sagte Adrian, stecken andere gern in ein Lager. Das ist so in ihnen drin. Kimi ist das egal. Er will hier arbeiten, hart arbeiten. Er braucht das Geld. Aber sie haben seit zwei Monaten keines bekommen.

Aus diesem Grund weiß Kimi, was in Adrian vorgeht, als er sein Messer auf den Block zurücklegt. Adrians Augen sagen: Es ist genug. Die nächsten beiden Kadaver ziehen vorbei, ohne dass Adrian ihnen den rechten Vorderlauf abtrennt. Da legt auch Kimi sein Messer zur Seite. Livin sieht es und hört auf zu arbeiten, Viktor ebenso, dann alle außer Nelu und Petre. Die verstümmelten Schweine ziehen unzerlegt weiter. Ein Deutscher schreit sie an, Kimi versteht ihn nicht. Ein Vorarbeiter taucht auf und schreit. Adrian redet mit ihm, aber es ist zwecklos. Der Mann brüllt mit hochrotem Kopf und zeigt auf die unbearbeiteten Kadaver. Sie ziehen weiter und weiter. Dann steht das Band. Ein Deutscher im weißen Kittel kommt. Auch er schreit Adrian an, aber niemand hört ihm zu. Adrian, der Deutsch spricht, erklärt ihm, dass sie keinen Lohn bekommen haben. Der Mann schreit weiter, das Gesicht ganz rot, und er hat große Ähnlichkeit mit den Tieren, die vor ihnen an den Haken hängen. Aber er hört nicht zu.

Da gibt Adrian ihnen ein Zeichen, und sie marschieren alle zusammen aus der Fabrik hinüber ins Lager.

6. Hof des Bauern Zemke, Nähe Oldenburg, nachts

Unter einem Vordach ziehen sie sich schweigend die Schutz-
anzüge an, dunkelblaue Overalls, die sie immer für diese
Zwecke verwenden, Gummihandschuhe und die Über-
schuhe aus Plastik, in denen sie eher watscheln als gehen.
Simon geht als Erster hinüber zur Tür. Er legt die Hand
auf die Türklinke zum Vorraum. Wie sie es zuvor ausge-
kundschaftet haben, ist die Tür nicht abgeschlossen. Das ist
eine ihrer eisernen Regeln: Sie gehen nur in offene Ställe. Er
dreht sich kurz um. Hinter ihm stehen Laura und Jakob. Er
nickt ihnen zu.
Laura hebt das Walkie-Talkie an den Mund und flüstert:
»Cem, hörst du mich? Wir gehen jetzt rein.«
»Viel Glück. Hier ist alles ruhig.«
Laura steckt das Walkie-Talkie an den Gürtel zurück und
nimmt den Scheinwerfer aus der schwarzen Plastiktasche.
Jakob sieht, wie sie sich eng an die Wand drückt, damit das
teure Gerät nicht nass wird. Er stellt sich neben sie und zieht
die Infrarotkamera aus der Vordertasche seines Overalls.
Wie immer, wenn er nahe bei ihr steht, fühlt er sich hilflos
und ausgeliefert. Und doch sieht er trotz Regen und Dun-
kelheit ihren Blick und das Lächeln, das sie Simon schenkt.
Jakob fühlt den Stich unvermittelt in Bauch und Brust. Er
presst die Lippen aufeinander und schaltet die Kamera ein.
»Fertig«, sagt er.
Sie sind bereit.
Simon drückt die Klinke und öffnet die Tür.

7. Bad Teinach, Hotel Schröder, nachts

Zur gleichen Zeit sieht Christian Zemke zu seiner Frau hinüber und denkt: »So möchte ich auch schlafen können.«
Sie hat die Decke fest um die Schultern geschlungen und liegt mit der rechten Wange auf ihren beiden Händen, deren Finger sie wie zum Gebet ineinander verschränkt hat. Ihr Mund steht ein wenig offen. Er sieht ihre beiden oberen Schneidezähne.
Sie hat sich auf diesen Urlaub gefreut wie ein Kind. Ihr erster gemeinsamer Urlaub, mit Ausnahme der Flitterwochen damals in Venedig. Lange her. Jetzt sind sie im Schwarzwald. Bad Teinach. Wie ein junges Mädchen hat Julia im Pool geplanscht. Dann in der Sauna geschwitzt, hinterher noch die Aromadusche genossen oder wie immer das Ding hieß.
»... dass wir uns so was leisten können!«
Können sie natürlich nicht. Vom wirklichen Preis hat Julia keine Ahnung.
Den zahlt er allein.

8. Wohnzimmer, Hof des Bauern Zemke, Nähe Oldenburg, nachts

»Eine Molle wär' jetzt nicht schlecht!«
Kevin sagt es zu Ronnie, ohne hochzusehen. Er beugt den Kopf nach unten und lässt einen Faden Spucke fallen. Der Faden zieht sich, dehnt sich, wird lang und dünn, doch kurz bevor er reißt, zieht Kevin ihn mit einem schlürfenden Geräusch wieder zurück in den Mund.
Ronnie sieht, wie Gisela die Augen verdreht. Sie mag Kevin

nicht. Alles an ihm widert sie an. Kein vernünftiges Wort kommt von ihm. Ein blödes Arschgesicht. Nun gut, sie muss den Typen auch nicht lange ertragen.

»Oder zwei«, sagt Kevin, der sich der Abneigung Giselas vollkommen bewusst ist.

Marcus lässt sich nicht provozieren. Er ist der Chef. Er sitzt vor dem Laptop und schaut auf den Bildschirm.

»Es geht los. Jeder auf seinen Platz«, sagt er.

»Oder drei«, sagt Kevin.

Ronnie denkt, dass Kevin eine Arschgeige ist. Immer muss er provozieren. Das hier ist ein Job. Mehr nicht. Sie machen ihn, nehmen das Geld und verschwinden. Da muss er sich nicht aufspielen. Aber so ist Kevin. So war er schon immer. So lange ihn Ronnie kennt jedenfalls. Und das sind schon ein paar Jährchen.

Er kennt drei aus der Mannschaft: Kevin, Emil und Bruno – sie sind seine Kumpel. Eigentlich ganz okay. Auch Kevin, wenn er sich bei solchen Jobs nicht so blöd aufspielen würde. Die anderen Männer kennt Ronnie nicht.

»Jeder auf seinen Platz«, sagt Marcus, steht auf und sieht jeden von der Truppe an.

Jetzt hält auch Kevin endlich die Schnauze.

Ronnie würde gern wissen, worum es hier wirklich geht. Aber das weiß keiner von ihnen. Außer Marcus natürlich.

Aber es ist ein leichter Job – und gut bezahlt.

Ich bin nicht mehr jung und brauche das Geld, denkt Ronnie.

Kein guter Witz.

Ach, scheiß drauf.

Er steht auf, streckt sich und zieht die schwarzen Handschuhe an. Sorgfältig zieht er den Stoff an den Fingern gerade.

9. Stuttgart, Denglers Schlafzimmer, nachts

Dengler hat diese Bilder schon tausendmal in seinem Kopf abgespult, er hat den Ablauf damals tausendmal wiederholt, und er wiederholt ihn heute. Und jetzt, nach diesem Albtraum und Hildegards Anruf, ist alles wieder frisch da: Am Nachmittag dieses denkwürdigen Tages erhält er den Befehl, sich am nächsten Morgen bei dem Personenschutz des Bankers zu melden. Er soll wieder mal aushelfen. Ein Wachmann liegt mit Fieber im Bett. Dengler muss einspringen.
Er ist neu beim BKA. Ein Jungspund.
Sie werden den berühmten Bankier am Morgen sicher in seinen Glaspalast nach Frankfurt bringen. Reine Routine.
Er hat schon zweimal ausgeholfen. Eine Limousine vorne.
Der gepanzerte Mercedes mit dem Big Boss in der Mitte.
Der grüne Mercedes mit dem Wachdienst dahinter. Er wird in dem vorderen Wagen sitzen. Auf der Rückbank.
Kein Problem.
Routine.
Wird ein langweiliger Tag werden.
Das dachte er.
Das dachte er tatsächlich.
Dann die Sprengfalle.
Der Wagen mit Dengler fährt zuerst durch die tödliche Lichtschranke. Nichts geschieht. Dann die Detonation hinter ihm. Das rauchende Wrack des gepanzerten Mercedes.
Mit drei Wagen waren sie an diesem Tag losgefahren.
Direkt in die Sprengfalle.
Wieso ist Denglers Wagen nicht in die Luft geflogen?
Dann würde ich jetzt nicht mehr leben.
Damit begannen all die Fragen, die ihn immer noch quälen.
Dengler schließt die Augen. Er kann nicht mehr einschlafen.

10. Hof des Bauern Zemke, Nähe Oldenburg, nachts

Nacheinander huschen sie durch die Tür in den stockdusteren Vorraum.

»Noch kein Licht anmachen«, kommandiert Simon.

»Okay«, sagt Laura.

Jakob mag die Art nicht, wie sie »Okay« sagt. In seinen Ohren klingt es viel zu eifrig, viel zu beflissen. Sie hat das doch gar nicht nötig.

Leise schließt er die Tür hinter ihnen.

Sie verharren ohne jede Bewegung in der Dunkelheit. Dann flüstert Laura ins Walkie-Talkie: »Wir sind jetzt im Vorraum. Wir warten hier noch einen Moment, bis unsere Augen sich an die Dunkelheit gewöhnt haben.«

»Verstanden«, hören sie Cem. »Hier ist alles ruhig.«

Sie stehen still und lauschen. Die Schwärze in dem Raum ist undurchdringlich, und Jakob kommt es so vor, als könnte man mit einem Messer Stücke aus dem Dunkel schneiden.

Dann – ein Geräusch: wie ein Kratzen, ein Schaben. Es kommt von der Tür. Von außen? Wie kann das sein? Jakob dreht sich um. Da ändert sich das Geräusch. Der Schlüssel wird zweimal im Schloss gedreht. Es dauert nur eine Hundertstelsekunde, bis er begreift, und dann schreit er laut: »Alarm!«, wie sie es ausgemacht hatten, wenn etwas schiefgehen sollte. Mit zwei Sätzen ist er an der Tür, reißt die Klinke herunter, rüttelt daran, vergebens.

Abgeschlossen!

»Licht!«, brüllt er. »Schnell, Licht an!«

Er hört Lauras überraschten Schrei und fährt herum. Er spürt den schwarzen Schatten mehr, als dass er ihn sieht. Instinktiv reißt er die Hände nach oben, doch ein Schlag trifft ihn an der Schläfe. Er taumelt zurück.

Neben ihm schreit Laura: »Scheiße, lass mich los!« Und: »Lass das Walkie-Talkie los!«

Instinktiv wirft er sich in ihre Richtung. Er hört ein schlagendes, dann ein fallendes Geräusch. Dann packen ihn Arme; er weiß nicht wie viele. Jemand tritt ihm die Füße weg. Jakob fällt auf den Boden. Sein Kopf knallt auf den Beton. Instinktiv tritt er nach dem Schatten. Der Schatten flucht, und ein Fußtritt trifft Jakobs Rippen. Er krümmt sich vor Schmerz zur Seite. Zwei Hände greifen seine Arme und biegen sie nach hinten. Zwei weitere Hände durchsuchen ihn, klopfen auf seine Hosentaschen, reißen die Haut des Schutzoveralls auf, greifen in die Tasche des Anoraks, ziehen heraus, was drin ist: das Taschentuch, das Handy, die Ersatzbatterien für die Kamera. Jemand zieht ihn am Oberkörper hoch und schleift ihn zwei Meter weit. Dort knallt er gegen die Wand.

Im Dunkeln sieht er, dass auch Laura am Boden liegt. »Lass mich los«, ruft sie.

Er hört einen unterdrückten Schmerzensschrei von Simon.

Jakob will Laura zu Hilfe kommen, doch vier Hände drücken ihn auf den Boden. Er hört Stimmen, Gemurmel, das er nicht verstehen kann, leise Kommandos, dann knallt eine Tür. Die einsetzende Stille schmerzt genauso wie seine geprellten Rippen.

Dann sind die Gestalten weg. Jakob hört, wie der Schlüssel in der Tür zum Medikamentenraum gedreht wird.

Sie sind eingeschlossen.

Alles ging absurd schnell.

Jakob und Laura springen als Erste auf. Simon reibt sich stöhnend den Hals. Jakob rennt zur zweiten Tür, die Tür, die in den Lagerraum führt, und rüttelt daran. Laura untersucht das verrammelte Fenster, irgendjemand hat jetzt draußen eine Lampe eingeschaltet, ein schmaler Lichtstreif dringt aus dem Hof durch eine der Fensterritzen.

»Gitter«, hört er sie sagen.

Simon versucht aufzustehen.

»Haben sie dir wehgetan?«, fragt sie mit weicher Stimme.

»Sie haben mein Handy«, sagt Simon.

»Meins auch«, sagt Jakob.

»Meins auch«, sagt Laura. »Und das Walkie-Talkie.«

»Und die Kamera.«

»Diese Aktion ging voll daneben«, sagt Simon.

»Cem wird die Polizei rufen, wenn wir keinen Funkkontakt mehr haben. Wir müssen abwarten. Blöd, dass wir die Aufnahmen nicht machen können.«

Sie setzen sich auf den Boden.

Laura schmiegt sich an Simon. Jakob versucht, zur anderen Seite zu sehen.

Draußen prasselt der Regen.

11. Bad Teinach, Hotel Schröder, nachts

Du hast deinen Hof im Stich gelassen, flüstert die Stimme in seinem Kopf. Du weißt nicht, was dort jetzt geschieht. Er schüttelt die Schultern, um die Stimme zum Schweigen zu bringen.

Zu den vielen Sorgen, die ihn ohnehin schon quälen, ist eine neue dazugekommen. Er weiß nicht, was auf seinem Hof passiert, in den Tagen, an denen er nicht zu Hause ist.

Seine Frau schläft. Sie ist glücklich. Sie weiß von nichts.

Er legt sich auf den Rücken und starrt die Decke an, den Kronleuchter, in dessen Glassternen sich das Licht der Laterne auf dem Hotelhof bricht.

12. Stuttgart, Denglers Schlafzimmer, nachts

Dengler steht am Fenster und schaut müde auf die Wagner-straße. Seine Glieder sind schwer und schmerzen wie nach einem endlosen Marsch, er fühlt sich erschlagen von dem nächtlichen Albtraum und dem Anruf seiner Exfrau.

Sie hat sich von ihm getrennt. Damals. Sie warf ihn einfach auf den Müll. Unvermutet. Plötzlich. Ein kurzes Gespräch in der Küche: »Setz dich bitte einen Augenblick. Ich habe dir was zu sagen.«

Und eine klare, nüchterne Mitteilung: »Ich habe jemanden kennengelernt.«

Das war's.

Aus heiterem Himmel.

Nun ja, ganz heiter war der Himmel nicht gewesen. Eher verhangen wegen einer wochenlangen Fahndung nach einem kriminellen Baulöwen. Nächtelang hatte er im Auto gesessen und auf Hoteleingänge gestarrt. Sein Rücken schmerzte. Er war völlig am Ende. Seine Laune, seine ganze Verfassung, die Psyche sowieso.

Hast du's mit ihm getrieben, hatte er auf dem Küchenstuhl sitzend gefragt, als der erste Schock vorüber war. Das war doch eine natürliche Frage in so einer Situation. Ihm erschien sie jedenfalls natürlich. Damals und auch jetzt; wenn sich die ganze Szene ins Gedächtnis drängt, findet er an dieser Frage nichts auszusetzen. Er musste doch den Ernst der Lage einschätzen. Von der Antwort hing alles ab. Wenn sie mit ihm gevögelt hatte, war die Lage ernst. Aber wenn sie sagte, ja, ich hab's mit ihm gemacht, aber darum geht's nicht – dann gab es noch Hoffnung. Dann hatte der Sex sie nicht blind gemacht, man konnte reden, es gab noch etwas, wo er ansetzen konnte.

Doch sie sagte nichts. Sie stand im Türrahmen der Küche, die Arme vor der Brust verschränkt, schaute zu ihm hinunter, dem armen Hanswurst auf dem Ikea-Küchenstuhl, und verdrehte die Augen. Sie fand die Frage blöd. Unangemessen. Als ginge ihn das nichts an. Oder als sei das nicht wichtig.

Aber es war wichtig. Deshalb wiederholte er die Frage: »Hast du's mit ihm getrieben? Sag's mir.«

»Mir ist es ernst«, antwortete sie, immer noch im Türrahmen stehend. Sie nahm sich noch nicht einmal die Zeit, sich zu ihm zu setzen. Nicht einmal mehr diese kleine Geste. Keine Gemeinsamkeit mehr. Sie war entschlossen.

Dann also noch einmal durchladen. Schwereres Kaliber.

»Wir haben ein Kind. Hast du das vergessen?«

Sie lachte bitter und strich sich eine Strähne aus dem Gesicht.

»Gut, dass du dich an Jakob erinnerst. In den letzten Jahren hast du das nicht so oft getan.«

»Ich hab gearbeitet. Ich bin Polizist. Ich hab das Geld verdient, das …«

Er schwieg und starrte sie an.

Ihr Blick war müde und kalt.

Sie erledigte jetzt nur, was sie schon lange vorbereitet hatte. Sie sah aus, als hätte sie dieses Gespräch in Gedanken schon hundertmal durchgespielt und geprobt. Er dagegen war völlig überrascht. Es war nicht fair.

Sie zog es einfach durch.

»Vielleicht kümmerst du dich mehr um deinen Sohn, wenn er nicht mehr mit dir zusammenwohnt. Ich ziehe aus. Das heißt: Jakob und ich ziehen aus. In zwei Wochen.«

»In zwei Wochen? Wie willst du so schnell eine Wohnung finden?«

»Ich habe bereits eine.«

Sie zog es tatsächlich einfach durch.

»Jakob und ich ziehen weg. In eine andere Stadt.«

»In eine andere Stadt?«

»Nach Stuttgart.«

»Stuttgart?«, fragte er fassungslos, als höre er diesen Namen zum ersten Mal.

»Ja, Stuttgart. Dort wohnt Hans.«

Aha. Hans heißt er also, der Neue.

Sie wandte sich ab.

»Ach ja«, sagte sie, »mir wäre es lieb, wenn du ab heute im Wohnzimmer schläfst.«

Er kannte ihren Dickkopf. Er saß auf dem verdammten Küchenstuhl und wusste, dass sie in den vergangenen Wochen ihr neues Leben genau geplant hatte. Wenn Hildegard sich etwas in den Kopf gesetzt hatte, brachte sie nichts davon ab.

So war sie.

Er hörte, wie sie die Tür zum Schlafzimmer hinter sich schloss und den Schlüssel umdrehte. Er wusste genau, was sie in diesem Augenblick dachte: Puh, das wäre erledigt. Und er wusste in eben diesem Augenblick, dass es vorbei war.

Gegen Hildegards Dickkopf kam niemand an.

Er schon gar nicht.

Dengler holte sich ein Bier aus dem Kühlschrank und ging ins Wohnzimmer. Leintuch, Decke und Kopfkissen lagen ordentlich gefaltet auf der Couch.

13. Hof des Bauern Zemke, Nähe Oldenburg, nachts

Simon sitzt in der Hocke und hält den Kopf in beiden Händen. Hin und wieder schüttelt er ihn, als würde er etwas nicht verstehen. Laura tastet sich durch den halbdunklen Raum. Ihre Augen haben sich besser an das Dunkel gewöhnt, und sie erkennt die Umrisse der Gegenstände.

Sie untersucht das zweite Fenster, die beiden Türen, den Tisch, der an der Wand steht und dessen Schubladen leer sind, sie öffnet einen Besenschrank, der sich neben der Tür befindet, knurrt ein »Hier ist auch nichts« und schließt ihn wieder.

Im Dunkeln sieht Jakob, wie sie zu Simon hinübergeht, sich neben ihn setzt, einen Arm um ihn legt, und er hört, wie sie sagt: »Haben sie dir wehgetan?«

»Ich bin mit dem Kopf voll auf den Boden geknallt.«

»Diese verdammten Scheißkerle.«

»Seid still.« Jakob hört Schritte. Mit lautem Knall wird die Außentür aufgerissen.

Cem.

Die Tür knallt zu. Der Schlüssel dreht sich zweimal im Schloss.

»Hi, jetzt sind wir alle wieder vereint«, sagt Cem betont locker.

Laura steht auf und umarmt ihn.

»Wie haben sie dich geschnappt?«

»Ich weiß nicht. Das war vollkommen irre: Ein Auto kam und hielt direkt vor dem Gebüsch, ich mein: genau vor dem Gebüsch, in dem ich mich versteckt habe. Zwei Typen sprangen raus und liefen direkt auf mich zu. Sie packten mich und warfen mich auf den Boden. Und sie haben mir mein Handy geklaut! Woher wussten die …«

Jakob hört, wie Cems Stimme bricht und er zweimal tief durchatmet.

»Ihr habt ihnen verraten, wo ich bin, oder? Warum habt ihr das gemacht?«

Jakob legt ihm einen Arm auf die Schulter. »Wir haben dich nicht verraten, Cem. Im Gegenteil, du warst unsere Hoffnung. Wir dachten, du alarmierst die Polizei, wenn das Walkie-Talkie schweigt.«

»Aber woher wussten die denn, wo ich mich versteckt hatte?«

»Keine Ahnung«, sagt Jakob.

»Sie haben uns bestimmt beobachtet«, sagt Laura.

»In ein paar Stunden müssen sie uns freilassen«, sagt Simon.

»Müssen sie? Warum?« Jakob spürt, wie sein Magen rebelliert.

»Ja, müssen sie!« Lauras Stimme klingt betont sicher. »Aber unseren Film werden wir wohl nicht drehen.«

»Wir brauchen unbedingt die Ausrüstung zurück«, sagt Jakob. »Das ist eine Katastrophe, wenn wir ohne die Kameras und die Nachtsichtgeräte zurückkommen.«

Laura setzt sich wieder neben Simon und kuschelt sich an ihn.

»Ihr habt mich also nicht verpfiffen?«, fragt Cem leise.

»Quatsch. Natürlich nicht«, sagt Jakob und kauert sich auf den Boden neben Laura. »Das wäre doch verrückt gewesen.«

»In ein paar Stunden lassen sie uns frei«, wiederholt Simon.

»Also machen wir es uns gemütlich.« Auch Cem setzt sich.

Sie warten.

Bald wird es hell werden.

14. Rückblende: Kimi im Lager

Kimi liegt auf dem Rücken, die Hände hinter dem Kopf verschränkt, die anderen stehen vor der Tür und rauchen. Kimi denkt nach: Im Februar hat er 835 Euro verdient, im Januar 789 Euro. Im März nichts und im April nichts. Für fünfzehn Stunden Arbeit am Tag. Ihr müsst noch warten, macht euch keine Sorgen, euer Geld fliegt nicht weg, hat Toma zu ihnen gesagt.

Normalerweise bekamen sie das Geld in bar. Eine schwarze

Mercedes-Limousine rollte dann auf den Hof, und Toma wurde nervös. Er trommelte sie alle zusammen, und dann standen sie nebeneinander. Drei Männer stiegen aus dem Mercedes. Rumänen. Landsleute. Geschäftsmänner. Alle mit Sonnenbrillen, sogar im Januar. Die beiden Männer waren gefährlich, groß und gefährlich. Ein kleiner dicker Mann, offensichtlich der Chef, gab jedem sein Geld. Bar. Sie mussten nichts unterschreiben. Er hatte eine Aktentasche dabei, und in der Aktentasche lagen gerollte Geldscheine. Man wusste nie genau, wie viel man bekam. Eine Rolle. Mal mehr, mal weniger dick.

Jetzt war der kleine dicke Mann mit dem schwarzen Wagen seit zwei Monaten nicht mehr vorgefahren.

Kimi hört laute Stimmen, draußen vor der Eingangstür. Dann das Schreien von Toma. Er gibt sich einen Ruck, federt aus dem Bett und rennt nach draußen. Toma steht mit hochrotem Kopf vor ihnen und flucht. Geht zur Arbeit, ruft er, verdammtes Pack. Das hier ist kein Spaß. Ihr seid zum Arbeiten hier.

Erst wollen wir unser Geld, sagt Adrian. Kimi bewundert seinen Freund, weil er immer noch so ruhig bleibt. Er hat die Arme vor der Brust gekreuzt. Wir wollen arbeiten, Marcus, aber wir machen es gegen Geld. Wir wollen einfach nur das, was uns zusteht.

Ihr bekommt euer Geld. Es dauert einfach ein bisschen. Ihr bekommt euer Geld. Und jetzt geht rüber in die Fabrik, sonst schicken sie euch nach Hause.

Erst unser Geld. Es sind zwei Monate, Toma. Wir haben seit zwei Monaten kein Geld bekommen. Warum?

Weil ihr jetzt andere Chefs habt. Euer Geld schulden euch die alten Chefs. Ihr habt jetzt neue Chefs. Und die zahlen. Am Ende des Monats, glaubt mir.

Viktor drängt sich vor: Was heißt: neue Chefs? Was ist mit dem Geld für März und April?

Toma flucht und zieht ein Telefon aus der Tasche. Er drückt

eine Taste und läuft den Weg zum Wachhaus hoch. Er schreit etwas auf Deutsch in das Telefon, das niemand versteht, nicht einmal Adrian.

Der Capo schiebt das Handy wieder in die Hosentasche. Geht arbeiten, schreit er. Die neuen Chefs sind Deutsche. Sie zahlen ordentlich. Und pünktlich, es sind Deutsche. Ihr müsst euch keine Sorgen machen. Geht in die Fabrik. Ihr habt Ärger genug verursacht.

Viktor setzt sich auf die Treppe vor ihrem Haus und schüttelt den Kopf: Ohne Geld keine Arbeit. Kimi nickt, wie die anderen auch. Adrian gibt ihm eine Zigarette.

Eine Stunde später kommen die Deutschen. Es sind zehn, zwölf, vielleicht fünfzehn Motorräder. Auf einigen sitzen zwei Männer. Merkwürdige Männer. Sie haben lange Bärte und tragen seltsame Lederkleidung. Sie sind groß. Hinter ihnen fährt der Werksbus.

Die Wikinger kommen, sagt Adrian, und Kimi versucht zu lachen. Er hat Angst. Die Deutschen gruppieren ihre Motorräder in einem Halbkreis um ihre Unterkunft, die Motoren gurgeln tieffrequent. Im Bus öffnen sich zischend Vorder- und Hintertür. Toma, der Schleimer, rennt auf den Wikinger auf dem vordersten Motorrad zu und redet auf ihn ein. Der Mann lässt mit einem Dreh am Gasgriff seine Maschine aufbrüllen und schreit ihm etwas ins Ohr. Toma nickt und sprintet zu den rumänischen Arbeitern zurück.

»Ihr sollt sofort zur Arbeit gehen. Ihr habt einen Vertrag unterschrieben.«

»Nicht mit den Wikingern«, sagt Vasile.

»Erst unser Geld.«

»Erst unser Geld.«

»Erst unser Geld.«

Kimis Puls rast. Gleichzeitig scheint es so, als würde sich alles im Zeitlupentempo ereignen. Er sieht, wie Toma auf den Mann im Motorrad zurennt, schneller und dienstfertiger als sonst. Der Anführer auf dem Motorrad fragt den Capo etwas, der dreht sich um und deutet auf Adrian. Der Bärtige nickt und gibt den anderen kurze Befehle. Gleichzeitig stellen sie ihre Motorräder ab. Plötzlich liegt eine unheilvolle Stille über allem.

Sie stehen im Halbkreis vor ihnen.

Plötzlich schwingt einer eine Fahrradkette, der Anführer zieht einen Baseballschläger hervor.

Auf einmal geht alles sehr schnell.

Kimi spürt, wie sich Schweißperlen an seiner Stirn bilden.

Seine Hände verkrampfen sich zu Fäusten.

Vasile begreift als Erster.

»He, he, he«, ruft er und hebt die Hände.

Er geht mit erhobenen Händen auf die Männer zu. Der Anführer schlägt so schnell zu, dass Kimi es kaum sieht. Der Schlag trifft Vasile seitlich an der Schläfe, und sein Kopf kippt zur Seite, als wolle er abfallen. Dann bricht Vasile zusammen und bleibt liegen. Einer der Wikinger holt aus, und die Fahrradkette trifft ihn in die Seite. Ein schnauzbärtiger Rocker tritt ihm auf den Kopf. Vasile krümmt sich im Staub.

Jetzt rennen die Wikinger los, und brüllen etwas, was Kimi nicht versteht. Sie schwingen die Fahrradketten und Knüppel. Er dreht sich um, sucht die Eingangstür zum Wohnblock. Sie sind zu viele. Sie passen nicht alle zugleich rein. Adrian ruft ihm etwas zu, aber Kimi versteht ihn nicht. Er will nur weg. Endlich ist er durch die Tür. Er rennt mit den anderen den Flur entlang, in ihr Zimmer. Adrian schafft es als Letzter. Er dreht den Schlüssel um und ruft Kimi und Viktor zu: »Das Bett, schnell das Bett.« Zu dritt wuchten sie eines der Betten hochkant und drücken es gegen die Tür. Sie pressen sich mit ihren Körpern dagegen.

Durch die Tür hören sie die Wikinger schreien. Und sie hören Kollegen schreien. Dumpfe, klatschende Geräusche, schreckliche Geräusche. Laute Schreie. Ein gellender Schrei. Plötzlich Stille. Dann ein Stoß gegen die Tür, der das

Bett davor erschüttert. Sie werfen sich gegen die Matratze und pressen sie mit aller Kraft gegen die Tür. Ein zweiter Schlag lässt den Türrahmen splittern. Kimi sieht, wie sich ein schwarzer Stiefel aus den Holzresten zieht und erneut zutritt. Noch einmal splittert das Holz. Der nächste Tritt reißt das Schloss aus der Fassung. Sie haben keine Chance. Kimi weiß es, trotzdem drückt er, so fest er kann. Dann hängt die Tür schräg im Rahmen. Drei Wikinger werfen sich gegen das Bett.

Sie sind stärker.

Die Matratze rutscht nach unten und drückt gegen ihre Füße. Dann kippt das Metallgestell über ihnen weg. Kimi springt zur Seite.

Der Anführer und ein weiterer Wikinger betreten den Raum. Der Zweite schwingt die Fahrradkette, schlägt und trifft Kimi am Arm. Erst spürt er nichts, sieht nur das zerrissene Hemd und das blutende Fleisch darunter. Und dann spürt er den sengenden Schmerz. Eine blutige Spur zieht sich vom Oberarm bis zum Ellbogen. Der Schläger holt erneut aus, zielt diesmal auf seinen Kopf. Kimi lässt sich fallen, die Kette trifft seinen Rücken. Er spürt, wie seine Haut aufplatzt und das Blut sein Hemd durchnässt. Atmen. Er denkt nur noch ans Atmen und wie er unters Bett kommt. Weg hier. Die Ader an der Stirn pocht. Wo ist Adrian? Wo sind die anderen? Seine Schulter, sein Rücken, die Wunden brennen, es riecht nach Staub und Milben, er hört die Schreie und Schläge, das Klatschen und Prügeln. Das Bett. Er schiebt sich unter die Matratze. In die Stille, ins Dunkel.

Er sieht, dass der Chef der Bande und ein weiterer Rocker Adrian direkt vor dem Waschbecken festhalten. Der Rocker reißt Adrian an den Haaren zurück, knallt seinen Kopf auf den Rand des Waschbeckens, reißt ihn an den Haaren zurück, stößt seinen Kopf erneut mit voller Wucht gegen das Becken. Wieder und wieder. Kimi fühlt sich wie betäubt. Adrian. Er will schreien, sich rühren, aber kein Muskel bewegt sich. Wieder klatscht Adrians Kopf aufs Waschbecken. Sie bringen ihn um. Ich muss etwas tun. Sein Freund. Noch einmal stößt der Kopf gegen das Becken, da gibt es nach, zerbricht in zwei Teile. Sie lassen Adrian los. Bewusstlos fällt er vornüber, bleibt liegen.

Von irgendwo hört Kimi einen Befehl. Plötzlich erstirbt das Klatschen und Schreien. Viktor stöhnt, Vasile wimmert. Toma schreit: Raus. Alle raus. Schnell. Alle zur Arbeit. Alle in den Bus. Sofort. Neue Arbeitsstelle. Sonst machen die Deutschen weiter.

Kimi kriecht unter dem Bett hervor. Sein Arm brennt wie Höllenfeuer. Er geht zu Adrian. Der Kopf seines Freundes besteht nur noch aus Blut und Fleisch. Lebt er noch? Er braucht einen Arzt. Ein Rocker reißt ihn am Arm hoch und stößt ihn zur Tür. Der Schmerz explodiert in seinem Arm. Er taumelt auf den Flur. Draußen steht der Werksbus. Wie zwei hungrige Mäuler stehen seine beiden Türen offen. Geschlagen klettern die Männer hinein.

15. Hof des Bauern Zemke, Nähe Oldenburg, frühmorgens

Sie sitzen mit dem Rücken gegen die Wand gelehnt, Cem an der Außentür, dann Jakob, Laura, Simon.
An Schlaf denkt keiner. Regen prasselt auf das Dach. Draußen wird es langsam hell.
Als die Tür aufgerissen wird, schrecken sie auf. Jakob wirft einen schnellen Blick auf Laura, sieht, wie sie ihre Lippen zusammenpresst, und sieht dann erst die drei Männer: Motorradstiefel und schwarze enge Lederhosen, schwarze Hemden, darüber eine schwarze Lederkutte.

Der Erste ist kahl geschoren und trägt einen schwarzen Dschingis-Khan-Bart, der, sorgfältig und dünn geschnitten, von der Oberlippe bis zum Kinn seinen schmallippigen Mund umwächst. Seine Augen blicken sie kalt und geschäftsmäßig an. Er ist groß, wohl 1,90 Meter, und ebenso groß ist der Mann neben ihm. Diesem zweiten Mann wuchert der Bart wild im Gesicht, zwei Bartenden hängen rechts und links der Mundwinkel herab und verleihen ihm Ähnlichkeit mit einem Walross. Der Mann ist fett. Seine Wampe hängt über den Gürtel. Das ungepflegte Walross hat ein Halstuch über den Kopf gebunden, darunter ist strähniges graues Haar zu sehen, das er im Nacken zu einem dünnen Zopf zusammengebunden hat.

Hinter ihnen steht ein kleiner Typ mit Sonnenbrille, schwarze Ray-Ban. Er deutet mit dem Zeigefinger auf Cem und sagt gefährlich leise zu den beiden anderen: »Den Türken zuerst.« Jakob spürt mehr als er wahrnimmt, wie Cem sich gegen die Wand drückt, doch der Kahlköpfige ist mit drei Schritten bei ihm, greift ihm ins Haar und zieht ihn hoch. Cem schreit. Jakob, Laura und Simon springen auf, aber der Fette stößt sie zurück. Der Kahlköpfige zerrt Cem an den Haaren aus dem Raum. Cem schreit. Einer versetzt Jakob einen Schlag auf die Brust, er fällt gegen die Wand und hört, wie die Tür ins Schloss fällt.

Laura rennt zur Tür, schlägt dagegen. »Ihr verdammten Arschlöcher, macht die Tür auf!« Sie schreit und weint zugleich.

Jakob robbt zur Tür, versetzt ihr einen Tritt. Er zuckt zusammen. Seine Brust schmerzt dort, wo ihn der Faustschlag getroffen hat.

Simon sitzt immer noch auf dem Boden, den Kopf in die Hände gestützt. »So eine Scheiße«, stöhnt er. »So eine Riesenscheiße.«

»Das waren Rocker«, schreit Laura. »Habt ihr das gesehen? Das waren Rocker! Kann mir das mal einer erklären: Was haben Rocker hier zu suchen?«

»Keine Ahnung«, sagt Jakob. »Vielleicht sind wir irgendwie auf deren Territorium geraten.«

»In einer Mastanlage für Puten? Wie passt das zusammen?«

Sie dreht sich wieder zur Tür und hämmert mit beiden Fäusten dagegen: »Aufmachen, ihr Schweine, macht die Tür auf!«

Sie läuft auf und ab. Jakob beginnt parallel dazu den Raum auszumessen. Sechs Schritte, also sechs Meter misst ihr Gefängnis in der Länge und vier Meter in der Breite.

Dann wird die Tür erneut aufgerissen, und der Rocker mit dem Kopftuch stößt Cem in den Raum zurück. Er streckt seine Hand nach Laura aus, die ihm am nächsten steht, packt sie an der Schulter und zieht sie an sich. Laura schreit. Jakob ist in drei Sprüngen bei ihr, greift den Arm des Kerls und will ihn von Laura wegziehen. Ein Faustschlag trifft ihn unvermittelt ins Gesicht. Er wird nach hinten geschleudert und fällt zu Boden. Als er sich wieder hochrappelt, schlägt die Tür zu. Laura ist weg.

Mit beiden Händen trommelt er gegen die Tür. Er tritt mit dem Fuß dagegen. Er ruft Lauras Namen. Immer wieder.

Simon ist aufgestanden, reicht Cem die Hand und zieht ihn vom Boden hoch. Eine breite Schürfwunde zieht sich quer über die rechte Gesichtshälfte, das linke Auge ist dick.

»Was wollten die von dir?«, fragt er ihn.

Cem atmet immer noch schwer.

»Die wollten die PIN-Nummer meines Handys. Scheißtypen.«

»Und? Hast du sie ihnen gegeben?«

Cem schüttelt den Kopf und reibt sich mit der rechten Hand das Kinn. »Die machen keinen Spaß.«

Jakob geht zu ihm hin und nimmt seinen Freund in den Arm.

»Die wollen wissen, mit wem wir in Kontakt stehen. Du hast doch alle Adressen und Anrufe gelöscht?«

Cem nickt: »Klar hab ich das. Meinst du, ich bin blöd? Ich hab ihnen die PIN trotzdem nicht gegeben. Wenn die nämlich meinen Alten anrufen und ihm erzählen, dass wir in die Putenställe eindringen, kann ich einpacken. Vor meinem Alten hab ich echt mehr Angst als vor den Rockern.«

Tränen stehen ihm jetzt in den Augen. Und er bemüht sich nicht länger, sie zu verstecken.

Simon sagt: »Die lassen uns hier ein paar Stunden schmoren, dann lassen sie uns gehen. Sie wollen uns Angst einjagen.«

»Das ist ihnen perfekt gelungen«, sagt Cem.

Nach einigen Minuten dreht sich der Schlüssel im Schloss, und die Tür geht auf. Laura kommt herein. Sie weint lautlos. Ihre Haare sind zerrauft, Tränen laufen über ihr Gesicht und tropfen von der Wange auf ihren Anorak. Jakob und Simon stürzen auf sie zu.

»Mein Gott, Laura«, sagte Simon und will sie umarmen, doch Laura macht eine abwehrende Armbewegung, und Simon hält mitten in der Bewegung inne.

»Jetzt du da«, sagt das fette Walross und deutet auf Jakob.

Er steht in der Tür und wippt mit dem Fuß. Jakob atmet kräftig durch, blickt noch einmal zu Laura, die von einem Weinkrampf geschüttelt wird, und geht an dem Rocker vorbei durch die Tür.

Monolog Carsten Osterhannes

Ich bin der Kaiser.

Ich sage das in aller Bescheidenheit: Ich dirigiere ein Imperium. Eine eigene Welt; eine eigene faszinierende Welt. Ich habe sie aus eigener Kraft aufgebaut. Ich war ein armes Schwein. So kam ich mir jedenfalls vor, als ich den überschuldeten Hof meines Vaters übernahm: wie eine von seinen Zuchtsauen. Die einen gingen in den Schlachthof, ich musste zur Deutschen Bank. Der Unterschied war damals nicht sonderlich groß.

Ich habe die ersten Gespräche mit dem Banker nie vergessen. Die Filiale in Oldenburg befindet sich in guter Lage. Gediegen. Heute ist es so ein brauner Zweckbau. Aber damals – richtig gediegen. Mir bot der Kreditsachbearbeiter nicht einmal einen Kaffee an. Sie waren scharf auf den Hof. Sie dachten, sie würden ihn billig bekommen. Sie dachten, für den Termin mit dem ahnungslosen Sohn reicht der Sachbearbeiter. Sie haben sich getäuscht.

Mein Vater war ein Bauer. In jeder Hinsicht. Ein Oldenburger Dickschädel. Den hat er mir vererbt. Und um ehrlich zu sein: mehr nicht. Der Hof gehörte schon quasi der Bank. Doch für eines bin ich ihm dankbar. Er wollte, dass es mir besser geht. Er hat geschuftet für mein Abi, er hat geschuftet für mein Studium, und er hat geschuftet, bis ich das Harvard-Stipendium antreten konnte. Es vergeht kein Tag, an dem ich nicht an ihn denke.

Aus dem überschuldeten Hof ist ein Konzern geworden. Mein Sohn führt jetzt die Geschäfte, zumindest das Tagesgeschäft. Das macht er gut. Er hat eine philosophische Ader, ich weiß gar nicht, von wem er die hat. Er mischt das Philosophische mit dem Kaufmännischen, und so redet er von Nachhaltigkeit und vom *Return on Investment* gleichzeitig. Ich bin sehr stolz auf ihn.

Aber ich passe auf. Ich komme noch jeden Tag in die Firma. Es gibt viele Fallstricke. Ein Imperium ist immer gefährdet. Denken Sie an die alten Römer.

16. Hof des Bauern Zemke, Nähe Oldenburg, frühmorgens

Der fette Rocker geht links, der Dschingis-Khan-Bart rechts von ihm. Sie führen ihn durch einen Flur, verlassen das Stallgebäude, gehen ins Freie, laufen auf das Wohnhaus zu, gehen die drei Stufen hinauf zur Eingangstür, befinden sich in einem schmalen Gang, passieren eine weitere Tür, gelangen in den Flur einer Wohnung, der Fette stößt Jakob durch eine weitere Tür, und nun steht er in der Küche des Bauernhauses. Auf der Bank hinter dem Esstisch sitzt der kleine Rocker mit der Sonnenbrille und wedelt mit der Hand. Vor ihm liegen zwei Handys, das alte Nokia von Jakob und Simons neues iPhone. Lauras und Cems Telefone liegen etwas abseits, daneben ein Blatt Papier und ein Kugelschreiber.

»Setz dich!«

Jakob nimmt vorsichtig Platz. Das Walross und Dschingis Khan bleiben hinter ihm stehen.

Der kleine Rocker beugt sich leicht nach vorne. Er zeigt auf die beiden Telefone.

»Welches ist deins?«

Jakob deutet auf das alte Nokia.

Der Sonnenbrillen-Rocker nimmt es in die Hand.

»Die PIN-Nummer?«

Jakob überlegt einen Augenblick, und dann fragt er: »Wie lange wollt ihr uns hier festhalten?«

Er sieht die Faust nicht kommen. Der Schlag trifft ihn mit solcher Wucht, dass er samt Stuhl nach hinten geschleudert wird. Der Fette fängt den Stuhl auf und stellt ihn wieder in die Ausgangsposition zurück.

»Wir machen hier keine Konversation!«, sagt der kleine Rocker und hebt das Nokia hoch.

Er wirkt so ruhig wie vor dem Schlag, gefährlich ruhig.

Jakob reibt sich mit der linken Hand die Wange. Als er die Hand zurückzieht, ist sie blutverschmiert.

»Das ist Körperverletzung. Und Freiheitsberaubung«, stößt er hervor.

Diesmal fängt ihn der Fette nicht auf, und Jakob stürzt samt Stuhl hinterrücks auf den Boden. Er schlägt mit dem Kopf an die Holzlehne, für einen Moment wird ihm schwindelig. Und, merkwürdig, in diesem kurzen Moment, in dem er das Bewusstsein zu verlieren glaubt, denkt er an Laura. Er denkt: Was haben die Schweine mit Laura angestellt?

Dschingis Khan und der fette Rocker ziehen den Stuhl wieder hoch, und jetzt sitzt er wieder vor dem Sonnenbrillen-Typ, der ihn völlig ruhig ansieht und nichts sagt.

Jakob nennt ihm leise die Geheimzahl seines Telefons. Der kleine Rocker nimmt das Nokia, tippt die Zahl ein, und als er feststellt, dass es die richtige PIN-Nummer ist, notiert er sie auf dem Papier. Dschingis Khan zieht Jakob vom Stuhl hoch und bringt ihn zu den anderen zurück.

17. Stuttgart, Denglers Schlafzimmer, frühmorgens

Das wird er nie vergessen: Sein Sohn, gerade vier Jahre alt, umklammerte mit beiden Armen Georgs Beine, drückte den kleinen Lockenkopf gegen seine Knie und schrie. Er schrie im Wohnzimmer, er schrie im Flur, er schrie vor dem Haus, er schrie noch in dem dunklen Mercedes, aber dann freilich hörte er es nicht mehr, er sah nur das tränennasse Gesicht seines Sohnes hinter der Scheibe im Fond. Dann rollte der Wagen davon, und Dengler stand noch lange am Fenster.

Er hatte sich zu seinem Kind hinuntergebückt, hatte ihm zärtlich über den Kopf gestreichelt und ihm gesagt, dass er ihn bald besuchen und dass alles gut werden würde. Er kam sich vor wie ein Verräter.

Willkommen im Club, sagten die Kollegen.

Wieder eine gescheiterte Polizistenehe.

Schulterklopfen. Und Dutzende von Geschichten. Nie wieder hörte er so viele Geschichten von Familienkatastrophen. Aber geteiltes Leid ist nicht halbes Leid.

Er lebte wie betäubt.

Er stürzte sich in die Arbeit.

Und er überprüfte Hans Hummels in den Datenbanken des BKA.

Busverkäufer bei Daimler. Und der Kerl war natürlich verheiratet. Ob Hildegard darüber im Bilde war?

Oft nahm er jetzt freitags frei, fuhr nach Stuttgart. Hildegard übergab ihm seinen Sohn an der Haustür ihrer Wohnung im Stuttgarter Westen. Der Kleine lief mit ausgestreckten Armen auf ihn zu. Dengler hob ihn hoch und drückte ihn an sich.

»Um 18 Uhr bringst du ihn zurück. Dann gibt es Abendessen.«

Er ging mit seinem Sohn in die Wilhelma. Sie standen vor dem engen Tigerkäfig und sahen zu, wie das gefährliche Tier vor den Gitterstäben auf und ab ging. Der Tiger hatte wenig Platz, nur einige Schritte, dann drehte er um und ging zurück. Endlos. Dengler mochte den Tiger. Er konnte ihn gut verstehen. Jakob fragte: Warum macht der Tiger das?

Ihm fehlt die Freiheit. Die Gefangenschaft macht ihn krank.

Jakob kannte sich im Zoo aus, wahrscheinlich war er auch schon mit Hildegard hier gewesen – und mit diesem Hans. Jakob nahm ihn an der Hand, zog ihn zu den Eisbären, ins Affenhaus, zu den Giraffen und Krokodilen. Dengler interessierte sich nicht für die Tiere. Die Begeisterung seines Sohnes ermüdete ihn, und wenn er Jakob nach drei oder vier Stunden wieder bei Hildegard ablieferte, fühlte er sich erleichtert. Aber kaum hatte sich die Tür hinter Jakob und Hildegard geschlossen, sprang ihn die Sehnsucht nach seinem Sohn an. Und sie blieb an ihm haften, die ganze Woche über, bis er wieder nach Stuttgart fuhr, und wieder waren die Stunden mit dem Kind so anstrengend und fordernd, dass er fast froh war, wenn ihre gemeinsame Zeit abgelaufen war. Und doch wütete die Sehnsucht nach Jakob in ihm, sobald sich die Tür zu Hildegards Wohnung hinter ihm geschlossen hatte.

18. Rückblende: Kimi im Bus

Sie sitzen wie betäubt im Bus. Kimi hebt vorsichtig den Arm hoch. Er kann ihn noch bewegen. Aber der Schmerz ist kaum zu ertragen. Er sitzt aufrecht, damit die Wunde am Rücken nicht mit der schmutzigen Lehne in Berührung kommt.
Toma steht vorne neben dem Fahrer, zwei Wikinger sitzen in der ersten Reihe, drei in der hintersten Bank des Busses. Einer hat einen Baseballschläger quer über die Knie gelegt.
Schockstarre im ganzen Bus. Es ging alles so schnell. Eine solche Brutalität hat Kimi noch nie erlebt. Sie wurden bestraft. Und jetzt werden sie wie Vieh zur Arbeit getrieben. Sie haben nichts zu sagen. Sie haben zu arbeiten. Nichts weiter. Sie sind Arbeitsvieh. Sie unterscheiden sich in nichts von dem Vieh, das sie schlachten und zerlegen.
»Ich hab's euch gesagt«, sagt Toma laut, sodass man ihn auch hinten im Bus hören kann. »Die Deutschen sind jetzt

die Chefs. Sie zahlen euch. Aber unsere Landsleute schulden euch das Geld für den April.«

Und den März, denkt Kimi.

Er hat seinen Freund verraten. Er denkt an Adrian. Sieht die blutige Masse, die einmal sein kluges, freundliches Gesicht gewesen war. Aber was sollte er tun gegen die brutale Übermacht? Er ist allein. Er kann nichts tun. Er wird nicht den Helden spielen. Er senkt den Kopf. Der Säbel schlägt nicht das Haupt ab, das sich beugt.

Doch er steht trotzdem auf. Er spürt, wie die Beine nachgeben. Er muss sich mit der linken Hand an der Lehne abstützen.

»Adrian braucht einen Arzt«, sagt er – nicht laut, aber doch so, dass jeder es hört. »Toma, was geschieht mit Adrian? Er braucht einen Arzt.«

Er erschrickt über seine Stimme. Sie klingt so dünn. Er hat immer eine kraftvolle Stimme gehabt. Eine schöne Singstimme. Jetzt klingt sie, als habe jemand mit dem Messer ein Stück davon abgeschnitten.

Er räuspert sich, die Finger in die stützende Lehne gekrallt.

»Toma, was ist mit Adrian? Er braucht einen Arzt.«

Er sieht, wie die beiden Wikinger neben Toma aufblicken. Einer sagt etwas zu Toma. Und er sieht aus dem Augenwinkel, wie Viktor und Vasile die Köpfe senken. Von ihnen wird er keine Unterstützung erhalten. Aber er muss wissen, was aus Adrian wird.

»Adrian ist selbst schuld. Er hat euch aufgehetzt. Er ist schuld, dass die Deutschen so schlecht gelaunt sind. Setz dich wieder hin, Kimi. Kümmere dich um deine eigenen Angelegenheiten. Du siehst schon so schlecht genug aus.«

»Kümmert sich jemand um Adrian?«

Einer der Wikinger fragt Toma etwas auf Deutsch und deutet dabei auf Kimi.

»Setz dich!« Toma schreit ihn an, dann sagt er etwas zu dem Wikinger.

Kimi will sich setzen, doch sein Rücken brennt wie Feuer. Sein Körper gehorcht nicht. Er fürchtet sich vor dem Schmerz, den jede Bewegung auslöst.

»Setz dich, du verdammter Idiot.«

Er will sich setzen, aber sein Körper gehorcht nicht.

Einer der beiden Wikinger vorne sagt etwas zu dem Busfahrer. Der Fahrer nickt, bremst ab und lenkt den Bus an den Straßenrand. Fauchend öffnet sich die vordere Tür, als der Bus steht. Der Wikinger kommt breitbeinig auf Kimi zu. Kimi wirft sich auf seinen Sitz zurück und senkt den Kopf. Der Schmerz im Rücken ist durchdringend und sengend.

Jetzt steht der Wikinger vor ihm, seine Faust greift in sein Haar und zieht ihn einfach hoch. Er hört das eklige, kratzende Geräusch auf seiner Kopfhaut, als Haarbüschel herausgerissen werden. Kimi schreit, er schreit, so laut er kann. Aber er hört sich fast nicht. Der Wikinger zieht ihn hinter sich her zur Vordertür und stößt ihn hinaus. Er stürzt auf den Boden und sieht den riesigen Rocker auf sich zukommen. Er rappelt sich auf. Aus der hinteren Tür steigen die drei Rocker aus, die auf der Rückbank saßen. Einer klatscht den Baseballschläger in die Hand.

Der erste Rocker tritt ihn in die Rippen, und die Wucht des Trittes schleudert ihn rückwärts gegen den Bus. Kimi rutscht, den Rücken gegen den Bus gepresst, auf den Boden. Dort bleibt er liegen. Die anderen drei sind jetzt ganz nahe. Er vergisst seinen Schmerz und dreht sich einmal um die eigene Achse und robbt unter den Bus. Er robbt so schnell er kann; krallt sich mit den Händen in die Graswurzeln, zieht sich daran voran, duckt und rollt sich in die Mitte unter das Wagenblech.

Die Wikinger bücken oder knien sich hin, um unter den Bus zu sehen. Einer stochert mit dem Baseballschläger nach ihm, aber der ist viel zu kurz. Der Rocker, der ihn aus dem Bus geschleift hat, versucht, sich unter den Bus zu zwängen. Doch er ist zu fett. Er flucht, aber es hilft nichts. Kimi atmet schwer. Er riecht Benzin und Erde. Und er hat Todesangst. Draußen hört er, wie sich die Rocker auf Deutsch beratschlagen. Er versteht kein Wort.

Dann wird plötzlich der Motor gestartet. Das Bodenblech vibriert. Es versetzt ihm leichte Stöße auf den Rücken, jeder Stoß eine Explosion. Der Bus fährt an. Kimi greift in das Gestänge des Rahmens, findet Halt, klammert sich fest. Jetzt wird er mitgeschleift. Die Schmerzen rauben ihm den Verstand. Der Bus bleibt stehen. Wieder bücken sich die Wikinger und sehen unter den Bus.

Da lässt Kimi das Rahmengestänge los und kriecht nach vorne. Schnell, so schnell er kann, robbt er auf den Ellbogen, zwängt sich unter dem Bus hervor und rennt und rennt, die Augen voll Tränen. Er rennt, bis sein Körper aufgibt und er der Länge nach hinfällt. Er wartet, dass die Rocker kommen und ihn totschlagen.

Dann verliert er das Bewusstsein.

19. Hof des Bauern Zemke, Nähe Oldenburg, frühmorgens

»Um Gottes willen, was haben sie mit dir gemacht?« Laura umarmt Jakob, als der Fette ihn in ihr Gefängnis zurückstößt.

Wie warm ihr Körper ist! Plötzlich durchfährt ihn die verrückte Idee, der Wahnsinn der letzten Stunde sei wegen dieses einen Moments geschehen, für diesen wunderschönen Augenblick, in dem Laura sich an ihn drückt. Schnell macht er sich von ihr los und wendet sich an Simon: »Sie wollen die PIN-Nummer. Gib sie ihnen. Und diskutier nicht mit ihnen. Es hat keinen Zweck.«

Simon nickt und geht unsicher zur Tür. Der Fette grinst, sagt: »So ist's brav«, und schließt die Tür hinter Simon ab. Laura kramt aus ihrer Tasche ein Papiertaschentuch hervor und tupft vorsichtig das Blut von Jakobs Gesicht.

»Tut's weh?«

Jakob schüttelt den Kopf, obwohl sein Gesicht höllisch brennt. Er möchte nicht, dass Laura damit aufhört. Es ist schön, wenn sie so dicht bei ihm steht. Doch plötzlich fällt ihm etwas ein, und er geht einen Schritt zurück.

»Die Typen sind richtig dumm. Sie tragen keine Masken oder Ähnliches. Wir können sie bei der Polizei genau beschreiben.«

»Wahrscheinlich hat die Polizei sowieso Fotos von ihnen«, sagt Cem.

»Sie werden das büßen«, sagt Laura und tupft weiter in Jakobs Gesicht.

Ich bin mir nicht sicher, will Jakob sagen, aber er hält den Mund.

Nach ein paar Minuten bringen die Rocker Simon zurück. Er ist unverletzt.

»Das ist ein Scheißgefühl, diesen Verbrechern einfach zu sagen, was sie wollen«, sagt er und setzt sich wieder auf den Boden.

»Sie werden das büßen«, wiederholt Laura.

20. Stuttgart, Denglers Schlafzimmer, frühmorgens

Irgendwann erlosch die Sehnsucht nach Hildegard. Sie wurde ersetzt durch Wut. Die Wut währte lange, dann erlosch auch sie. Sie wurde ersetzt durch Gleichgültigkeit. Manchmal hätte er sich gewünscht, sie wäre durch Freundschaft ersetzt worden. Aber dazu stritten sie zu oft. Dazu rief sie ihn viel zu oft mitten in der Nacht an.

Dann kam Olga.

Er stellt sich ihren Körper vor.

Ihre Wärme.

Er geht ins Bad und schaut in den Spiegel. Der unrasierte Mann mit den tiefen Falten um die Mundwinkel, der Mann mit den rot geränderten Augen, das ist er.

Er ist eine Zumutung für jede Frau. Das weiß er. Er geht aus dem Bad zurück ins Schlafzimmer und legt sich ins Bett. Er will nur noch schlafen. Merkwürdig, dass die Liebe zu einer Frau verblassen kann, aber die Liebe zu seinem Sohn würde nie enden. Menschen sind seltsame Wesen.

Jakob ist jetzt 18 Jahre alt. Er ist ein Mann, ein junger Mann, noch unerfahren in vielen Dingen des Lebens. Man sieht ihm den Jungen noch an, der er noch vor Monaten gewesen ist. Aber er geht schon seiner eigenen Wege. Und Dengler ist entschlossen, ihn dabei zu unterstützen. Hildegard akzeptiert nicht, dass er ein Mann wird. Sie glaubt, Jakob wird immer ein kleiner, abhängiger Junge sein. Jetzt ist er zu seiner ersten großen Reise aufgebrochen. Mit drei Freunden ist er nach Barcelona gefahren. Jakob hat ihm von der Reise erzählt. Sein Sohn wird viel erleben. Er wird neue Dinge sehen. Er wird noch weniger der kleine Junge sein, wenn er zurückkommt. Hildegard muss lernen, damit zurechtzukommen. Er kann ihr dabei nicht helfen.

Und während der Regen gegen das Fenster prasselt, denkt er an Olga und freut sich auf das Frühstück mit ihr.

21. Hof des Bauern Zemke, Nähe Oldenburg, morgens

»Falls ihr brunzen müsst.«

Der fette Rocker grunzt und stellt ihnen einen Eimer mitten in den Raum. Dann stellt er zwei Plastikkanister daneben.

»Wasser.«

In der Tür steht Dschingis Khan mit einem Baseballschläger, er wippt auf den Fersen hin und zurück und schlägt sich das Holz in die linke Handfläche. Es erzeugt ein hässliches, klatschendes Geräusch. Dann wird die Tür wieder verschlossen.

Laura stöhnt.

»Wir drehen uns alle um, wenn du musst.« Cem deutet auf den Eimer.

Keiner reagiert. Nicht einmal Simon lächelt.

»So eine gottverdammte Scheiße«, sagt Cem. »Woher wussten die bloß, wo ich mich versteckt hatte?«

»Die lassen uns bestimmt bald laufen. Spätestens gegen Mittag. Die wollen uns nur einen Schreck einjagen«, murmelt Simon.

»Wir brauchen die Filmausrüstung wieder«, sagt Jakob.

»Freiheitsberaubung. Das ist echt krasse Freiheitsberaubung«, sagt Laura. »Dafür gibt's Knast für diese Scheißtypen.«

»Merkt euch die Gesichter«, sagt Jakob.

»Prima. Wir werden Phantomzeichnungen von den Idioten anfertigen. Dann Gegenüberstellungen, wir identifizieren die Typen, dann unser Auftritt vor Gericht als Zeugen der Anklage. Interviews. Unschuldige Jugendliche in der Hand von brutaler Rockerbande«, schwärmt Cem.

»Großes Kino«, sagt Simon.

»Ganz großes Kino«, bestätigt Jakob.

»Mir wär's lieber, wir wären hier schon raus«, fügt Laura leise an.

Jakob sieht sie an. Ihre Schönheit macht ihn beklommen, irgendwie klein und sprachlos.

Er hasst sich dafür, aber kann nichts dagegen machen. Simon ist da ein anderes Kaliber. Der hat keine Selbstzweifel.

Es war verzwickt. Je verliebter er war, desto stummer wurde er. Und je stummer er wurde, desto weniger Chancen hatte er bei ihr. Er wusste, dass es besser wäre, witzig zu sein, aber seit er sich in sie verliebt hatte, fiel ihm in ihrer Gegenwart nichts Witziges ein. Sie ahnte wahrscheinlich nicht einmal, was er für sie empfand. Jakob schlug mit der Faust auf den Boden. Er war in einem Gefängnis. Über diesen Vergleich musste er grimmig lächeln. Er war real eingesperrt, hier in diesem Vorraum einer Mastanlage für Puten, und er war innerlich eingesperrt in seiner verdammten Schüchternheit. Beide Male war er Laura ganz nahe und doch so weit entfernt, als wäre sie auf einem anderen Stern. Die Tragik meines Lebens, da kann ich nichts machen.

Ob Laura wohl ihren Spitznamen kannte? Wenn sie anwesend war, nannte sie jeder bei ihrem Vornamen. Laura. War sie nicht anwesend, nannten sie alle in der Schule »die Philosophin«. Auch das passte zu ihr. Er kannte niemand, der klüger war als sie. Er kannte niemand, der sich so intensiv damit beschäftigte, wie man richtig lebt. Was falsch und was richtig war. Sie war natürlich Vegetarierin. Die Jungs machten sich lustig über die Tusse aus der Parallelklasse, die kein Fleisch essen wollte. Er fand das auch sonderbar. Aber sie war so klar und so – schön.

Genau genommen hatte das Schicksal es sogar gut mit ihm gemeint. Es gab ihm zwei Chancen. Und er hatte sie beide vermasselt.

Beim ersten Mal rannte er sie um. Er war in der großen Pause zum Snack-Border am Berliner Platz gerannt und hatte zwei Käsebaguettes verdrückt. Hunger und wenig Geld – keine gute Kombination. Er spülte das trockene Zeug mit einer Cola runter, sah auf die Uhr: In drei Minuten begann der Chemieunterricht. Also zahlte er und verlor eine Menge Zeit, weil der Typ an der Kasse erst vergaß, die Cola einzutippen, und daher die Baguettes und die Cola getrennt kassierte. Jakob rannte über die Schlossstraße zur Schule, und auf dem Schulhof musste er einem Pulk von Sechstklässlern ausweichen, die das Gebäude verließen und sich vor dem Schaukasten am Eingang drängelten, um den aktuellen Vertretungsplan zu lesen. Er rannte die Treppe hoch in den ersten Stock und wumm – stieß er mit einem von den Idioten zusammen und ging zu Boden.

»Hey du Flachwichser, kannst du nicht aufpassen«, fauchte er, und als er sich aufrappelte, sah er, dass es ein Mädchen war – Laura aus der Parallelklasse, die nun in die Hocke ging, um ihre Hefte und Bücher aufzusammeln. Sie sah auf, schaute ihm direkt in die Augen – Laura mit ihren unglaublich blauen Augen, das muss man sich mal vorstellen –, sah ihn also direkt an, und sofort stoppte die Zeit. Oder sie verlangsamte sich zu extremer *Slow Motion*. Später überlegte er, wie lange sie sich angesehen hatten. Ihm kam es vor wie Stunden. Er sah sie an, sie sah nicht weg.

»Bin ich ein Flachwichser?«

Dazu ein zartes Lächeln. Spöttisch und zugleich irgendwie – interessiert.

Er murmelte etwas wie »Sorry, ja, natürlich nicht, geht ja auch nicht« oder irgendeinen Stuss in diesem Sinne, dann bückte er sich und half ihr, die Hefte aufzusammeln.

»Danke. Du bist ja richtig nett.«

Dann ging sie. Einfach so.

In Chemie war er immer gut gewesen. Es war eines seiner Lieblingsfächer, aber an die nachfolgende Unterrichtsstunde hatte er keine Erinnerung mehr. Null.

»Du bist ja richtig nett.«

Er sagte sich diesen Satz auf, einmal, zweimal, dreimal, hundertmal, wahrscheinlich tausendmal.

Das war die erste Chance.

Er hatte sie nicht ergriffen, sondern war an der Ecke des Flurs stehen geblieben und hatte ihr nachgestarrt.

Das zweite Mal sah er sie eine Woche später im Lichthof. Sie stand mit dem Rücken gegen die Glasscheibe gelehnt und las in einem Buch, das sie in der linken Hand hielt. Sie war so versunken in das Buch, dass sie nicht aufsah. Er blieb einfach stehen und sah sie an. Sie merkte es nach einer Weile. Langsam klappt sie das Buch zu und sah ihm direkt in die Augen.

Dann lächelte sie. Vielleicht, weil sie ihn wiedererkannte und an ihren kleinen Zusammenstoß denken musste. Jakob lächelte zurück, cool natürlich, und wusste, dass dies die Chance für ein Gespräch war.

In diesem Augenblick streckte sie ihm die Zunge raus. Noch einmal *Slow Motion*. Sein am meisten gesehener Film: Sie streckte sie einfach ein kleines Stück heraus und lächelte.

So sah sie ihn an. Nicht lange. Aber diese Zeitspanne zerlegte er später in jede verfluchte Hundertstelsekunde. Und die Analyse ergab zweierlei. Erstens: Sie gab ihm ein Zeichen des Vertrauens. Zweitens: Sie forderte ihn zu einer Reaktion auf. Zu einer Bemerkung, vielleicht nicht einmal zu einem vollständigen Satz. Zu irgendetwas. Und dann, er musste es zugeben, deutete diese wunderbare rosarote, ihm frech herausgestreckte Zunge etwas an, was er noch nicht erlebt hatte. Es war …

Es war zu viel für ihn. Er drehte sich um und ging weg. In ziemlich schnellen Schritten. Wenn er ehrlich zu sich selbst war: Er stürmte davon.

Er hatte es ein zweites Mal vermasselt, und er verfluchte sich dafür. Ziemlich oft. In den folgenden Wochen sah er sie nur einmal kurz.

Ich brauche einen Plan, dachte er. Ich erzwinge die dritte Chance.

Wenn eine so kluge Schönheit kein Fleisch mehr aß, musste sie Gründe haben. Er überlegte lange.

Statt nach Hause in den Stuttgarter Westen zu fahren, nahm er ihre Straßenbahn zum Killesberg und fragte sie einfach. Und tatsächlich: Sie war nicht beleidigt oder so, sie redete mit ihm. Er fragte, und sie erklärte, und plötzlich hielt die Straßenbahn an der Endhaltestelle. Er ging einfach neben ihr her, bis sie vor dem Haus ihrer Eltern standen, und sie sagte, er solle doch mitkommen, es sei so schön mit ihm zu reden.

Ihre Eltern besaßen ein kleines Haus, beste Lage, schöner Blick über das Feuerbacher Tal. Die Mutter war Pfarrerin, der Vater war Lehrer, keiner der beiden war zu Hause, und daher standen sie alleine in der großen weißen Küche. Laura zerschnippelte zwei Zucchini, zwei Tomaten, zwei Paprika, zerteilte eine Chili, schnitt Kräuter darüber, häufte alles auf zwei Alufolien, gab Schafskäse dazu, verschloss die Folie zu zwei silbernen Paketen, die sie in den Backofen schob, und nach einer halben Stunde aßen sie das immer noch bissfeste Gemüse. Es schmeckte herrlich. Er saß Laura gegenüber, und sie erklärte ihm ihre Philosophie.

Ihre Überlegungen waren im Grunde einfach. Eigentlich esse ich gerne Fleisch. Es schmeckt mir. Sogar sehr gut. Mein Vater grillt gern, und meine Mama brät den besten Rostbraten der Welt. Ich bin verrückt nach den Rouladen meiner Großmutter. Sie macht sie mit Speck, herrlich.

Aber?

Überleg doch mal. Dafür muss jedes Mal ein Tier sterben. Ein Schwein, ein Rind, ein Huhn, irgendein Tier.

Jakob zuckte mit der Schulter. So war das eben. Na und? Er aß Fleisch. Er aß Fleisch, seit er denken konnte. Seine Großmutter hielt Hühner und Kaninchen, und wenn er sie besuchte, schlachtete sie eines davon. Jeder half, der Vater, sogar er. Seit er groß genug dafür war, schnitt er die Flügel vom Huhn oder zerteilte das Brustfleisch gerecht in mehrere gleich große Teile. Die Essen bei der Oma in Altglashütten waren immer etwas Besonderes gewesen. Zu dritt saßen sie um den Tisch, die Großmutter, der Vater und er. Seine Eltern waren damals schon getrennt, Mama war nie dabei. Die Essen bei der Oma waren seltene Momente, in denen er von seiner Mutter getrennt war und sie nicht vermisste.

»Es ist so«, sagte Laura ernst. »Kein Tier stirbt gerne. Keines will von uns gefressen werden. Es will leben.«

Sie sagte tatsächlich »gefressen« statt »gegessen«, so, als wären die Menschen Tiere.

»Sie wehren sich.«

Nun, das stimmte. Und stimmte auch wieder nicht. Er erzählte ihr, wie die Hühner fortrannten, wenn die Oma ihr eingezäuntes Gehege betrat. Sie hatte meist eine Handvoll Weizenkörner dabei, rief »put, put, put« und streute die Körner. Die Hühner kamen, pickten und zack! – plötzlich hatte die Oma eines der Hühner gepackt, hielt es hinter den Flügeln fest und trug es zu dem großen Hackklotz vor dem Stall. Jakob sah, dass Laura ihm aufmerksam zuhörte, und er berichtete ihr, wie ihm schon als kleiner Junge aufgefallen war, wie unruhig die anderen Hühner wurden, wenn die Oma eines von ihnen aus dem Auslauf trug.

»Igitt! Deine Oma hat das Huh geschlachtet?« Laura zog eine Grimasse.

Jakob ließ sich davon nicht beeindrucken. Seine Oma schlachtete. Das tat sie. Sie redete beruhigend auf das Huhn ein und hielt es so, dass der Kopf auf dem Klotz lag. In einer Hand hielt sie das Beil, und Jakob wusste genau, dass jetzt gleich ein wuchtiger, schneller Schlag folgen würde, der dem Tier den Kopf vom Rumpf trennte. Aber was ihn immer wieder schauern ließ, war, dass die Oma das Huhn dann losließ, und jedes Mal rannte das Vieh flügelschlagend davon – ohne Kopf. Erst nach ein paar Schritten fiel es tot um. Eines flog sogar ohne Kopf davon und landete auf dem Dach. Die Nerven, hatte sein Vater ihm erklärt, das sind die Nerven, die funktionieren noch, obwohl das Huhn nicht mehr lebt.

»Merkwürdig, das Leben«, hatte Laura leise gesagt.

Durch diese Bemerkung ermutigt, erzählte Jakob ihr, was

ihn noch mehr verwundert und nachdenklich gestimmt hatte. Denn jedes Mal, wenn die Oma mit einem Huhn unter dem Arm das Gehege verließ, waren die anderen Hühner ganz verrückt geworden.

Verrückt?

Ja, ganz außer sich. Die Hennen standen vor dem Zaun und starrten in Richtung Hackklotz. Sie gurrten auf eine Art, wie ich es noch nie von ihnen gehört hatte. Ich dachte, sie wüssten, dass eine von ihnen jetzt sterben würde. Aber das war es nicht. Sie liefen geduckt am Zaun auf und ab und einige wurden so verrückt, dass sie sich unter dem Zaun hindurchquetschen wollten. Es herrschte Unruhe und Aufregung wie nie.

Und warum?

Sie wussten, was passiert. Sie wussten, dass eine von ihnen stirbt. Vor allem aber wussten sie, dass meine Oma ihnen dann die Gedärme ihrer toten Schwester über den Zaun werfen würde. Sie stürzten sich mit einem wahnsinnigen Geflatter und Gegacker darauf. Sie warteten darauf. Ich stand am Zaun und versuchte das zu verstehen.

Das Leben ist verrückt.

Jakob schwieg.

Das war der Anfang ihrer Freundschaft gewesen. Sie sahen sich seit diesem Tag öfter, immer öfter – und in der Schule dachten einige, sie seien ein Paar. Aber es gab keine Verheißungen mehr. Kein intimes Zeichen des Vertrauens. Sie waren Kumpels geworden.

Dann brachte Laura eines Tages Simon mit. Und Jakob wurde klar, dass Laura noch ein weiteres Leben führte, ein Leben, von dem er nichts wusste und in das sie ihn nicht eingeweiht hatte. Mit Simon tauchte Cem auf. Die beiden spielten im gleichen Handballclub. Cem bewunderte Simon, und obwohl Cem größer und stärker war, ließ er sich Simons Kommandoton mit erstaunlicher Geduld gefallen.

Irgendwann waren sie zu viert unzertrennlich. Sie sahen sich jeden Tag, und unter Lauras umsichtiger Führung diskutierten sie »über das Leben«, wie sie sagte. Und diese Diskussionen hatten sie in dieses Gefängnis geführt. Es würde eine unvergessliche Episode ihrer Freundschaft werden. Sie würden sagen: »... damals, als die Rocker uns in der Putenmastanlage gefangen hielten«.

Er sah zu Laura hinüber, die den Kopf auf Simons Schulter gelegt hatte. Die beiden schliefen. Jakob drehte sich zu Cem. Cem schlief nicht.

»Etwas hier ist unheimlich«, sagte er leise.

22. Stuttgart, Café Stella, morgens

Dengler sieht zufrieden, wie die brünette Bedienung einen großen Wurstteller vor ihm auf den Tisch stellt, Leberwurst, Schinken, Räucherspeck, alles da. Olga serviert sie ein Müsli mit Joghurt und Früchten. Georg Dengler legt sich die Papierserviette auf die Oberschenkel, greift in den Brotkorb und schmiert dick Butter auf eine Scheibe Vollkornbrot, dann eine ebenso dicke Schicht Leberwurst. Er beißt hinein und lehnt sich entspannt zurück.

Die Bedienung bringt ihnen beiden einen doppelten Espresso. Dengler schüttet etwas Milch in die Tasse, Olga einen Löffel Zucker.

»Ich hatte eine Scheißnacht«, sagt Dengler. »Um drei Uhr rief meine Exfrrau an.«

Olgas Augenbraue zieht sich nach oben. »Ach ja?«

»Jakob hat sich ein, zwei Tage nicht bei ihr gemeldet. Das macht sie wahnsinnig.«

»Hast du nicht erzählt, er wäre mit Freunden für ein paar Tage nach Barcelona gereist?«

»Ja. Er wird erwachsen. Meldet sich nicht mehr jeden Tag

bei der Mama. Das macht sie fertig. Sie begreift nicht, dass er kein Kind mehr ist.«

»Und dann ruft sie ihren Exmann mitten in der Nacht an?«

»Frauen sind manchmal nicht einfach zu verstehen. Aber ich muss ihr sogar fast dankbar sein. Ihr Anruf hat mich aus einem schlimmen Albtraum gerissen. Aber noch schlimmer war, dass ihr Anruf mich an ein Erlebnis erinnert hat, das ich als junger Polizist beim Bundeskriminalamt hatte.«

»Hast du mir davon schon erzählt?«

»Nein. Ich war erst einige Monate im Dienst, als ich zum Personenschutz für einen Chefbanker abkommandiert wurde. Also wieder mal im Personenschutz einspringen. Das kam öfter vor. Aber an diesem Tag ...«

Sie legt ihm die Hand auf den Arm.

»Es war ein Konvoi. In dem ersten Wagen saß ich mit zwei privaten Sicherheitsleuten. Dann kam der Mercedes des Bankers, und dann folgte noch ein Wagen mit Begleitschutz. Plötzlich eine gewaltige Explosion: Hinter uns der zerfetzte und rauchende Wagen des Bankers. Stopp, anhalten, schrie ich, aber der Fahrer gab Gas. Ich schrie, er solle anhalten. Aber er fuhr einfach mit hohem Tempo weiter. In einer Kurve öffnete ich die Tür und ließ mich aus dem Auto fallen. Und rannte zurück zum Tatort. Zwei Männer hielten mich fest. Ich sah, wie der Begleitschutz den Fahrer des Bankers rettete. Ihn selbst nicht. Er ist im Fond des Mercedes' verblutet.«

»Und weiter?«

»Das Attentat wurde später der RAF zugerechnet, den Terroristen. Man trieb einen Zeugen auf, der zugab, die Mörder beherbergt zu haben. In Wirklichkeit war dieser Mann aber ein V-Mann des hessischen Verfassungsschutzes. Später zog er alle seine Aussagen zurück.«

»Und du?«

»Ich habe Fragen gestellt. Ziemlich viele. Dann wurde ich zum Gespräch gebeten. Ich solle aufhören, Unruhe zu stiften. Etwas stank zum Himmel, aber ich begriff nicht, was. Dann verdrängte ich die Sache, mehr oder weniger.«

»Bis jetzt?«

»Ja. Bis jetzt. Denn plötzlich sind alle wieder da, die dieses Attentat vertuscht haben. Die Mordserie dieser rechtsradikalen NSU ...«

»Was ist damit?«

»Alle tauchen wieder auf. Der Beamte des hessischen Kriminalamtes ist jetzt stellvertretender Leiter des thüringischen Verfassungsschutzes. Der Richter ...«

Olga blickt ihm in die Augen. »Du mit deinen ständigen Albträumen. Warum bist du nicht zu mir gekommen?«, sagt sie.

»Ich wohne nur eine Treppe höher.«

»Du hättest dich vor mir gefürchtet. Ich hab in den Spiegel geschaut.«

»Unterschätz meinen Mut nicht. Du musst dich diesen alten Geschichten stellen. Das alles verfolgt dich in deinen Träumen bis heute.«

Sie lächelt. Dann lehnt sie sich zurück. »Und ich weiß auch: All das wird dich weiterhin verfolgen, solange du nicht Licht und Klarheit in diese Dinge gebracht hast. Was hat man euch denn damals erklärt? Habt ihr nicht nachgefragt, warum, weshalb, wieso?«

»Doch, natürlich. Ich hab alles versucht. Alle Türen gingen plötzlich zu, wenn ich irgendwelche Ungereimtheiten zur Sprache brachte, nicht nur bei diesem Attentat, auch später, immer wieder. Es war so ... «

Dengler will noch etwas sagen, aber da bemerkt er, dass Olga zum Fenster starrt und ihr Rücken sich versteift. Er dreht sich zu der großen Fensterfront um, und für eine Hundertstelsekunde registriert sein Hirn, dass dort eine attraktive blonde Frau im Regen steht, sieht die Locken und den blauen Mantel, doch nach der Hundertstelsekunde spürt er, wie er wütend wird. Es ist Hildegard, die dort auf der anderen Seite der Glasscheibe steht.

»Wie nett. Deine Ex«, sagt Olga.

Dengler knallt die Serviette auf den Tisch und steht auf. Er nimmt seinen Regenschirm aus dem Ständer, verlässt das Lokal und tritt zu seiner Exfrau. Er hebt den Schirm über sie.

»Scheißwetter«, sagt er.

»Das ist typisch. Du sitzt hier mit einer deiner Gespielinnen, lässt es dir gut gehen, und unser Sohn ist dir egal.«

Dengler tritt instinktiv einen Schritt zurück. Hildegard steht wieder im Regen.

»Jakob macht Urlaub. Mit einigen seiner Freunde. Du musst dich daran gewöhnen, dass er erwachsen wird. Er meldet sich nicht mehr jeden Tag bei der Mama.«

Sie funkelt ihn böse an. »Ich gehe zur Polizei.«

Er hebt den Schirm wieder über sie. »Mein Gott, Hildegard, es ist schwer, wenn die Kinder eigene Wege gehen. Aber Jakob wird immer dein Sohn …«

»Red keinen Unsinn. Jakob hätte sich gemeldet. Irgendetwas stimmt nicht. Ich gehe zur Polizei.«

»Wenn du dich lächerlich machen willst, bitte.«

Er dreht sich um, geht zurück und setzt sich wieder an den Tisch. Demonstrativ nimmt er einen Schluck Espresso und schaut nicht mehr zum Fenster.

»Gemütliches Frühstück heute«, sagt Olga.

»Sie ist verrückt. Ich kann nichts dafür.«

Plötzlich steht sie neben ihnen. »Ich gehe jetzt zur Polizei. Ich will, dass du mitgehst. Es ist auch dein Kind, das verschwunden ist.«

Sie sagt es laut, und einige Gäste drehen sich bereits um.

»Darf ich dir Olga vorstellen, meine …«

»Mich interessieren deine Weibergeschichten nicht.«

Olga zieht eine Augenbraue in die Höhe. Sonst verrät ihr Gesicht nichts, doch Dengler kennt sie gut genug, um zu wissen, dass sie kurz vor einer Explosion steht.

Doch zu seiner Überraschung legt sie Dengler eine Hand

auf den Arm und sagte leise: »Geh mit ihr. Sie macht sich wirklich Sorgen.«

Verwirrt steht er auf, überlegt, geht dann zur Kasse, zahlt bei der brünetten Bedienung und tritt hinaus in den Regen. Hildegard folgt ihm. Er spannt den Regenschirm auf. Sie sind fünf Schritte gegangen, als sie sich bei ihm unterhakt. Dengler zuckt kurz zusammen.

»Jakob hat mir erzählt, dass ihr beide gerne ins Café Stella geht.«

Es war Jakobs Idee gewesen, hierherzukommen. Der Grund war, dass Jakob hier Sojamilch zum Kaffee bekam. Dengler hatte die neueste Marotte seines Sohnes überrascht. Warum war ihm normale Milch nicht gut genug? Sojamilch? Wurde Jakob ein Snob? So saßen sich Vater und Sohn im Café Stella gegenüber, der eine kippte Kuh- und der andere Sojamilch in seinen Kaffee, und jeder wunderte sich über den anderen.

23. Hof des Bauern Zemke, Nähe Oldenburg, vormittags

Jakob friert und sieht voller Neid zu Simon. Irgendwann pinkelt Cem in den Eimer. Dann schläft Jakob, unruhig, er träumt, dass er von Rockern über ein Feld gejagt wird. Ein Fluss schneidet ihm den Fluchtweg ab. Er stürzt sich in das Wasser, er schwimmt und schwimmt, doch er kommt keinen Zentimeter vorwärts. Die Rocker haben ihn fast. Als der Erste nach ihm schlägt, wacht er auf.

Dschingis Khan und das Walross bringen ihnen Frühstück. Schwarzbrot, Marmelade, Leberwurst und Butter, dazu Kaffee und Milch. Dschingis Khan bleibt an der Tür stehen, und der fette Rocker stellt die Sachen auf den Tisch.

»Wir essen weder Butter noch Wurst«, sagt Cem.

»Dann lässt du's eben bleiben«, sagt das Walross und dreht sich um.

Laura stellt sich ihm in den Weg. »Sie wissen, dass Sie sich strafbar machen. Freiheitsberaubung ist kein …«

Er wischt sie einfach zur Seite und geht. Der Schlüssel dreht sich im Schloss.

Sie essen das Brot mit Marmelade und trinken den Kaffee schwarz.

Simon läuft nervös auf und ab. Laura sieht ihm besorgt zu. Hoffentlich verliert er nicht die Nerven.

Jakob schlägt ein Spiel vor. Er denkt sich eine Person aus, und die anderen müssen die Person raten, indem sie Fragen stellen. Er beantwortet die Fragen jedoch nur mit Ja oder Nein.

Um Laura zu gefallen, denkt er sich die Mädchen von Pussy Riot aus. Nach drei Fragerunden errät sie es.

»Ich kenn dich. Das war nicht schwer.«

Cem denkt sich *Pac-Man* aus, die Figur aus dem uralten Computerspiel, das sie vor vier Wochen neu entdeckt haben. Niemand errät es, und deshalb darf er sich eine zweite Figur ausdenken. Ozzy Osbourne. Simon errät es. Wegen der Ähnlichkeit, sagt er und alle lachen, sogar Cem, obwohl der Witz auf seine Kosten geht. Dann ist Simon an der Reihe. Er wählt Homer Simpson. Laura errät es sofort: Es ist kein realer Mensch? Ja. Ist eine Comicfigur? Ja. Tritt sie im Fernsehen auf? Ja. Ist es Homer Simpson?

Jakob fühlt den Messerstich der Eifersucht sofort und ärgert sich darüber. Die beiden kennen sich gut. Sie kennt Simon, wie eine Frau ihren Mann kennt, denkt er. Irgendwie verheiratet. Er hat keine Chance.

Laura und er unterhalten sich meist über ernste Themen. Tiere waren schon immer Lauras Sache.

Es gibt einen Interessenkonflikt, hatte sie ihm erklärt. Es ist mein Interesse, das Schwein zu essen. Es schmeckt mir. Aber es gibt auch das Interesse des Schweins, nicht zu sterben.

Sie saß ihm am Tisch in der Küche ihrer Eltern gegenüber und sah ihn fragend an, ob er ihr folgen könne.

Jakob nickte.

»Wir müssen also diese beiden Interessen abwägen. Welches wiegt schwerer? Mein und dein Interesse, das Tier zu essen, oder das Interesse des Tieres, zu leben. Was meinst du?«

Er schwieg und dachte nach. »Wenn man es so sieht«, sagte er nach einer Weile.

»Unser beider Interesse – nämlich das Tier zu essen – würde nur dann gelten, wenn wir keine anderen Lebensmittel zur Verfügung hätten oder wenn wir gebürtige Fleischfresser wären wie Löwen oder ähnliche Tiere. Aber wir können uns genauso gut, sogar noch besser von Pflanzen ernähren, von Gemüse zum Beispiel.«

Jakob blickte auf die Alufolien mit den Zucchini und Paprika, er hat seine Portion schon fast aufgegessen.

»Schmeckt sogar ziemlich gut.«

Sie lachte. »Wenn du also überlegst, welches Interesse mehr zählt, dein Interesse, ein Tier zu essen, obwohl du genauso gut oder sogar noch besser Pflanzen essen kannst, und das eindeutige Interesse des Tieres, nicht zu sterben – zu welchem Schluss kommst du dann?«

»Ist schon klar – wenn man es so sieht, ist das Interesse des Tieres zu leben höher zu bewerten. Ehrlich gesagt: Ich hab es jedoch noch nie so gesehen.«

»Wie kann man es anders sehen?« Sie musterte ihn.

Jakob sagte nichts, aber in den folgenden beiden Tagen dachte er über die Frage nach und kam zu dem Schluss, dass Laura recht hatte. Außerdem verstand er, warum die Schüler der Parallelklasse sie »die Philosophin« nannten.

»Ich esse kein Fleisch mehr«, verkündete er noch am selben Abend seiner Mutter und schob sein Steak an den Rand des Tellers.

Hildegard sah ihren Sohn erstaunt an. »Was ist denn das schon wieder für eine neue Marotte?«

»Keine Marotte. Neue Erkenntnis.«

Und jetzt sitzen sie hier. Gefangen von dämlichen Rockern.

Gegen Mittag essen sie das restliche Brot.

»Meinst du, die lassen uns heute noch laufen?«, fragt Cem.

Jakob zuckt mit den Achseln.

Auch Laura sieht ihn fragend an.

24. Stuttgart, Polizeipräsidium, vormittags

»Seit drei Tagen haben Sie Ihren Sohn also nicht mehr gesehen?«, fragt der Polizist.

Hildegard nickt.

»Er ist mit Freunden in Urlaub gefahren«, sagt Dengler. »Nach Barcelona.«

»Halt du dich da jetzt mal raus«, faucht Hildegard ihn an.

Dengler hebt die Hände und lässt sie wieder fallen.

Hildegard wendet sich an den Polizisten: »Jakob, also unser Sohn, würde niemals so lange von zu Hause weg sein, ohne sich zumindest einmal zu melden. Er hat doch ein Handy. Das ist einfach nicht seine Art.«

»Haben Sie eine Verabredung gehabt, dass er sich zu einer bestimmten Uhrzeit meldet oder nach ein oder zwei Tagen?«

»Nein«, sagt Hildegard zu dem Polizist. »So etwas muss man mit Jakob nicht verabreden. Etwas stimmt nicht.«

»Er ist mit der Bahn gefahren, Interrail?«

»Ja.«

»Wie alt ist Ihr Sohn?«

»Achtzehn Jahre«, sagt Dengler.

»Halt doch mal die Klappe!«

»Ihr Sohn ist also erwachsen.«

»Ja.«

»Lass mich hier reden.«

»Wenn Ihr Sohn erwachsen ist, dann muss er sich nicht bei Ihnen melden. Er kann tun und lassen, was er will.«

»Aber das würde er nie tun! Ich meine, sich so lange nicht melden.«

»Gibt es Hinweise auf ein Verbrechen, auf ein Unglück?«

»Nein«, sagt Dengler.

»Doch«, schreit Hildegard. »Er meldet sich nicht.«

In diesem Augenblick summt Denglers Handy, und aus Hildegards Handtasche tönt eine Fanfare. Nervös zieht sie die Tasche auf ihren Schoß, nestelt den Reißverschluss auf und kramt umständlich in den Tiefen der Handtasche. Dengler zieht sein iPhone aus der Hosentasche. Eine SMS ist eingegangen.

Von Jakob.

> Hi alle, ich bin gut in Barcelona angekommen. Alles prima hier. Essen super und Sonne pur. Gruß Jakob

Dengler schickt sofort eine Nachricht zurück.

> Alles in Ordnung bei Dir?

Hildegard hat ihr Handy gefunden und aus der Handtasche gekramt. Sie liest die SMS, drückt sofort auf die Rückruftaste, drückt den Apparat ans Ohr und lauscht, während sie mit einem Fuß einen unruhigen Takt auf den Boden des Stuttgarter Polizeipräsidiums klopft.

Der Beamte, erstaunt, dass ihm die Aufmerksamkeit der beiden plötzlich entzogen ist, lehnt sich in seinem Stuhl zurück und sieht fragend zu Dengler, der kurz die Hand hebt als Zeichen, dass etwas Entscheidendes stattfindet.

Hildegards Trommeln auf dem Fußboden wird fester. Als die Mailbox in Jakobs Handy anspringt, unterbricht sie die Verbindung und wählt erneut Jakobs Nummer.

Auf dem Display von Denglers Handy erscheint erneut eine SMS:

Alles prima, melde mich demnächst ausführlicher.
Gucken jetzt die Stadt an. Jakob

Hildegard wählt zum dritten Mal die Nummer ihres Sohnes. Erneut nimmt er nicht ab, sondern die Mailbox meldet sich. Sie unterbricht erneut, schüttelt den Kopf und sagt: »Das verstehe ich nicht.«

Dengler streckt sein Handy dem Polizisten entgegen, sodass er die beiden SMS von Jakob lesen kann. Der Polizist nickt und lächelt.

»Wieso nimmt er nicht ab?«, fragt Hildegard.

»Das war's dann wohl«, sagt der Polizist und steht auf.

»Sorry für die unnötige Störung«, sagt Dengler.

Als sie wieder auf die Straße treten, hat der Regen für einen Moment aufgehört. Aber noch immer hängen schwere graue Wolken tief über der Stadt.

»Ruf mich nie wieder mitten in der Nacht an, wenn nicht wirklich etwas Ernstes vorgefallen ist.«

»Wieso nimmt er nicht ab, wenn ich anrufe? Das hat er noch nie gemacht.«

»Du musst dich langsam daran gewöhnen, dass Jakob erwachsen wird. Er hängt nicht das ganze Leben an deiner Rockschürze. Du musst lernen, loszulassen.«

»Du bist immer noch dasselbe Arschloch. Gut, dass ich dich rechtzeitig losgelassen habe.«

»So sehe ich das mittlerweile auch.«

Dengler drückt ihr den Schirm in die Hand und geht.

Zweiter Tag

Montag, 20. Mai 2013

Monolog Carsten Osterhannes

Eines habe ich bei meinem Studium in den USA wirklich gründlich gelernt: Es gibt nur eine Methode, wirtschaftlich erfolgreich zu sein. Damit meine ich nicht, popliger Mittelständler zu werden. Ich meine: vorne zu sein, ganz vorne, an der Spitze zu stehen. Die Methode ist im Grunde einfach. Man muss ein Produkt, das bisher wenigen vorbehalten war, allen günstig verkaufen. Henry Ford schuf für das Auto, zunächst Luxusobjekt der Reichen, einen Massenmarkt. Der Schlüssel dazu waren Arbeitsteilung und Fließband. Exotisches Obst für alle – Hertie. Schöne Kleider für alle Frauen – Neckermann und Otto-Versand. Computer für jedermann – Apple. Einfache Kommunikation für alle – Internet, Google und Facebook. Aus der verrückten Idee, jedem ein Funkgerät zu verkaufen, entstand der Handymarkt.

Meine Idee: Lasst das Volk Fleisch essen.

Vorbei sei die Zeit, als nur der Fürst mit Schwein und Hirsch und Rinderfilet und Fasan tafeln durfte. Vorbei die Zeit, als es nur sonntags Fleisch gab. Vorbei die Zeit, als die Mutter dem Vater das größte oder sogar das einzige Stück Fleisch servierte. Vorbei das Elend. Gutes Leben für alle.

In aller Bescheidenheit: Mein Verdienst über Generationen und Ländergrenzen hinweg ist, dass das beliebteste Lebensmittel aller Zeiten heute in Europa allen zugänglich ist. Jederzeit. Ohne Probleme. Nur mit einem Griff in die Kühltheke im Supermarkt. Nicht nur bezahlbar – sondern günstig.

Mit Stolz kann ich von meinem Lebenswerk sagen: Ich habe der Demokratie gedient. Ich habe maßgeblich zur Demokratisierung des Fleischkonsums beigetragen. Wer kann Ähnliches von sich sagen? Da gibt es nur wenige in Deutschland. Eine Handvoll vielleicht.

Der Schlüssel zum Erfolg sind immer hohe Stückzahlen.

Das ist Gesetz. Es gilt eisern. Unumstößlich. Es gilt in jeder Branche. Automobil, Mode, Fleisch, egal. Hohe Stückzahlen verringern die Kosten pro Stück. Die Fleischindustrie ist eine Industrie wie jede andere auch. Auch bei uns gilt das Gesetz der hohen Stückzahl. Das ist in der Schlachterei nicht anders als im Automobilbau. In diesem Punkt sind wir gleich. Die Unterschiede liegen woanders. In der Automobilindustrie werden einzelne Teile angeliefert und daraus entsteht ein neues Ganzes, das Auto. Bei uns wird ein ganzes Tier angeliefert und es verlässt die Fabrik zerlegt in einzelne Teile; das ist der Unterschied.

Es geht immer um die Kosten pro Stück. Und diese Kosten sind umso geringer, je höher die Stückzahlen sind. Ich habe das nicht erfunden. Ich habe es nur auf den Bereich angewendet, den ich kenne. Ich bin ein Bauernsohn. Mein Vater dachte in Erträgen pro Hektar. Ich ernähre ganze Völker.

Billig.

Mit Fleisch.

Eine einfache Idee.

Aber genial.

In aller Bescheidenheit.

Massenproduktion bedeutet Logistik.

Massenproduktion bedeutet Datenverarbeitung.

Beides ist heute günstig.

Weil Logistik und Datenverarbeitung heute auch ein Massenmarkt sind.

Es sind fünf Regelkreise, die ineinandergreifen. Der erste – logistische – Kreislauf ist die Beschaffung der Tiere. Der zweite Verpackung und Materialien. Der dritte Kreis heißt Entsorgung. Und der vierte Kreislauf ist die Beschaffung der Arbeitskräfte. Der letzte Regelkreis ist der Vertrieb. Es ist faszinierend.

Mein Imperium ist eine eigene Welt. Eine Welt, in der Rädchen in Rädchen greift, alles ist aufeinander abgestimmt, alles bedingt sich. Mein Imperium ist ein Körper, und wie bei jedem anderen Körper entstehen fortwährend neue Zellen und alte Zellen vergehen. Jeden Tag werden in unseren Unternehmen Hunderttausende neuer Küken geboren, sie wachsen jeden Tag, und sie sterben jeden Tag, und alles Wachsen und Vergehen der einzelnen Zellen führt zum Gedeih und zum Wachsen des Gesamtkörpers.

Doch je komplexer ein Organismus ausgebildet ist, desto anfälliger wird er für Störungen. Fällt ein kleines Rädchen aus, muss es schnell erneuert werden, sonst steht alles still. Sonst bricht alles zusammen. Das ist das Aufgabengebiet meines Sohnes.

Jeder komplexe Organismus ist empfindlich. Er kann Schaden nehmen, wenn seine Umgebung sich ändert. Und: Es gibt nicht einen Organismus, der keine Feinde hat. Manchmal sind es Fressfeinde, also die Konkurrenz, aber wesentlich gefährlicher sind Viren und Bakterien, die den Organismus befallen, ihn schädigen und ihn zerstören, wenn nicht die richtigen Medikamente verabreicht werden.

Darüber wache ich.

Ich habe genug zu tun.

25. Stuttgart, Denglers Büro, vormittags

Georg Dengler wischt noch einmal ein nicht vorhandenes Staubkorn von der Gummiunterlage seines Schreibtisches, rückt das Telefon gerade und setzt sich betont locker in den Sessel. Er streicht sich über die Stirn und sieht auf die Tür, steht auf, geht unruhig zum Fenster, setzt sich wieder in den Stuhl hinter seinem Schreibtisch und wischt erneut über die Schreibunterlage. Olga klopft und bringt einen bunten Strauß Frühlingsblumen in einer grünen Glasvase ins Zimmer.

»Wenn Dr. Schmidt kommt, wird er sehen, was für ein kultivierter Mann du bist.«

Sie zupft die Blumen zurecht.

Dengler lächelt gequält. »Wenn er mir den Auftrag erteilt, haben wir keine Sorgen mehr ...«

Sie küsst ihn auf die Stirn.

»Ich habe keine Sorgen. Und jetzt bin ich für eine Stunde deine Chefsekretärin, ein richtiger, legaler Beruf.«

»Leider schlecht bezahlt.«

»Gar nicht bezahlt.«

Er küsst sie.

Es klingelt, laut und lang und aggressiv.

»Dein neuer Kunde kommt zwar pünktlich, aber im falschen Augenblick.«

Olga löst sich von Dengler, wischt ihm den Lippenstift vom Mund.

»Also, alle auf die Plätze. Der *Big Boss* erscheint.«

Dengler nimmt das Handy und schreibt seinem Sohn eine SMS:

> Hallo Jakob, guten Morgen, alles klar in Barcelona?

Dann setzt er sich hinter seinen Schreibtisch, holt eine Akte aus der Schublade und tut so, als studiere er sie, nimmt einen Bleistift und schreibt kleine Randbemerkungen auf das erste Blatt.

»Bravo, so sieht ein überbeschäftigter Privatdetektiv aus.«

Olga prüft im Spiegel Make-up und Frisur. Dengler hört, wie sie die Treppen hinuntergeht und unten die Tür öffnet. Er runzelt die Stirn und nimmt die Akte wieder auf und tut so, als lese er angestrengt darin. Sein Telefon summt kurz, er nimmt es an sich und liest die eingegangene SMS:

> Hallo Papa, alles gut hier. Wir gehen heute an den Strand und am Nachmittag gucken wir uns die Altstadt an. Gruß an Olga. Jakob

Die Tür springt auf.

»Überraschung«, sagt Olga kalt.

Hinter ihr erscheint – Hildegard.

Sie ist kreidebleich und sieht übernächtigt aus.

Mit wenigen Schritten steht sie vor seinem Schreibtisch.

»Gut, dass du da bist. Ich hab die ganze Nacht versucht, mit Jakob zu telefonieren. Er geht nicht ans Telefon. Er schreibt nur diese beschissenen SMS.«

Denglers Rücken verspannt sich. Er will etwas sagen, aber sie ist schneller. Wie immer.

»Wenn du dich schon nicht freiwillig um deinen Sohn kümmerst, dann engagiere ich dich. Was muss ich bezahlen, damit du dich um deinen Sohn kümmerst? Was kostet es, dass du rausfindest, was mit Jakob los ist? Los, sag: Was muss ich bezahlen?«

Sie greift in ihre Handtasche und zieht ein Bündel Hundert-Euro-Geldscheine hervor.

»Ich war auf der Bank. Ich habe Geld. Was kostest du? Los, sag mir, was kostet es mich, dass du dich um deinen Sohn kümmerst?«

Sie knallt das Geld auf den Schreibtisch, zwei Banknoten segeln langsam auf den Boden.

»Raus! Du bist ja völlig hysterisch. Eben hat Jakob mir eine SMS geschickt. Es geht ihm gut. Unser Sohn ist erwachsen. Ich habe mit dir nichts mehr zu schaffen. Verschwinde! Verschwinde aus meinem Leben! Und zwar jetzt! Und für immer.«

»Keine Angst. Ich will nichts von dir. Aber ich will, dass du Jakob suchst. Das kannst du doch! Menschen jagen, das kannst du doch. Das ist doch dein Ding. Such jetzt Jakob.«

»Du bist völlig durchgeknallt. Du musst lernen loszulassen.«

»Ich zahle. Ich zahle, was du willst.«

»Wenn du in einer Minute nicht draußen bist, schmeiße ich dich raus. Ich erwarte einen wichtigen Kunden, der …«

»Ach, zahlt er dir mehr als ich? Ist das hier nicht genug?«

Sie nimmt die Geldscheine und wirft sie ihm ins Gesicht.

»Ich kann mehr auftreiben, Georg. Ich kann einen Kredit aufnehmen, Georg, ich habe Freunde, die leihen mir Geld. Ich bin verrückt vor Sorgen um mein Kind, ich hab die Nacht nicht geschlafen, während du …«

»Es reicht«, Dengler springt auf, der Stuhl fällt krachend auf den Holzboden.

Er nimmt Hildegard am Arm und zerrt sie zur Tür.

»Warte mal«, sagt Olga leise.

Dengler hält schwer atmend inne, lässt den Arm seiner Ex-frau jedoch nicht los. Er sieht Olga an.

»Bist du sicher, dass ihre Sorgen unbegründet sind?«

»Sicher bin ich sicher. Jakob hat mir eben noch eine SMS geschickt.«

»Ich meine hundertprozentig sicher. Warum nimmt er keine Anrufe an, nicht von ihr und nicht von dir?«

Dengler lässt Hildegard los. Sein verzerrtes Gesicht glättet sich. Er geht zurück hinter den Schreibtisch, hebt den Stuhl auf und setzt sich. Er überlegt kurz, nimmt dann das Handy vom Tisch und schreibt eine Nachricht an Jakob.

> Lieber Sohn, bitte vergiss nicht, dass Tante Klara am
> Dienstag Geburtstag hat. Du weißt, wie empfindlich
> sie ist, wenn man ihren Geburtstag vergisst. Papa

Er hebt das Handy hoch, damit Olga und Hildegard die Nachricht lesen können.

»Typisch«, schimpft Hildegard. »mir hast du noch nie etwas von dieser Tante Klara erzählt.«

Dengler hebt die Hand, und Hildegards Wortstrom legt sich wie eine erschöpfte Windböe.

In diesem Augenblick klingelt es.

Niemand rührt sich. Alle drei starren auf das Handy.

Es klingelt erneut.

»Es tut mir leid«, sagt Hildegard resigniert. »ich weiß wirklich nicht mehr aus noch ein.«

Sie sammelt die Geldscheine vom Boden und von Denglers Schreibtisch ein.

Es klingelt noch einmal. Nachdrücklicher.

In diesem Augenblick summt Denglers Telefon. Er nimmt es und liest die eingegangene Nachricht. Er hebt das Handy hoch, sodass Hildegard und Olga sie auch lesen können.

> Gut, dass du mich erinnert hast. Hätte es sonst glatt vergessen. Ausnahmsweise werde ich am Dienstag anrufen und Tante Klara gratulieren. Hier ist es ansonsten warm und alles prima. Jakob

»Es tut mir leid«, sagt Hildegard und stopft die Geldscheine in ein Fach ihrer Handtasche. »Immerhin telefoniert er ja dann mit deiner tollen Tante Klara.«

Dengler wischt über die Schreibtischunterlage und sieht erst Olga, dann Hildegard in die Augen.

»Es gibt keine Tante Klara«, sagt er leise.

26. Hof des Bauern Zemke, Nähe Oldenburg, vormittags

»Wir wollen endlich hier raus«, sagt Laura.

»Zumindest wollen wir Zähne putzen und duschen«, sagt Simon.

Das Walross schweigt und stellt das Gleiche wie gestern auf den Tisch: Schwarzbrot, Butter, Marmelade, Wurst, Kaffee und Milch.

»Von dem Fraß nehmen hier alle ab«, sagt Laura. »Immer noch keine Sojamilch. Der Service in diesem Hotel ist mies.«

Sojamilch! Auch die hatte Jakob durch Laura kennengelernt. Als er zufällig zur gleichen Zeit wie Laura eine Freistunde hatte, gingen sie zusammen zum Rotebühl-Platz und tranken einen Kaffee. »Probier mal«, sagte sie und kippte Milch aus einer kleinen Flasche, die sie in der Tasche bei sich trug, in seinen Kaffee.

»Sojamilch«, sagte Jakob.

»Ich habe neue Erkenntnisse. Es reicht nicht, einfach kein Fleisch zu essen. Wir müssen vegan leben.«

»Ist das nicht ein bisschen übertrieben?«

»Wenn wir wirklich etwas verändern wollen, dann müssen wir doch konsequent sein.«

Cem leistete am längsten Widerstand. »Okay. Lederschuhe ziehe ich sowieso nicht an. Aber du meinst: keine Milch, keine Eier und keinen Ledergürtel? Mein Frühstücksei ist heilig. Laura, das vermasselst du mir nicht.«

»Schau mal, Cem. Sollen wir unterstützen, und zwar mit unserem Geld, dass männliche Küken der Hühnerrassen, die zum Eierlegen gezüchtet werden, vergast oder zerschreddert werden? Bei lebendigem Leib? In der Zucht für die Eierproduktion sind männliche Küken, ähnlich wie männliche Kälber in der Milchproduktion, ein unerwünschtes Nebenprodukt. Männliche Küken in der Legehennenzucht sind unprofitabel und werden selektiert. Ich habe Filmberichte gesehen, wie sie am Fließband aussortiert und dann vergast oder zerhäckselt werden – ebenso alle Küken, die nicht rechtzeitig innerhalb eines vorgegebenen, von der Wirtschaftlichkeit diktierten Zeitfensters schlüpfen – weibliche wie männliche. 45 Millionen Küken sterben so allein in Deutschland jedes Jahr als Nebenprodukt der Eierindustrie.«

Cem seufzte.

»Natürlich nicht. Kann man nicht unterstützen.«

»Du wirst sehen. Es geht ohne auch. Gar besser und gesünder.«

Laura, die Eifrige. Mit glühenden Wangen.

»Jetzt sind wir also alle Veganer?«, fragte Cem die Freunde.

»Klar«, sagte Simon, und Jakob nickte.

27. Stuttgart, Denglers Büro, vormittags

Die Türklingel schellt erneut, laut und aufdringlich.
Hildegard starrt ihn an. »Was bedeutet das?«
»Es bedeutet, dass Jakob diese Nachricht nicht geschrieben
hat. Du hattest recht, Hildegard. Irgendetwas stimmt nicht.«
Die Türklingel läutet jetzt Sturm. Olga verlässt den Raum.
»Und was machen wir jetzt?«, flüstert Hildegard.
»Ich werde Jakob finden.«
»Ich mach mir so große Sorgen.«
»Ich werde ihn finden.«
Die Tür des Büros öffnet sich, und Olga führt einen hoch-
gewachsenen Mann in dunkelblauem Anzug, einem blen-
dend weißen Hemd und einer grün-weiß gestreiften Kra-
watte herein. Er geht aufrecht und federnd, seine Haare sind
kurz geschoren, vielleicht auch deshalb, weil es ohnehin
nicht mehr viele sind.
»Dr. Holger Schmidt von der Asperg-Versicherung«, verkün-
det Olga und klingt wie eine perfekte Sekretärin.
Der Mann kommt mit ausgebreiteten Armen auf Dengler
zu. »Ich bin froh, dass wir endlich einen ...«
»Ich hab keine Zeit für Sie.«
Dr. Schmidt bleibt mitten in der Bewegung stehen: »Sie ha-
ben keine Zeit für mich? Wir haben einen Termin. Wir wol-
len Sie beauftragen ...«
»Tut mir leid. Ich kann nicht für Sie arbeiten. Es ist etwas da-
zwischengekommen.«
»Und dann lassen Sie mich hier bei Ihnen antanzen? Am
Pfingstmontag? Sie hätten mich anrufen können, wenn ...«
»Tut mir leid, wirklich.«
»Sie brauchen sich bei uns nicht mehr um Aufträge zu be-
mühen.«
»Tut mir leid.«
»Tut Ihnen leid? Ist das alles?

»Ja, das ist alles. Im Moment. Entschuldigen Sie. Ich habe zu tun.«

28. Stuttgart, Hildegards Wohnung, vormittags

Wie lange ist er schon nicht mehr in Hildegards Wohnung gewesen? Acht Jahre? Zehn Jahre? Zwölf Jahre? Irgendwann hatte sie zu ihm gesagt, sie wolle ihn nicht mehr in ihrer Wohnung sehen. Jakob sei alt genug, allein durchs Treppenhaus zu gehen, außerdem habe der Junge immer einen Wohnungsschlüssel bei sich, es genüge also, wenn Dengler ihn bis zur Haustür bringe. Der Kleine protestierte, er wollte, dass sein Vater ihm noch eine Geschichte vorlas oder, was Dengler damals oft tat, eine für ihn erfand. Nun musste er Jakob erklären, dass er keine Zeit habe, dass er den Weg in den zweiten Stock alleine finden würde, dass er schon ein großer Junge sei, dass er ein anderes Mal vorlesen würde; kurzum, er musste dem Kind erneut Hildegards Beschlüsse verkaufen, als seien es seine eigenen, und er konnte das nur tun, indem er Jakob anlog. Dengler hasste sich dafür.
Andererseits war es ihm aber auch recht. Er kam sich fehl am Platz vor. Hier war das Terrain von Hans. Oder bereits eines anderen Liebhabers? Er wusste es nicht, aber er erwischte sich dabei, dass er kontrollierte, wie viele Zahnbürsten auf der Ablage im Bad lagen. Gab es Rasierzeug im Toilettenschrank? Er rief sich selbst zur Ordnung: Das geht dich alles nichts mehr an.
Und: Er musste die Mutter-Sohn-Kommunikation nicht mehr ertragen. Hildegard kommandierte Jakob ununterbrochen herum: Wasch dir die Hände, zieh dir Hausschuhe an, halt mal still, iss die Spaghetti nicht mit den Fingern, räum dein

Zimmer auf, zieh einen Pullover an, klettere nicht auf den Baum, komm da sofort wieder runter, wirf deine Schultasche nicht in die Ecke. Jakob jedoch kümmerte sich nicht darum, es ging ihm, wie man so sagt, zum einen Ohr rein und zum anderen wieder raus. Nach einer Weile wurde Hildegard laut und brüllte ihren Sohn an. Jakob fing dann an zu heulen, aber er machte trotzdem immer, was er wollte. Hildegard kommandierte, und Jakob kümmerte sich nicht drum.

Dengler kamen die beiden vor wie ein seit vielen Jahrzehnten verheiratetes Paar, das sich ein schrulliges Familienleben zugelegt hatte. Die Frau mosert, der Mann hört nicht mehr zu. Er zog daraus die Konsequenz, seinem Sohn keine Vorschriften zu machen und ihm keine Befehle zu erteilen. Ausnahmen gab es nur, wenn die Sicherheit Jakobs auf dem Spiel stand, beim Überqueren einer Straße, bei ihren Spaziergängen am Neckar. Er erklärte ihm, dass er ihn nicht herumkommandiere, und wenn doch, dann sei es unumstößlich, als habe der liebe Gott selbst gesprochen.

Und jetzt schließt Hildegard die Haustür auf, und Dengler geht wie selbstverständlich mit in die Wohnung im zweiten Stock, als zählten die Jahre dazwischen nicht.

Der Flur sieht aus wie früher, der Garderobenständer, an den er sich erinnert, ist durch eine Holzleiste ersetzt worden, die grüne Holzkiste steht noch am selben Platz im Flur. Links die Tür: Hildegards Schlafzimmer. Geradeaus geht es zur Küche und zum Wohnzimmer, und rechts ist die Tür zu Jakobs Zimmer.

Vor dieser Tür bleibt Hildegard stehen. Sie legte eine Hand auf die Türklinke, zieht sie wieder zurück und dreht sich unsicher um. »Jakob wird es nicht mögen, dass wir in sein Zimmer gehen, wenn er nicht dabei ist. Er legt wirklich allergrößten Wert darauf, dass ich seine Privatsphäre achte.«

Kein Wunder, denkt Dengler.

Dann sagt er: »Ich suche einen Anhaltspunkt. Jakob ist vielleicht in etwas verwickelt. Ich muss wissen, womit er sich beschäftigt hat, wen er getroffen hat. Ich muss hier vorgehen wie bei jedem anderen Fall.«

»Du meinst, er hat etwas verbrochen?«

»Ich hoffe nicht, Hildegard, aber ich muss mir ein Bild machen. Ich muss mich in ihn hineinversetzen. Dazu muss sich sein Zimmer sehen.«

Sie tritt vorsichtig zur Seite. »Bring aber nichts durcheinander.«

Dengler seufzt. Dann tritt er in das Zimmer seines Sohnes. Er bleibt direkt hinter der Tür stehen und sieht sich um.

Das Kinderbett ist durch ein modernes Jugendbett mit Metallgestell ersetzt worden.

Das Bücherregal steht noch an seinem alten Platz. Dengler lässt den Blick über die Buchrücken streichen. Er lächelt, als er den Fotoband über die Wilhelma erkennt, den er Jakob einmal geschenkt hat.

Auf der rechten Seite steht eine alte Holzkommode, daneben Jakobs Schreibtisch, viel größer, auch neu, und gegenüber ein Kleiderschrank aus hellem Holz. Keine Plakate oder Poster an den Wänden. Neben dem Schrank befindet sich ein weiterer Tisch, auf dem ein älterer Laptop steht. Daneben ein Regal mit CDs. Keine Musik-CDs, stellt Dengler fest, beschriftete Rohlinge: »Mathe II« steht auf einem, »Englisch« auf dem anderen. Schulsachen also. Es gibt zwei Boxen, deren Kabel nicht in eine Stereoanlage münden, sondern in den Rechner. Auf der Ablage liegt ein riesiger Kopfhörer, der ebenfalls an den Laptop angeschlossen ist.

Ein aufgeräumtes Jungenzimmer. Ziemlich aufgeräumt. Er hat Jakobs Zimmer chaotisch in Erinnerung mit herumliegendem Holzspielzeug, Kinderbüchern, Bällen, Buntstiften und bemaltem Papier. Jetzt wirkt das Zimmer nüchtern, fast wie die Klause eines Mönchs.

Jakob hat sich verändert.

Oder hat er das Zimmer aufgeräumt, weil er in Urlaub gefahren ist? Weil er nicht wollte, dass seine Mutter in seiner Abwesenheit etwas findet?

Die Tür geht leise auf, Hildegard huscht herein.

»Hast du etwas gefunden?«, fragt sie flüsternd.

Dengler schüttelt den Kopf.

Er bückt sich vor dem Schreibtisch und zieht die oberste Schublade auf: Bleistifte, Radiergummi, Hefter, Locher, Kugelschreiber. In der zweiten Schublade liegen Schulhefte. Dengler blättert sie einzeln durch. Biologie, Latein, Deutsch – nichts Besonderes.

In der dritten Schublade liegen einige Bücher. Sonst ist da nichts. Er öffnet den Kleiderschrank. Es ist fast beruhigend, dass die Strümpfe einzeln und zerknautscht in einem Regal liegen, die Unterhosen türmen sich im zweiten, einige allerdings sind akkurat übereinandergestapelt. Im untersten Regal liegen zwei offensichtlich bereits getragene schwarze Jeans. Er tastet die Regale ab, er greift in die Hosen, findet einige Geldstücke. Systematisch sucht er den Schrank ab – nichts.

In der Kommode findet er T-Shirts. Sie gehören Jakob, kein Zweifel, er erinnert sich, dass sein Sohn einige davon getragen hat, als sie sich getroffen haben. Mit der flachen Hand fährt er die Schubladen entlang. In der untersten stößt seine Hand gegen etwas Hartes: er greift zu und zieht einen Stapel länglicher Aufkleber hervor. Auf gelbem Grund ist mit schwarzer Schrift geschrieben:

Dieses Fleisch stammt aus Massentierhaltung.
Sie vergiften damit sich und Ihre Familie!

Dengler sucht weiter, aber der Aufkleber ist das einzig Ungewöhnliche in Jakobs Zimmer.

»Kennst du diese Aufkleber?«, fragt er Hildegard.

»Ich hab sie in der Kühltruhe beim Rewe-Markt schon einmal gesehen. Ich wollte ein Hähnchen kaufen, und da klebte genau so ein Zettel.«

»Hatte Jakob Kontakte zu radikalen Tierschützern?«

»Radikale Tierschützer? Nein.«

»Ist dir sonst eine wichtige Veränderung an Jakob aufgefallen?«

Hildegard bricht plötzlich in Tränen aus. »Er hat einmal an einer Demo teilgenommen. Vor dem Kaufhaus Breuninger. Dort werden Pelzmäntel verkauft.«

»Jakob demonstriert gegen Pelzmäntel?«

»Nein, du Holzkopf.« Jetzt lacht Hildegard, ihr Gesicht glättet sich, und Dengler weiß plötzlich genau, warum er sich damals in diese Frau verliebt hat. Er verscheucht den Gedanken schnell wieder.

»Unser Sohn liebt Tiere. Schau dir mal sein Bücherregal an. ›Mein liebstes Tierbuch‹, da war er fünf. Jetzt liest er solch grausliche Sachen wie ›Tiere essen‹!«

»Ja, nun gut. Also: Ich brauche die Adressen der Eltern seiner Freunde, der Freunde, mit denen er in Barcelona ist, und die Namen seiner Lehrer. Ich werde sein Umfeld überprüfen. Außerdem nehme ich Jakobs Laptop mit. Olga wird ihn untersuchen.«

Ein merkwürdiges Gefühl, den eigenen Sohn mit den üblichen Polizeimethoden zu suchen: persönliches Umfeld checken, erste nahe Freunde befragen, dann entferntere Bekannte, Kreise um die Zielperson ziehen, Informationen sammeln, bis man sie kennt wie den eigenen Bruder.

Aber wieso kennt er Jakob nicht so gut? Nicht gut genug?

»Jakobs Laptop bleibt hier. Ich will nicht, dass deine Gespielin in Jakobs E-Mails herumschnüffelt.«

»Olga ist die beste Computerexpertin, die ich kenne. Ich muss wissen, was Jakob vorgehabt hat. Wir beide wissen es offensichtlich nicht.«

»Der Computer bleibt hier.«

Monolog Carsten Osterhannes

Sprechen wir über den ersten Regelkreis, die Beschaffung der Tiere. Als ich aus den USA zurückkam, stand mein Plan bereits fest. Ich wohnte auf dem Hof meines Vaters und stieg dann in die Metzgerei meines Onkels in Cloppenburg ein. Von ihm lernte ich alles, was ich über das Schlachten wissen musste. Ich ging ihm zur Hand: Ich hielt die Schweine fest, dann schoss ich mit dem Bolzengerät; er zeigte mir die richtigen Messer, die Zerlegetechniken. Ich lernte das Handwerk von der Pike auf.

Ich schlachte heute noch selbst. Sicher, ich bin nicht mehr der Jüngste und lange nicht mehr so kräftig hin wie früher, doch hinter meinem Haus habe ich eine kleine, höchst moderne Schlachterei bauen lassen. Meine Familie isst gerne Fleisch. Und jede Wurst, die bei uns auf den Tisch kommt, stammt von einem Tier, das ich eigenhändig getötet habe. Es ist wichtig, dass ich das tue, denn ich will nach wie vor ein Gefühl für das Produkt haben, das mich reich gemacht hat.

Aber ich schweife ab. Es war doch so: Nach den Entbehrungen des Krieges wollten die Deutschen Fleisch essen. Überall wurde geschlachtet. Gewurstet. Geschmort und gebraten. Ich spezialisierte mich auf Kälber. Die Überlegung war einfach. Wenn jeder einen Fernseher hatte, eine Waschmaschine und einen Kühlschrank, wenn jeder Schweinefleisch aß, dann wollte er irgendwann höherwertiges Fleisch. Kalbfleisch. Die Franzosen sind verrückt danach. Die Italiener auch. Kalbfleisch ist zart. Es ist helles Fleisch. Noch heute habe ich eine der größten Schlachtereien für Kälber. Meine Kälber haben weißes Fleisch. Das ist begehrt. Feinschmecker mögen weißes Fleisch. Es erzielt einen höheren Preis. Das Kalb ist die Basis meines Imperiums. Heute steht mein Name eher für Hühnerfleisch und neuerdings Pute. Aber:

Weißes Fleisch vom Osterhannes. Nach wie vor ein Qualitätsbegriff. Beste Wurst, bestes Fleisch – Osterhannes. Kälberverordnung hin oder her: Man muss einige Dinge berücksichtigen, dann bekommt das Kalbfleisch diese wunderbare helle Farbe. Erstens: Schlachte das Tier früh. In der Regel hole ich Kälber nach zwanzig Wochen vom Mäster ab. Dann geht's ab zur letzten Reise. Zwanzig Wochen, dann ist das Fleisch richtig jung, frisch, saftig. Zweitens: Die Farbe hängt entscheidend von der Haltung ab. Daher: niemals auf die Weide, kein Grünfutter. Grünfutter färbt das Fleisch rot. Die Kälber bleiben in einem Ministall. Nicht größer als 80 mal 120 Zentimeter. Ihre Muskeln sollen verkümmern, damit sich nur das weiße Fleisch entwickelt. Drittens: spezielles, hochwertiges, eiweißhaltiges Futter ohne Eisenanteil, um die Bildung von roten Blutkörperchen zu hemmen. Nach der Geburt das Kalb daher so schnell wie möglich der Mutter wegnehmen. So wächst das begehrte Osterhannes-Kalb heran.

29. Hof des Bauern Zemke, Nähe Oldenburg, früher Abend

Sie suchen systematisch ihre Zelle ab.
Cem rückt den Tisch unter das Fenster, klettert darauf und versucht, das Fenster aufzudrücken.
»Keine Chance. Das Glas ist mit Draht verstärkt. Und alles von außen verschlossen. Außerdem sind da noch außen die Gitter. Wahrscheinlich, damit keine Tierschützer eindringen.«
Über den Witz lacht niemand.
»Gib mir mal den Stuhl.«
Simon reicht Cem den Stuhl. Er holt aus und stößt mit der Lehne gegen das Fenster.

Nichts. Nicht der kleinste Sprung in der Scheibe.

Er holt noch einmal aus. Ohne Erfolg.

»Ich brauche etwas Festeres zum Rammen. Am besten irgendein Metallstück.«

Nichts zu finden.

Cem untersucht die Schlösser der Türen.

»Alles solide deutsche Wertarbeit.«

»Wir müssen warten«, sagt Simon. »Wir sind dazu verdammt zu warten, bis diese Arschlöcher uns wieder laufen lassen.«

30. Stuttgart, Jakobs Zimmer, abends

Surrend fährt der Rechner hoch. Zu dritt sitzen sie an Jakobs Schreibtisch. Hildegard auf der linken Seite auf dem alten Holzstuhl, den sie aus der Küche geholt hat, Dengler in der Mitte auf Jakobs blauem Schreibtischstuhl, und Olga sitzt ganz rechts; sie hat sich den kleinen Hocker herangezogen, auf den Jakob jeden Abend die Kleidung für den nächsten Tag legt.

Etwas, das Hildegard auch ihm beigebracht hat. Ihr hat es immer missfallen, dass Georg seine Klamotten am Abend einfach auf die Couch warf und seine Socken irgendwo auf dem Boden des Schlafzimmers verstreute. Ihr zuliebe legte er am Abend seine Kleider ordentlich auf einen Stuhl. Aber manchmal vergas er es, und je länger ihre Ehe dauerte, desto öfter. Dann warf sie seine Socken einfach in den Mülleimer.

Dengler schaut zu seiner Exfrau herüber, nur ein scheuer Blick. Sie haben viel zusammen erlebt. Jetzt starrt sie konzentriert auf den Bildschirm, der immer noch dunkel ist.

Dengler ist Olga dankbar. Er hatte sie angerufen, und sie hat sofort ihren Spezialrechner eingepackt und ein Taxi zu Hildegards Wohnung genommen.

Sie startet Jakobs Rechner, aber weder Hildegard noch Dengler kennen sein Passwort. Olga schraubt das Gehäuse des Rechners auf, nimmt die Festplatte heraus und schließt sie an ihren Computer an. Jetzt versucht sie ihn zu starten.

Sie arbeitet konzentriert. Ihre Finger fliegen über die Tastatur, und Dengler sieht noch einmal mit einem schnellen Blick zu Hildegard. Ihre Augenbrauen sind zusammengezogen, eine markante Falte zieht sich über ihre Stirn. Sie ist misstrauisch.

Auf Olgas Bildschirm erscheint ein Dateiverzeichnis.

»Ein ordentliches Kind«, sagt Olga.

Die Falten auf Hildegards Stirn graben sich tiefer.

Hoffentlich gibt es keinen Streit zwischen meinen beiden Frauen. Sofort denkt er: was für eine dämliche Formulierung. Das sind nicht meine beiden Frauen. Die eine ist meine ungeliebte Exfrau, und die andere ist Olga. Und Olga ist meine Liebste.

Trotzdem, sie sollen Frieden halten.

Das Verzeichnis hat drei Ordner: »Schule«, »Tiere«, »Menschen«.

Dengler zeigt auf den Ordner »Menschen«, und Olga klickt ihn an. Er ist leer. Keine einzige Datei befindet sich darin.

Olga geht auf das Verzeichnis »Schule«. Es öffnet sich ein neuer Verzeichnisbaum, und Dengler liest: »Deutsch«, »Mathe«, »Bio«, »Englisch«, »Latein«, »Geschichte«.

Sie öffnen jedes Verzeichnis. Es enthält Schulaufgaben, Überlegungen zu Schillers Wilhelm Tell, Musterlösungen zu Matheaufgaben, deren Fragestellung Dengler schon nicht mehr versteht, eine Ausarbeitung über die Machtergreifung Hitlers.

»Ich komme nicht an seine E-Mails.«

Hildegard seufzt tief, sagt aber nichts.

Nach einer Weile sagt Olga: »Er hat sie verschlüsselt. Eingehende und ausgehende Nachrichten. Nicht einmal die NSA kann sie lesen. Die Adressen kann ich vielleicht öffnen.«

»Wir schauen uns erst mal die anderen Verzeichnisse an.«

Olga klickt auf das Verzeichnis »Tiere«. Ein Passwort wird verlangt.

»Das dauert einen Moment«, sagt Olga. Sie startet ein Programm, ihr Rechner arbeitet, gleichmäßig summt der Lüfter ihres Laptops.

»Möchtet ihr einen Tee?«, fragt Hildegard.

Olga sieht hoch. »Gerne«, sagt sie.

»Ich hätte lieber ein Bier«, sagt Dengler.

Hildegard steht auf und hantiert in der Küche. Sie bringt Dengler ein Bier, und ein paar Minuten später serviert sie Olga einen grünen Tee. Der Rechner arbeitet, nach einer Stunde ist das Passwort geknackt.

»Es heißt *Laura01*«, sagt Olga.

Es öffnet sich ein weiterer Verzeichnisbaum: »Kälber«, »Pu ten«, »Hühner«, »Schweine«, »Rinder«.

Olga klickt auf den ersten Ordner: »Kälber«. Auch dieses Verzeichnis ist von einem Passwort geschützt. Ebenso die Verzeichnisse mit den anderen Tiernamen.

»Das dauert«, sagt Olga.

»Wie lange?«, will Hildegard wissen.

Olga zuckt mit der Schulter und tippt etwas ein. Dengler sieht, dass sie ein weiteres Programm gestartet hat. Auf dem Bildschirm erscheinen unverständliche Zeichen.

Nach anderthalb Stunden ist der Ordner geöffnet. Es befinden sich einige PDF-Dokumente und ein Film darin. Olga klickt ihn an.

Der Film zeigt, schräg von der Seite gefilmt, ein Fabrikationsgebäude, die Vorderseite eines großen grauen Industriekomplexes. Die ganze Front durchzieht eine breite Ladefläche, auf der eine Gitterbox oder ein ähnlich großes Gebilde aus Metall steht. Dengler kneift die Augen zusammen, aber kann den Gegenstand nicht genau erkennen; die Kamera hat aus zu großer Entfernung gefilmt. Ein großer schwarzer Fleck: offenbar der Eingang des Gebäudes. Sonst ist nichts zu sehen. Für einen Moment tritt ein Mann in einem blauen

Arbeitsmantel nach draußen, sieht sich kurz um und verschwindet wieder im Inneren.

»Halt den Film an. Ich will mir den Mann genauer ansehen.«

Olga lässt den Film zurücklaufen und hält ihn an. Das Bild ist zu unscharf, Dengler kann keine Gesichtszüge erkennen.

Hildegard starrt auf den Bildschirm: »Nie gesehen.«

Olga zögert einen Moment, dann lässt sie den Film weiterlaufen.

Einige Sekunden lang sehen die drei nichts als die leere Ladefläche. Dann fährt ein Lkw rückwärts an die Rampe. Die Kamera zoomt näher heran. Die Aufbauten sind vergittert, durch die Schlitze sieht Dengler eine Kuh, die an einem der Gitter saugt. Die Kamera zoomt näher auf den Kopf des Tieres. Große braune Augen sehen sie jetzt direkt an. Es ist ein Kälbchen. Es saugt an den eisernen Querstreben des Gitters, als wären es die Zitzen der Mutter.

Jetzt fährt die Kamera zurück in die Totale. Der Fahrer steigt aus dem Lkw, und aus dem Eingang tritt erneut der Mann in dem dunkelblauen Arbeitskittel. Die beiden Männer reden kurz miteinander, schließlich übergibt der Fahrer einige Papier, wahrscheinlich Lieferscheine. Er dreht sich um und öffnet die Rückseite des Lkws. Er klettert in das Wageninnere und zieht zwei Lochbleche hervor, die jetzt eine Brücke zwischen dem Lkw und der Rampe bilden. Der Mann verschwindet erneut, und dann erscheint das erste Kalb. Unsicher steckt es den Kopf aus dem Lkw, sieht nach rechts und links. Ein zweites Kalb erscheint. Es blickt ebenso unsicher in die fremde Umgebung. Dengler sieht, wie der Fahrer dem ersten Tier auf das Hinterteil schlägt. Es springt entsetzt nach vorne und stolpert. Auch das zweite Kalb trottet über die Brücke, es wird von den nachfolgenden aus dem Lkw gedrängt.

Etwas stimmt an dem Bild nicht. Dengler konzentriert sich, aber es dauert eine Weile, bis er es merkt. Die Kälber wanken und schwanken, ihr Gang ist unsicher und torkelnd. Auf der Rampe bricht das erste Tier auf den Vorderläufen zusammen. Ein zweites stürzt auf der Brücke. Die beiden Männer schlagen die Tiere. Das zweite Kalb springt wieder auf, aber das erste schafft es nicht. Einer der Männer packt es an den Hinterläufen und zieht es ins Innere des Gebäudes. Die Kamera ist nun ganz nah dabei. Der Bildschirm zeigt nun hochaufgelöst den Kopf des Kalbes, der auf dem Boden hin und her schlägt und zoomt dann auf die Augen, die vor Schrecken geweitet sind.

Plötzlich spricht Jakob. Hildegard fährt zusammen, als sie die Stimme ihres Sohnes hört. Olga hebt den Kopf.

»Diese Kälber wurden seit Wochen mit Futter ohne Eisengehalt ernährt. Jeder Körper braucht Eisen. Der Mensch ebenso wie diese Kälber. Eisen bildet rote Blutkörperchen. Doch rote Blutkörperchen färben das Fleisch rot, und diese armen Tiere sollen teures weißes Fleisch liefern. Rote Blutkörperchen dienen dem Transport von Sauerstoff in die Lungen und im Blutkreislauf. Bei einem Mangel an roten Blutkörperchen werden Menschen wie auch Kälber müde, schlapp und krank. Nur der Farbe ihres Fleisches wegen wird diesen Tieren eine künstliche Leukämie angefüttert.«

Jakobs Stimme klingt völlig ruhig und sachlich.

Die Kamera fährt von der Großaufnahme der Tiere zurück in die Totale. Der Fahrer steigt in den Lkw. Der Film bricht ab.

»Mein Gott, ist das entsetzlich«, sagt Hildegard.

»Die Kamera liefert gestochen scharfe Bilder. Sie hat ein exzellentes Zoom. Sie ist sicher sehr teuer. Hast du eine Ahnung, wo Jakob diese Kamera herhat?«

»Wie kannst du jetzt an die Kamera denken, bei diesen schrecklichen Bildern?«

»Die Kamera ist eine Spur. Vielleicht führt sie uns zu Jakob.«

Dengler spürt, wie seine Backenknochen mahlen, auch wenn er versucht, äußerlich ruhig zu bleiben.

»Ich weiß es nicht. Ich weiß es wirklich nicht. Vielleicht gehört sie den Eltern eines seiner Freunde. Simons Vater hat ziemlich viel Kohle.«

Olga sagt: »Ich hab ein Backup der Festplatte gemacht. Es ist schon spät …«

»Hildegard, schreib mir bitte die Namen aller Freunde von Jakob auf. Wenn du sie kennst, bitte auch die Adressen. Ich brauche auch die Namen der Lehrer.«

Er sieht, dass Tränen in ihren Augen stehen.

»Ich werde Jakob finden.«

»Ich weiß«, sagt sie leise. »Hast du gewusst, dass Jakob solche Filme dreht?«

Dritter Tag

Dienstag, 21. Mai 2013

31. Stuttgart, Denglers Büro, nachts

Olga und Dengler sehen sich den Film noch einmal an. Aus Standbildern vergrößert Olga die Gesichter der beiden Männer und druckt die Bilder aus.

»Ich habe die Metadaten des Films«, sagt sie. »Er wurde im Herbst letzten Jahres aufgenommen, am 14. September, einem Freitag. Morgens kurz nach zehn Uhr. Die Koordinaten sind: 52° 51' N, 8° 3' O. Das ist irgendwo in Norddeutschland, der Ort heißt Cloppenburg. Nie gehört.«

Sie klappt den Laptop auf. Google Maps. Ist leicht zu finden, und es ist genau die Industrieanlage, die sie auf dem Film gesehen haben. Die Rampe ist gut zu erkennen. Ein Lkw davor, ein weiterer fährt gerade weg.

Dengler sieht sich den Aufkleber an, den er in Jakobs Schrank gefunden hat.

Dieses Fleisch stammt aus Massentierhaltung.
Sie vergiften damit sich und Ihre Familie!

Was macht der Junge bloß für einen Unsinn. Dengler lehnt sich im Stuhl zurück und denkt nach. Jakob hat doch immer gern Fleisch gegessen. Er erinnert sich, dass er mit Jakob wieder einmal zu seiner Mutter nach Altglashütten gefahren war, das muss wohl, nun ja, zwei oder drei Jahre her sein. Er erinnert sich deshalb so gut an diesen speziellen Besuch, weil Jakob zum ersten Mal wollte, dass seine Oma diesmal kein Huhn schlachtete. Bisher war das Huhn, das die alte Frau Dengler zu Ehren ihres einzigen Enkels schlachtete, ein Ritual gewesen. Manchmal hatte Dengler ein Coq au Vin geschmort: Er hatte das Huhn zerlegt, enthäutet, es mit Möhren, Sellerie, Schalotten, Knoblauch angebraten, Riesling dazugegeben, das Ganze mit Zimt, zwei Chilis, Thymian und ein wenig Ingwer gewürzt. Zu dritt saßen sie am

Abend zusammen, Jakob durfte so lange aufbleiben, bis er von selbst müde wurde und ins Bett ging; Dengler verstand das als einen Teil seiner Erziehung zur Freiheit. Es waren immer besondere Wochenenden gewesen, diese Reisen zur Oma. Jakob lief oft zum Birkelbauer, er kam aus den Ställen nur heraus, wenn Dengler ihn am Abend auf den Arm nahm und zu Großmutters Hof hinübertrug.

»Deine Gedanken! Du bist meilenweit weg … Komm mit mir«, sagt Olga.

Dengler nickt. Sie schalten die Lichter aus und gehen Arm in Arm eine Treppe höher in Olgas Wohnung.

32. Bad Teinach, Hotel Schröder, nachts

Vorsichtig hebt Christian Zemke den Arm. Hellgrün leuchten die Zeiger seiner Armbanduhr und verraten unbarmherzig, dass er wieder zur Nachtzeit wach liegt. Er weiß nicht, wie lange er schon in dem breiten, weichen Bett liegt und darauf wartet, endlich wieder einzuschlafen. Geduldig hört er die gleichmäßigen Atemzüge seiner Frau und beneidet sie um ihren tiefen Schlaf. Und um ihre Ahnungslosigkeit.

Vorsichtig schiebt er die Bettdecke zur Seite, stützt sich mit dem rechten Arm ab und stellt erst das rechte, dann das linke Bein auf den Boden. Eine Weile bleibt er so sitzen, bis er sicher ist, dass seine Frau weiter ruhig atmet. Dann steht er auf. Er reibt sich mit der rechten Hand über den Bauch, aber der Druck in der Magengegend bleibt. Auf Zehenspitzen geht er zum Schrank, zieht vorsichtig die Tür auf und nimmt seine Aktentasche aus dem untersten Regalfach.

Immer noch behutsam und leise geht er an den Schreibtisch, setzt sich, stellt die Tasche auf seinen Schoß und zieht den

Aktenordner heraus, den der Steuerberater ihm mitgegeben hat.

»Lesen Sie alles in Ruhe durch«, hatte er ihm gesagt. »Der Vertrag liegt obenauf. Überlegen Sie sich die Sache gut. Schlafen Sie drüber.«

Zemke starrt das Papier an. »Treuhandvertrag« steht darüber. Mit einem kleinen Kreuz ist die Stelle gekennzeichnet, an der er unterschreiben soll. Doch dann wird er nur noch dem Namen nach Eigentümer seines Hofes sein. Er wird Angestellter sein auf dem Land seines Vaters. Und seines Großvaters.

Er hat's vermasselt.

Dabei wollte er alles richtig machen. Aus dem Hof sollte ein moderner landwirtschaftlicher Betrieb werden. Er wollte nicht so ärmlich leben wie seine Eltern. Modern sollte alles werden, und jetzt verlor er Grund und Boden, Haus und Hof. Er hatte sich beraten lassen. Konzentration war das Thema gewesen. Konzentration auf die Schweinezucht.

Er war ein guter Schweinezüchter gewesen. Er ist immer noch ein guter Schweinezüchter. Früher, noch vor fünf Jahren, als sein Vater noch lebte, liefen die Schweine im Freien rum. Eine Sau bekam damals 15 Ferkel im Jahr. Jetzt produziert er 30 Ferkel pro Sau und Jahr. Er hat gebaut. Die Bank hat ihm Geld geliehen. Neue große Ställe. Die Muttersäue sind jetzt acht Monate im Jahr fixiert, können sich nicht mehr bewegen. Aber auch kein Ferkel mehr totdrücken, wie das früher vorkam. Alles modern. In den Stallungen reicht jetzt eine Handvoll Stroh pro Schwein. EU-Norm. Sein Vater hat noch den Boden richtig mit Streu ausgelegt.

Zemke hat alles so gemacht, wie die Berater es gesagt haben. Nach vier Wochen kommen die Ferkel weg von der Mutter, dann wird sie wieder gedeckt. Zwei Würfe pro Jahr. Der Vater war skeptisch, aber die Mutter sagte immer: Lass den Jungen jetzt mal machen.

Sechs Monate dauert ein Schweineleben. 750 Gramm

nimmt es am Tag zu. Sie brauchen das richtige Futtermittel. Eiweißhaltig muss es sein. 750 Gramm Gewichtszunahme pro Tag. Besser 800 Gramm. Damals lag der Schweinepreis noch bei 1,80 Euro das Kilo.

Der Steuerberater erstellte diese Tabelle. Jeder Posten genau aufgelistet: Ferkelkosten, Futterkosten, Tierarzt, Medikamente, Hygiene, Impfungen, Einstreu, Strom, Heizstoffe, Wasser, Lohnkosten für Aushilfskräfte, Tierkennzeichnung, Desinfektion, Transport. Dann der Strich und die Summe der Kosten: 172 Euro pro Schwein.

Aber die Schlachter zahlten immer weniger. Irgendwann lag der Kilopreis unter 1,80 Euro.

Erst sagte der Steuerberater: »Sie verdienen nichts mehr mit ihren Schweinen.« Dann sagte er: »Sie legen drauf. Sie müssen ja noch Steuern zahlen. Und sie wollen schließlich selbst auch was essen.« Und dafür schuftete er von morgens bis abends. Und Julia auch. Dann sagte man ihm, mit Puten könne man richtig Geld verdienen. Was sollte er machen? Also ging er noch einmal zur Bank. Die Berater machten Geschäftspläne. Die Bank sagte, da habe er eine Perspektive. Eine gute Perspektive.

So wurde er Putenmäster. Es war ein gutes Geschäft, das er neben den Schweinen laufen lassen konnte. Drei Hallen mit jeweils 10 000 Puten. Zwei Durchgänge im Jahr pro Halle. Ein Trupp Hilfskräfte kam und verlud die Tiere. Dann entfernte er den Mist aus der Halle und desinfizierte sie. Und schon kamen neue Puten. Futter kam automatisch aus der Futteranlage. Er konnte zusehen, wie sie wuchsen.

Er war so froh gewesen.

Aber er war nicht der Einzige, der jetzt auf Geflügel machte. Putenmästereien schossen überall aus dem Boden.

Der Putenpreis fiel.

Er fiel sehr tief.

Er hört noch die Stimme des Steuerberaters, als der sagte: »Mit Ihren Puten verdienen Sie im Augenblick auch nichts.«

Der Banker kam auf den Hof.
Dann bot die Schlachterei ihm den Treuhandvertrag an. Er
soll den Hof seiner Eltern treuhänderisch führen. Er wird
nicht mehr ihm gehören.
Wie sollte er das Julia beibringen?
Dann kam die andere Idee, der böse Vorschlag.
Fahr ein paar Tage weg, mach mal Urlaub, entspann dich,
das tut auch Julia gut. Und es rettet deinen Hof. Wir zahlen
dir gutes Geld. Fahr einfach weg. Das hatten sie zu ihm gesagt. Fahr weg, den Rest erledigen wir.

33. Hof des Bauern Zemke, Nähe Oldenburg, nachts

Sie sitzen zusammen in der Küche. Marcus trommelt mit
den Fingern auf den Tisch. Er ist nervös.
»Das Wetter macht uns einen verdammten Strich durch die
Rechnung.«
»Ewig können wir nicht warten«, sagt Kevin.
Er streicht sich über seinen Kinnbart. Ronnie hasst diese Geste
an ihm. Dieses arrogante Arschloch! Spielt sich auf wie ein
Chef. Und ist doch nur ein Arsch. Bei dieser Aktion sind nur
Members zugelassen. Er ist genauso ein *Member* wie Kevin.
Trotzdem, beunruhigend ist das schon. Der Scheißregen.
Hat man im Mai schon mal so einen Dauerregen gehabt?
Muss irgendwie mit der Klimakatastrophe zusammenhän-
gen. Killt ihre Pläne.
»Wir warten«, sagt Marcus. »Zurück können wir ohnehin
nicht.«
»Hoffentlich vermisst die Pisser nicht schon jemand«, sagt
Kevin.
»An dieser Front ist alles klar. Bislang vermisst die niemand.«

»Die müssten sich dann mal duschen.«
»Das ist doch scheißegal.«
»Stimmt, Marcus«, sagt Ronnie. »Scheißegal.«

34. Hof des Bauern Zemke, Nähe Oldenburg, nachts

Keiner von ihnen kann schlafen. Sie sitzen eng zusammengekauert, mit dem Rücken an die Wand gelehnt und starren in die Dunkelheit. Es ist kalt. Aus dem Stall nebenan hören sie das Gurren der Puten, ein beklemmender Klangteppich.
»Die Puten schlafen genauso wenig wie wir«, flüstert Laura.
»Wir sind genauso gefangen wie sie«, sagt Jakob. »Nur werden wir nicht geschlachtet.«
Laura nickt. »Uns wollen sie erschrecken.«
»Aber das haben die Rocker doch erreicht. Sie könnten uns laufen lassen. Jetzt machen sie sich strafbar. Weißt du, was ich nicht verstehe?«
Laura sieht ihn an.
»Was machen Rocker auf einem Bauernhof? Wo ist der Bauer?«
»Du hast recht«, flüstert sie und streichelt Simon mechanisch über den Kopf, eine Geste, die Jakob überflüssig vorkommt. »Da stimmt was nicht.«
»Vielleicht hat der Bauer die Rocker bezahlt, dass sie uns festsetzen.«
»Macht das Sinn?«
»Das macht keinen Sinn«, mischt sich Cem ein.
»Was machen Rocker auf einem Bauernhof?«, flüstert Laura nachdenklich, als handele es sich um ein philosophisches Problem.

»Und haben sie einen Plan?«

»Das glaube ich nicht«, wirft Cem ein. »Die sind nicht besonders hell.«

»Einen Plan hatten sie sicher«, sagt Laura. »Sie wollten unsere Handys.«

»Damit wir keine Hilfe rufen können, ist doch logisch«, sagt Simon.

»Aber warum wollten sie unbedingt die PIN-Nummern?«

»Vielleicht weil sie auf unsere Kosten telefonieren wollen?«, sagt Cem. »Außerdem – meine PIN-Nummer haben sie nicht.«

»Jakob hat recht«, sagt Laura. »Die hatten zumindest den Plan, sich die Handys und PIN-Nummern zu holen.«

»Sie wollten vielleicht rausfinden, wer noch zu unserer Gruppe gehört«, sagt Cem.

»Das ist eine Möglichkeit«, sagt Laura. »Gibt es andere?«

»Sie benutzen unsere Handys«, sagt Jakob.

»Macht das Sinn?«

»Nein, macht keinen Sinn.«

»Oder wir kennen den Sinn nicht«, sagt Laura.

»Morgen lassen sie uns bestimmt laufen«, sagt Simon.

Jakob und Laura sehen sich an. Beide erkennen ihre eigene Angst in den Augen des anderen.

Monolog Carsten Osterhannes

Vor einem halben Jahr habe ich die neue Schlachterei für Puten eröffnet. Es war eine sehr schöne Feier. Ein Kammerorchester spielte. Brahms oder so was. Der Ministerpräsident war da, und niemand ahnte, dass er kurz danach abgewählt werden würde. Die Bundeslandwirtschaftsministerin schnitt das rote Band durch. Ich stand neben ihr und lächelte in die Kamera. Normalerweise mag ich keine Öffentlichkeit, ich hasse Fototermine, und Interviews gebe ich nur selten. Aber das war ein großer Tag. Wirklich, ein großer, besonderer Tag.

Ich hatte ein gutes Gefühl, was die Planung betraf. Und in der Tat: Drei Wochen später lief die Fabrik auf vollen Touren. Planung ist in meinem Geschäft die halbe Miete. Heute schlachten wir in dem Werk 40 000 Puten. Und zwar: jeden Tag. 40 000 Puten.

Mit dem neuen Werk gelang es uns, die Selbstkosten pro Kilo auf unter einen Euro zu drücken. Das ist ein sensationeller Wert, den niemand außer mir in Europa erreicht. Er beschert mir einen Gewinnsprung von 0,17 Euro pro Pute. Zusammen mit den staatlichen Fördermitteln habe ich in drei oder vier Jahren die neue Fabrik abgezahlt.

Ich habe früh erkannt: Die Zielgruppe für Putenfleisch sind die Frauen. Und diese Strategie habe ich systematisch verfolgt. Es hat gedauert, aber heute ist es geschafft. Frauen lieben Putenfleisch, denn es ist fett- und kalorienarm. Wenn die Frauen Putenfleisch essen, denken sie, dass sie nicht zunehmen. Sie können Putenfleisch essen, ohne ein schlechtes Gewissen zu haben.

Was sie nicht wissen: Putenfleisch hat allerdings eine Besonderheit. Es hat kaum einen Eigengeschmack. Man erkennt Rind am Geschmack, Schwein und erst recht Wildschwein. Das gilt für alle anderen Tiere auch, nur nicht für die Pute. Erst dachten wir, dass die Geschmacklosigkeit ein Nachteil sei. Aber in Wirklichkeit ist es ein Vorteil. Jetzt kann es jeder, oder besser: jede essen – und zwar zu allem, Salat, asiatisch, gegrillt – völlig egal. Man wird satt und braucht dazu wenig Kalorien.

Mein Gott, haben unsere Marketing- und Presseabteilungen geschuftet. Es war die erste große Kampagne. Absolut erfolgreich. Den Marktdurchbruch für Putenfleisch schafften wir letztlich über die Frauenzeitschriften. Seither liebe ich diese Frauenzeitschriften. Die *Brigitte*-Diäten brachten den Erfolg. Heute noch blättere ich die Diätvorschläge in *Brigitte* oder *freundin* durch, und ich freue mich an den vielen Diäten mit Putenfleisch. Die moderne Frau achtet auf ihre Linie. Sie bestellt einen Salat mit Putenbruststreifen oder kocht irgend so einen asiatischen Reis mit Pute. Wunderbar.

Ja, die Frauen sind die Zielgruppe für die Puten. Wir schlachten die Puten für die weiblichen Verbraucher. 40 000 Stück. Jeden Tag.

35. Stuttgart, Olgas Schlafzimmer, frühmorgens

Dengler schlägt die Augen auf und ist hellwach. Jakob? Wo ist Jakob? Das ist sein erster Gedanke. Er springt nackt aus dem Bett und sieht sich um. Olgas Seite ist leer. Er hastet in ihr Wohnzimmer. Auch dort ist sie nicht.

»Komm her und sieh dir das an!«

Ihre Stimme kommt aus ihrem kleinen, mit mehreren Computern und Bildschirmen vollgestopften Arbeitsraum.

»Ich habe ein weiteres Passwort deines Sohnes geknackt.«

Dengler tritt hinter Olga, berührt sie leicht an der Schulter und sieht auf den Bildschirm. »Leben und Sterben deutscher Puten«, liest er. Es ist der Titel zu einem Video.

Nachtaufnahme. Es ist dunkel, das Licht einer starken Leuchte streift an einem flachen, dunkelgrün gestrichenen Bau vorbei. Die Fenster sind mit grauen Planen verklebt.

Plötzlich die Stimme von Jakob: »In diesem Stall werden zehntausend Puten gemästet. Wir statten ihnen jetzt einen Besuch ab.«

Zielstrebig bewegt sich die Kamera auf eine Tür zu. Im Bild

111

erscheint eine schmale Hand, die die Tür aufzieht. Eindeutig nicht die Hand seines Sohnes.

Wieder Jakobs Stimme: »Wir befinden uns jetzt im Vorraum.« Die Kamera sieht sich um, entdeckt einen Arbeitstisch, ein Regal mit Aktenordnern und ein Pult mit Knöpfen, Hebeln und Anzeigen.

»Das ist die Steuerungsanlage für die Fütterung.«

Die gleiche schmale Hand greift nun nach einem der Ordner. Eine zweite Hand taucht auf, das Gelenk ebenso schlank wie die erste. Diese Hände gehören eindeutig einer Frau oder einem Mädchen, registriert Dengler. Er nimmt ein Stück Papier und notiert diese Beobachtung. Die Hände blättern in dem Ordner, suchen etwas. Dann ein Dokument. Die Kamera zoomt nah auf das Papier, und Dengler hört erneut die Stimme seines Sohnes. »Das ist die Bescheinigung des Amtstierarztes. Alle Tiere dieser Mastanlage sind gesund.«

Der Ordner wird zugeklappt. Jetzt wendet sich der Blick nach rechts auf sechs oder sieben an die Wand gelehnte Säcke. Einige sind aufgerissen, andere verschlossen. Helles Pulver liegt am Boden und pudert die Oberfläche der aufgerissenen Säcke.

»Das ist das Antibiotikum, das an die Puten verfüttert wird.«

Die Kamera wackelt zu einer metallenen Innentür, das Bild bricht ab. Dann erscheint ein neues Bild ganz in Grün. Es zeigt dieselbe Tür.

»Um die Tiere nicht zu erschrecken, filmen wir jetzt mit Infrarot. Wir, meine Freunde und ich, tragen Nachtsichtgeräte.«

Die schmale Hand taucht erneut auf und zieht die Tür auf. Die Kamera streift über einen riesigen Stall. Tausende weiße Puten drängen sich dicht an dicht nebeneinander. Es sieht aus wie ein weißes Meer, aus dem unzählige dunkle Köpfe ragen.

»Allein die Masse der Tiere erschlägt uns. Es herrscht hier ein ungeheurer Gestank wegen der Exkremente. Dazwischen nehme ich aber auch einen prägnanten süßlichen Verwesungsgeruch wahr.«

Die vorderen Tiere flüchten vor der Kamera. Sie erheben sich schwerfällig und wollen sich in eine Ecke zurückziehen. Doch immer, wenn sie aufstehen, fallen sie wieder um. Es ist ein absurdes Bild. Die Vögel wenden sich um, versuchen auf die Beine zu kommen und schaffen es nicht.

Die Kamera zoomt auf eines der vorderen Tiere. Jetzt sieht Dengler, dass das Gefieder nur weiß erscheint, tatsächlich ist es gefärbt mit Exkrementen. Er hört plötzlich die Stimme seines Sohnes: »Einundzwanzig Wochen lang stehen die Puten dicht gedrängt in diesem Stall. Einundzwanzig Wochen lang stehen sie dicht an dicht in der eigenen Scheiße.«

Das Bild zeigt jetzt, wie die Füße der vordersten Putenreihe in einem Gemisch von Kot und Urin versinken. Eines der Tiere pickt in das Ekelgebräu hinein und frisst davon.

»Sie fressen ihre Scheiße«, sagt Jakobs Stimme. »Sie fressen die Viren und Bakterien. Und nach einigen Wochen essen *Sie* diese Pute. Vielleicht an Weihnachten. Vielleicht befindet sich das Fleisch dieses Vogels als Putenstreifen in einem Salat.«

Die Kamera streift an der Stallwand entlang. Ein Vogel ragt aus der Masse der Tiere heraus. Er wirkt erhöht, als stehe er auf einem Podest. Jetzt erkennt Dengler, dass das Tier auf einem toten Artgenossen steht, der schon halb in dem Gemisch aus Kot und Streu festgetreten ist. Dem toten Tier sind handtellergroß an Bauch und Brust die Federn herausgerissen. Die umstehenden Vögel picken in das tote Fleisch.

Und wieder hört er die Stimme seines Sohnes: »Unter diesen grausamen Bedingungen werden die Tiere zu Kannibalen. Sie fressen die Kadaver ihrer toten Artgenossen. Und später landet das halb verweste Fleisch in Ihrem Körper, in Ihrem Magen und in Ihren Därmen.«

Die Kamera streift wieder über das weiß-rote Meer der Puten. Willkürlich greift sie einzelne Tiere heraus. Einige können nicht mehr stehen. Andere klettern über sie. Die meisten hecheln mit offenem Schnabel.

»Diese Vögel sind von Natur aus weder Kannibalen, noch picken sie Artgenossen. Es sind Weidetiere, die großzügigen Auslauf brauchen. Das hier hat nichts damit zu tun. Es ist gegen die Natur, gegen jede Natur.«

Im Großformat erscheint eine Pute, die sich offenbar vor der Kamera fürchtet und zu flüchten versucht. Die Pute ist vor Schmutz völlig verkrustet. Immer wieder kippt das Tier zur Seite. Aus dem Off hört Dengler die Stimme seines Sohns, der ruhig und sachlich die Bilder kommentiert.

»Diese Puten werden durch angereichertes Futter auf 20 Kilo gemästet. Sie wurden so gezüchtet, dass das Fleisch sich vor allem an der gut verkäuflichen Brust bildet. Das Knochengerüst wächst jedoch nicht in gleichem Umfang mit wie das Brustfleisch. Die Beine können das Gewicht nicht mehr tragen. Dieses Tier kann daher weder stehen noch gehen. Die riesige Brust zieht es nach unten. Viele von ihnen leiden unter Hautentzündungen und haben Eiterblasen, weil sie auf ihrer überzüchteten Brustpartie liegen.«

Es folgt eine Totale, die den Blick über das Meer der Putenköpfe lenkt.

»Nach unserer Schätzung können 97 Prozent dieser Tiere nicht mehr richtig laufen. Kein Einziges ist gesund. Wir stellten bei fast jeder dieser Puten umkapselte Eiteransammlungen an der Brust, an Rücken, Hals, Kopf und After fest. Ich wünsche jedem, der diese Tiere isst, einen guten Appetit.«

»Mein Gott«, hört Dengler Olga sagen. Sie sitzt vor dem Rechner, hält sich die Hand vor den Mund.

Mein Sohn, denkt Georg Dengler. Was machst du da? Was in aller Welt machst du in einem Putenstall?

»Einundzwanzig Wochen dauert dieses Leben. Dann folgt das.«

Aus einer Seitenperspektive sieht der Zuschauer, wie ein Lkw mit Käfigaufbauten vor der Mastanlage vorfährt. Ihm folgt ein Kleinbus mit Anhänger. Aus dem Kleinbus steigen Arbeiter. Jemand öffnet die hintere Tür der Mastanlage, und die Arbeiter laden vom Anhänger ein mobiles Fließband, dessen Anfang sie in die Masthalle schieben. Das Ende des Fließbands befestigen sie direkt vor einem der nun geöffneten Käfige. Die Männer binden sich weiße Atemmasken vors Gesicht, einige betreten die Halle, andere warten vor dem Fließband.

Schnitt.

Die Kamera hat nun ihre Position verändert. Sie blickt durch ein Fenster direkt ins Innere der Masthalle. Fünf Männer, die gelbe Plastikplanen schwenken, umkreisen die Puten. Die Tiere sind aufgeregt, einige versuchen zu flattern. Sie erheben sich schwerfällig. Die Männer treiben sie auf das Fließband am Ende der Halle. Jetzt sind die Tiere nah beieinander, eine grau-weiße Herde, die zum Fließband drängt. Die Männer treiben weiter. Sie treten nach den Tieren. Sie treiben sie mit Tritten enger zusammen. Eines der Tiere wird von einem Fußtritt hochgehoben und weggeschleudert.

Erneut Jakobs nüchterne Stimme: »Was man hier sieht, ist eindeutig: Das Treten der Tiere ist ein normaler Handlungsablauf beim Ausstallen der Puten. Es ist Routine.«

Schnitt.

Dengler sieht nun das andere Ende des Fließbandes. Pute für Pute wird aus dem Inneren der Anlage herausbefördert. Zwei Männer packen sie, und sie packen, was sie gerade erwischen, Köpfe, Flügel, Beine, und werfen sie in die Käfige. Sie werden an den Flügeln gepackt und in den Käfig gestopft. Sie werden an den Füßen gepackt und in den Käfig gestopft. Sie werden am Hals gepackt und in den Käfig gestopft. Einige kommen mit gebrochenen Flügeln auf dem Band an, andere Flügel brechen beim Stopfen in die Käfige. Beine brechen. Der Käfig wird mit den Vögeln vollgepresst. Als der erste Behälter voll ist, wird das Fließband vor dem nächsten Käfig justiert, und die Männer quetschen die Tiere nun in diesen Käfig.

Eine Orgie der Gewalt.

Jakob kommentiert die Vorgänge nicht länger. Olga und Dengler sehen sich die Verladung der Puten an, bis die Einstellung abbricht.

In der nächsten Einstellung fährt der Lkw mit den Puten durch ländliche flache Landschaft.

Schnitt.

Der Lkw ist am Schlachthof angekommen. Ein Arbeiter öffnet den Käfig. Die Kamera zoomt heran, das Bild wird grobkörniger, woraus Dengler schließt, dass aus beträchtlicher Entfernung aufgenommen wurde. Trotzdem: Es ist gut zu erkennen, wie die flatternden Vögel an den Füßen gepackt und kopfunter an ein Gestänge gehängt werden. Einige flattern, andere haben den Kampf aufgegeben und hängen leblos an dem Gestänge, andere sind bereits halbtot, als sie von der Förderkette in das Innere der Fabrik gezogen werden.

Endlos dauert diese Einstellung. Sie ist noch nicht geschnitten und auch nicht kommentiert. Der Film ist offenbar noch nicht fertig bearbeitet.

Dann eine neue Einstellung. In einer endlosen Prozession ziehen die kopfüber an der Förderkette aufgehängten Puten vorbei, die Förderkette senkt sich, und der Kopf der Puten wird in eine Flüssigkeit getaucht, die Tiere zucken und werden dann scheinbar leblos weitertransportiert.

Die Kamera ändert dabei ihre Position nicht, sie verfolgt stoisch für einige Minuten die Betäubung der Puten.

»Sie haben hier eine versteckte Kamera aufgebaut«, sagt Dengler zu Olga, die sich entsetzt die Hand vor den Mund hält.

Schnitt.

Die bewusstlosen Puten ziehen in einer langen Bahn auf ein rotierendes Messer zu. Blut spritzt nach rechts und links. Die Köpfe fallen nach unten, dann werden die kopflosen Tiere weitertransportiert. Neben dem Fördersystem steht ein Mann und sieht dem Köpfen der Tiere zu.

»Sieh mal genauer hin«, sagt Olga, und Dengler beugt sich vor. Er sieht, wie sich einzelne Vögel regen. Sie sind nicht vollkommen bewusstlos.

»Sie schneiden ihnen lebend die Köpfe ab«, sagt Olga.

Ein Tier schlägt mit den Flügeln. Es sieht offenbar das rotierende Messer auf sich zukommen und zieht den Kopf hoch. Das Messer rast unter ihm vorbei und tötet den Vogel hinter ihm.

»Gut gemacht«, sagt Olga.

Da hat der Mann neben der Tötungsanlage plötzlich ein Messer in der Hand. Mit einem schnellen Schnitt trennt er der überlebenden Pute den Kopf ab.

»Schade«, sagt Olga leise.

Ein weiteres flatterndes Tier zieht den Kopf über dem Messer ein. Es überlebt nicht lange. Der Mann trennt ihm mit einer einzigen schnell durchgeführten Bewegung den Kopf vom Hals.

Der Film bricht ab. Dann erscheint ein Logo: MfT – Menschen für Tiere e. V. Es folgt eine Adresse im Stuttgarter Süden.

Schweigend sitzen Dengler und Olga vor dem Computer.

»Ich stell dir die Informationen zusammen, die das Netz bereithält«, sagt Olga. »Ich bin mir sicher, du wirst diesem Verein einen Besuch abstatten.«

Monolog Carsten Osterhannes

Puten sind großartig. Ich liebe sie. Die Tiere, die wir jetzt verarbeiten, bestehen zu einem Drittel aus Brustfleisch. Zu einem Drittel! Damit befriedigen wir den steigenden Bedarf an fett- und kalorienarmem Fleisch für den bewussten Verbraucher. Eine Pute liefert über fünf Kilo davon. Das ist wunderbar. Ein großartiger Züchtungserfolg ist, dass die nicht verwertbaren Knochen kaum noch zehn Prozent des Putengewichts ausmachen. In dem neuen Werk haben wir damit eine Schlachtkörperausbeute von 80 Prozent erreicht. Das ist absolute Spitze.

Zucht und neue Produktionsverfahren ermöglichen diesen Erfolg. Es ist uns damit gelungen, den Selbstkostenpreis auf unter einen Euro pro Kilo Schlachtkörper zu drücken. Da wir mithilfe der Banken in großem Umfang die Umstellung auf neue, effektive Mastanlagen in die Wege geleitet haben, konnten wir auch die Preise für die Putenmäster senken und senken sie weiter. Alles ist auf einem guten Weg.

Ob ich Putenfleisch esse?

Ich bitte Sie! Niemand aus unserem Gewerbe isst Pute.

Man sagt ja, der Mensch ist, was er isst. (lacht)

Das gilt natürlich auch für die Pute. Die Pute frisst Scheiße. Sie besteht zum großen Teil daraus. Verstehen Sie, was ich damit sagen will? (lacht)

36. Stuttgart, Verein Menschen für Tiere, morgens

Der Verein *Menschen für Tiere* hat ein komplettes Hinterhaus im Stuttgarter Heusteigviertel gemietet; Zugang von der Schlossstraße, aber von dort nicht einsehbar.

Dengler steht vor der Tür. Er registriert die im Klingelschild eingebaute Kamera. Hat dieser Verein etwas zu verbergen? Er wird es herausfinden.

Er läutet. Lang und laut. So wie er als Zielfahnder geklingelt hat, wenn er Wohnungen durchsuchte. Lang und laut. Mehrmals.

»Ja bitte?«

»Bitte öffnen Sie. Ich suche dringend Jakob Dengler.«

Sofort geht die Tür auf.

Dengler betritt das schmucklose, sachliche Treppenhaus und steigt auf der Steintreppe nach oben. Im ersten Stock steht an eine Glastur gelehnt ein jüngerer Mann. Dengler schätzt ihn knapp über dreißig. Dunkle Designerbrille, schwarze kurze Haare, Backenbart, grüne Hose, blaues Hemd, darüber ein grünes Kapuzenshirt. Typ Schreibtischtäter mit Alternativtouch, denkt Dengler. Hat er Jakob zu kriminellen Aktivitäten verleitet? Er wird es herausfinden. Sympathisch ist ihm der Typ nicht. Eher verdächtig.

»Sind Sie von der Polizei?«, fragt der Dunkelhaarige, und das macht ihn in Denglers Augen erst recht suspekt.

»Sehe ich so aus?«

»Ja.«

»Ich bin der Vater von Jakob und suche meinen Sohn.«

»Das trifft sich gut. Wir suchen ihn auch.«

Der Mann tritt von der Tür zurück und bittet Dengler einzutreten. An den Wänden des Flurs stehen Holzregale, gefüllt mit Broschüren und Infomaterial. *Fleischatlas* heißt eine Broschüre, *Pelz ist Mord* eine andere, *Vegetarier sind Klimaschützer* eine dritte. Ein Stapel Kochbücher *Lecker Veggie.* Ein Bündel neuer T-Shirts liegt ebenfalls in dem Regal. Der Aufdruck auf der Brust in grünen großen Buchstaben lautet: *Pflanzenfresserin.*

Dengler fühlt sich unwohl. Er weiß nicht, warum.

Der Mann mit dem Bart deutet auf einen kleinen Tisch. Sie setzen sich. Er stellt sich als Rainer Wieland vor, Geschäftsführer des Vereins Menschen für Tiere.

»Wir suchen Jakob dringend«, sagt er. »Er hat sich technische Ausrüstung ausgeliehen, die er vor zwei Tagen zurückbringen wollte. Seither ist er verschwunden. Das Material ist teuer, und wir brauchen es jetzt.«

»Technische Ausrüstung?« Dengler runzelt die Stirn.

»Zwei Kameras, drei Nachtsichtgeräte, Tonaufnahmegeräte und zwei hochempfindliche Fotoapparate.«

»Wollen Sie behaupten, Jakob sei ein Dieb?«

»Nein, normalerweise ist er ein zuverlässiger Junge. Es ist untypisch, dass er sein Wort nicht hält. Er bringt mich in eine schwierige Situation. Wir brauchen die Geräte dringend.«

»Was hat Jakob mit Ihrem Verein zu schaffen?«

Wieland streicht sich langsam über seinen Backenbart.

»Jakob hat Ihnen nicht erzählt, was er bei uns tut?«

Dengler antwortet nicht.

»Wenn Ihr Sohn Ihnen das nicht erklärt hat, werde ich es auch nicht tun.«

Doch, das wirst du, denkt Dengler und ballt eine Faust. »Jakob ist verschwunden, und seine Mutter und ich sind in großer Sorge.«

»Wenn Jakob vor Ihnen gewisse Geheimnisse bewahrt, werde ich diese Geheimnisse nicht lüften.«

»Haben Sie ihn angerufen? Er hat doch ein Handy.«

»Jakob nimmt nicht ab.«

»Haben Sie ihm eine SMS geschickt?«

»Nein.«

»Jakob ist möglicherweise in Gefahr. Er nimmt das Telefon nicht ab, aber beantwortet SMS.«

»Tatsächlich? Dann werde ich ihm eine gesalzene Nachricht schreiben.«

Wieland greift in seine Hosentasche und zieht ein altmodisches Funktelefon heraus, auf dem er sogleich einen Text eintippt.

»Warten Sie«, sagt Dengler und legt dem Mann eine Hand auf den Arm. »Hören Sie: Vielleicht hat Jakob mir tatsächlich nicht vertraut. Ich weiß es nicht. Das spielt jetzt aber keine Rolle. Jetzt ist nur wichtig herauszufinden, ob er in einer gefährlichen Situation steckt.«

Wieland unterbricht das Tippen. »Was kann ich tun?«

»Was würde Jakob antworten, wenn Sie ihn fragen, wann er endlich den X3-Konverter zurückbringt?«

»Er würde mich fragen, was das ist. Und er würde mir antworten, dass er das Ding nicht hat. Übrigens, was ist ein X3-Konverter?«

»Keine Ahnung. Ich habe ihn gerade erfunden.«

Wieland nickt langsam, dann tippt er weiter auf sein Handy ein. Er zeigt Dengler, was er geschrieben hat.

> Jakob, wo zum Teufel steckst du? Ich brauche sofort einen zuverlässigen Termin, wann du den X3-Konverter zurückbringst. Rainer.

Dengler nickt, und Wieland schickt die Nachricht ab. Dann legt er das Handy auf den Tisch.

»Was hat mein Sohn mit Ihrem Verein zu tun?«

»Warten wir erst einmal ab, wie und ob Jakob antwortet.«

Sie sitzen sich gegenüber und starren sich an. Er wird diesen Mann zwingen, ihm Auskunft zu geben.

Dengler steht auf und geht durch die nächste Tür. Er gelangt in einen schmalen Raum, ein karg eingerichtetes Büro: Plakate mit geschundenen Hühnern an den Wänden, eine weiße Holzplatte auf Stelzen als Schreibtisch, darauf Bildschirm und Tastatur, ein altmodisches Telefon, ein aufgeschlagener Terminkalender, daneben ein Aktenordner und ein Stapel Papiere. Dengler setzt sich an den Tisch und blättert in dem Terminkalender.

»Hey, was machen Sie da?«

Wieland läuft auf ihn zu und will ihm den Kalender entreißen, aber Dengler zieht ihn schnell genug weg. Er blättert die Seiten durch und sucht einen Eintrag, der seinen Sohn betrifft. Er findet keinen. Er öffnet die Schubladen und durchsucht den Schreibtisch.

Wieland nimmt das Telefon. »Ich rufe die Polizei.«

Dengler reißt das Kabel aus der Anschlussdose. Wieland bleibt mit offenem Mund stehen. Er zieht an Denglers Arm. In diesem Augenblick sendet Wielands Handy aus dem Nebenraum ein Signal.

Beide Männer halten kurz inne und laufen dann zu dem kleinen Besprechungstisch. Das Handy leuchtet. Wieland nimmt es auf und liest. Dann reicht er das Gerät zu Dengler hinüber.

> Übermorgen bringe ich den Konverter zurück. Früher geht's leider nicht. Ok? Gruß, Jakob

Wieland sinkt auf den Stuhl und stützt den Kopf in die Hände. »Was geht hier vor?«

Dengler setzt sich ihm gegenüber: »Was hat mein Sohn mit Ihrem Verein zu tun?«

Wieland sieht ihn erschöpft an: »Ich bin in großer Sorge. Jakob ist unser bester Ermittler.«

37. Rückblende: Kimi im Wald

Kimi hockt unter einer großen Tanne. Obwohl durch die breite Krone des Baumes kein Tropfen Regen nach unten dringt, ist er von seiner Flucht durch die Felder immer noch völlig durchnässt. Ihm ist kalt. Außerdem muss er etwas essen. Dringend. Der Hunger bohrt sich wie ein Messer in seine Magenwände.

Er hat Angst.

Wer nicht das Bittere genossen hat, der weiß nicht, was Zucker ist, denkt Kimi. Aber jetzt muss er etwas essen. Er hat ein paar Münzen in der Tasche. Mehr besitzt er nicht. Er will seinen Lohn. Er hat hart gearbeitet. Arbeit, von der er nachts Albträume bekommt. Augen von Rindern ausstechen, Därme säubern, in Schweinescheiße stehen, Tiere aufschneiden.

Er will nach Hause.

Aber dazu muss er seinen Lohn einfordern. Er braucht das Geld. Es gehört ihm. Er muss seine Landsleute finden. Die Männer in dem großen Mercedes. Sie schulden ihm Geld. Zwei Monatslöhne. Dann wird er mit dem Bus zurück nach Bukarest fahren. Dann in das kleine Dorf. Er wird nicht mehr länger von toten Rindern träumen, und er wird nie wieder nach Deutschland zurückkehren.

Er muss Adrian sehen.

Das blutverschmierte Gesicht seines Freundes, er wird es nie vergessen. Er muss wissen, ob Adrian in einem Krankenhaus liegt. Er muss wissen, ob er gut versorgt ist. Er muss wissen, ob Adrian noch lebt. Oder ob ihn die Wikinger totgeschlagen haben.

Den Wikingern muss er aus dem Weg gehen.

Vielleicht suchen sie mich noch. Vielleicht haben sie mich aber auch schon vergessen. Er wird kein Risiko eingehen. Er wird den Wikingern aus dem Weg gehen.

Mühsam steht er auf. Wer nirgends hingeht, wird auch nirgends ankommen.

Wenn nur die Kleider nicht so nass wären. Ihm ist kalt. Bitterkalt.

Immerhin regnet es nicht mehr. Der Himmel ist bewölkt. Graue schwere Fetzen hängen tief, als wollten sie sich von den Bäumen kratzen lassen. Doch jetzt reißt die Wolkendecke auf, und die Sonne kämpft sich durch die grauen Himmelsgebirge.

Ein gutes Zeichen. Vielleicht.

Nach einer Viertelstunde erreicht er einen größeren Waldweg. Er wählt willkürlich eine Richtung und stößt bald auf eine Landstraße, die ins Offene mündet.

Er hat keine Ahnung, wo er ist.

Er meidet die Landstraße.

Lieber schleicht er sich unter Bäumen an einem Bach entlang, nutzt Hecken und Büsche als Sichtschutz zur Straße, rennt gebückt über Wiesen. Ein Kirchturm gerät in seine Sicht.

Dort gibt es etwas zu essen.

Er wusste nicht, dass Hunger so schmerzen kann.

Die Verkäuferin in der Bäckerei mustert ihn misstrauisch. Seine verklumpten Schuhe lassen Dreckspuren auf dem blanken Fußboden zurück. Er zeigt alle seine Münzen auf der offenen Handfläche und deutet auf die Brötchen. Die Verkäuferin klaubt mit spitzem Mund und spitzen Fingern das Geld von seiner schmutzigen Hand und packt eine Tüte voll mit warmen Brötchen. Das erste reißt er auseinander, als er die Bäckerei noch nicht verlassen hat.

Er sieht sofort, wo Landsleute wohnen. Direkt neben dem Rathaus, der etwas heruntergekommene Klinkerbau mit den zugezogenen Fenstern. Fünf Namenschilder an der Tür, obwohl, das weiß er genau, hier mindestens fünfzehn Landsleute wohnen. Er klopft, eine Frau macht auf, und er tritt ein.

Sie sieht ihn an und versteht alles. Wortlos dreht sie sich um, und er folgt ihr durch den dunklen Flur ins Innere.

Sie bringt ihn zu Jurgis Rudkus, dem Letten, der in einem hinteren Raum auf der unteren Fläche eines doppelstöckigen Bettes sitzt. Andere Männer liegen in weiteren Doppelstockbetten, mit denen der Raum vollständig zugestellt ist. Es ist schummriggrau in dem Zimmer. Es dauert eine Weile, bis sich Kimis Augen an das Dämmerlicht gewöhnt haben.

Er kennt Jurgis. Sie haben einige Wochen lang in derselben Rinderfabrik gearbeitet. Das muss schon einige Wochen her sein. Das war, als sein Trupp zu den Rumänen gehörte und noch nicht von den Wikingern übernommen worden war.

Jurgis ist ein junger Mann, groß und breit wie ein Schrank, mit einem kindlichen Gesicht. Er strahlt diese eigentümliche Kombination von Gutmütigkeit und Stärke aus. Er hat immer mit voller Kraft gearbeitet, als mache das Fließband ihm nichts aus.

Jurgis spricht kein Rumänisch. Kimi kein Lettisch. Jurgis winkt einen zweiten Mann herbei, der übersetzt. Die beiden reden Russisch miteinander. Alle haben von dem Überfall gehört. Es gab einen Kampf zwischen den Rumänen und den Deutschen. Adrian liegt im Krankenhaus. Das sagen sie ihm. Kimi will wissen, für welche Gruppe Juris und die Männer hier arbeiten.

Für die Rumänen. Aber die seien gerade sehr nervös. Die Deutschen wollen sie aus dem Geschäft treiben.

Kimi will wissen, wo er die Landsleute findet. Sie schulden ihm Geld. Ohne das Geld kann er nicht nach Hause fahren.

Jurgis sagt: Nach Hause wollen wir alle. Er zieht eine verbeulte Ledertasche unter dem Bett hervor und zeigt ihm ein Foto. Ein blondes Mädchen, fast noch ein Kind, blickt mit großen Augen aus dem Bild. Das ist Jurgis Verlobte, übersetzt der Mann. Jurgis sagt noch etwas auf Lettisch. Es ist ein Anblick, der ihm wehtut, sagt der Übersetzer.

Die Frau, die ihm die Türe geöffnet hat kommt herein und legt eine Hose, Unterwäsche, ein Hemd, einen Pullover und eine grobe Jacke aus braunem Kunststoff neben ihn. Kimi wehrt ab. Nimm es, sagt der Übersetzer, wir alle wissen, was mit euch geschehen ist. Nimm es, wir geben es dir gerne. Ich zeige dir etwas, hier im Haus gibt es eine Dusche. Wir haben auch etwas zum Essen für dich.

Eine Stunde später bringt ihn der Dolmetscher zur Tür. Kimi ist fast glücklich. Die Dusche, der starke Kaffee, den die Frau für ihn gebrüht hat, den Topf mit *Ciorbă*, der plötzlich auf dem Tisch stand, die Krautwickel mit Polenta, die der Übersetzer beisteuert, das *Poftă bună,* das die Landsleute ihm wünschten – all das hat ihm Mut und Kraft und Hoffnung gegeben. Er umarmt zum Abschied jeden der Männer, und die Frau küsst er zweimal auf die rechte Wange.

Der Dolmetscher legt ihm die Hand auf die Schulter. »Du weißt jetzt, wo du unsere Landsleute in den großen schwarzen Limousinen findest.« Es ist nur zwei Dörfer weiter. Er hat alles genau auf einem Blatt aufgezeichnet.

So tritt Kimi hinaus in das flache Land im Norden, das so ruhig und friedlich daliegt, aber für ihn so gefährlich ist wie der Dschungel.

38. Stuttgart, Hildegards Wohnung, vormittags

»Jakob ist Ermittler bei einer Tierrechtsorganisation, dem Verein ›Menschen für Tiere‹. Wusstest du das?«
Hildegard sieht ihn verständnislos an: »Ermittler?«
Dann: »So wie du?«
Sie kichert hysterisch. »Er will wie sein Vater werden. Wie absurd.« Sie schlägt mit der flachen Hand auf den Tisch.

»Nicht wie ich. Er dringt in Ställe ein und dokumentiert das Leben und Sterben der Tiere mit einer Videokamera. Wusstest du das? Es ist das Star-Ermittlerteam des Vereins: Jakob sorgt für die Planung und Technik, Simon ist der Chef, Cem ist der, der sich als rumänischer Migrant in die Firmen einschleicht und versteckte Kameras anbringt. Laura ist die Seele des Teams.«

Hildegard starrt ihn an. Sie hat Urlaub eingereicht. Für den heutigen Tag und die nächsten Tage. Am Morgen noch ist sie ins Büro gefahren, aber sie dachte nicht an die Angebote und Aufträge, die sie zu kontrollieren hatte, sie dachte an ihren Sohn. Sie rief ihn an, aber er nahm nicht ab. Sie schickte ihm eine SMS:

Ich bin krank vor Sorge. Bitte melde dich.

Er schickte ihr Fotos vom Meer, von den Ramblas, von der Plaça de Catalunya. Und er schrieb ihr:

Bleib cool. Lass mich doch ein paar Tage ausspannen mit meinen Freunden. So oft bin ich nicht mit ihnen in anderen Ländern. Bitte.

Sie zeigt Dengler die Fotos.

»Das bedeutet, dass sein Telefon in Barcelona ist. Ob er es auch ist, wissen wir nicht.«

»Georg, vielleicht sind wir zu …« Sie redet jetzt schnell und eifrig: »Vielleicht sorgen wir uns ohne Grund. Es gibt einen Begriff dafür: Helikoptereltern. Hast du das schon einmal gehört? Helikoptereltern kreisen ständig über ihren Kindern. Vielleicht sind wir – Helikoptereltern.«

Dengler schüttelt den Kopf: »Wenn wir das wären, dann wüssten wir mehr von unserem Kind.« Nein, sie sind keine Helikoptereltern.

»Was ich weiß, ist: Eines Tages hat er sich geweigert, Fleisch zu essen. Morgens legte er sich keine Wurst mehr aufs Brötchen. Nur noch Marmelade. Ich machte mir Sorgen. Jeder

Mensch braucht Fleisch. Wegen des Eisens und der Vitamine. Ich habe ihn gezwungen, jeden Tag mindestens eine Scheibe Wurst zu essen. Es war fürchterlich. Jeden Morgen. Jeden Morgen ein neuer Kampf. Wegen einer Scheibe Wurst. Spätfolgen der Pubertät, dachte ich. Da muss ich durch. Da muss er auch durch. Mir ging es nur darum, dass er eine ausgewogene Ernährung bekommt. Gerade als alleinerziehende Mutter will man doch, dass es dem Kind an nichts fehlt. Darum habe ich …«

Dengler hört nicht mehr zu. Er sieht die Frau an, die er einmal geliebt hat, und es ist, als würde er einen Film zum zweiten Mal sehen. Jetzt kennt er die Figuren. Er weiß, wie alles enden wird. Keine Überraschungen mehr. Keine Aufgeregtheit mehr. Jetzt sieht er nur einige Details deutlicher als vorher, bei einigen Szenen weiß er jetzt, welches Drama sie vorbereiten.

Damals hatte er keine Ahnung. Er war ein junger Beamter beim BKA, aktiv, voller Tatendrang, beschenkt mit dem unschlagbaren Idealismus derer, die die Welt verbessern wollten. *Heal the world. Make it a better place*, wie es in einem dieser Songs hieß, die sie damals alle hörten. Seine Freunde waren genauso wie er. Aber in der Behörde gab es nicht so viele, die genauso dachten. Er wurde von Dr. Schweikert gefördert. Seinem Chef gefiel dieser Elan. Marlies, damals Schweikerts Sekretärin, gefiel das auch. Sie hatten eine gute Zeit zusammen. Immer wenn Norbert, ihr Mann, auf Reisen war, und das war er als Kriminaloberrat oft, rief sie ihn an, und er schlüpfte in Marlies' Bett. In Marlies' und Norberts Bett.

Norbert war ein Polizist, wie er es nie werden wollte. Steif, bürokratisch, mit den besten Verbindungen nach oben, immer in Anzug, weißem Hemd und Krawatte. Meist in Dienstbesprechungen, selten vor Ort. Dengler sah ihn manchmal durch den Glasübergang zwischen den beiden großen Bauten des Amtes hasten, immer in Eile, immer mit Akten unter dem Arm. Nicht ohne Grund nannten die Ermittler diesen Übergang »Beamtenlaufbahn«. Das war Norberts Revier.

»Wir machen Sachen, die kann Norbert sich nicht einmal in seiner kühnsten Phantasie ausmalen«, sagte Marlies zu ihm, als sie erschöpft in ihrem Bett lagen.

Ihm gefiel die Affäre mit Marlies. Sie hatte etwas Verruchtes, etwas Geheimnisvolles – und Marlies war eine Kanone im Bett. Doch nach anderthalb Jahren wurde ihm bewusst, wie oft er allein in seiner Zweizimmerwohnung saß. Es störte ihn plötzlich, dass er sie nicht anrufen konnte, wenn er ihre Stimme hören wollte. Es ging ihm zunehmend auf die Nerven, dass sein Sexualleben von Norberts Reiseplänen abhing. Eine Missstimmung entstand. Klein, aber hartnäckig.

Dann traf er Hildegard. Es war auf der Gartenparty eines Kollegen, der ein Haus in Gau-Algesheim gebaut hatte, drüben auf der anderen Seite des Rheins. Es wurde gegrillt, Bier und Riesling getrunken, und Dengler konnte die Augen nicht von der schlanken blonden Frau lassen, die eine Freundin der Gastgeberin war. Es dauerte zwei Stunden, bis er es wagte, ihr Glas nachzufüllen. Man kam ins Gespräch, es war ganz leicht. Und plötzlich dachte Dengler, dass er diese Frau schon lange kennen müsste. Sie kannten dieselben Filme, sie mochte Blues wie er, sie war wie er in einem kleinen Ort aufgewachsen. Alles schien sich zu fügen. Sie saßen den ganzen Abend im Garten seines Kollegen und beachteten weder die anderen Gäste noch deren vielsagenden Blicke.

Er brachte sie nach Hause, und sie küssten sich an ihrer Haustür. Es waren die Küsse von Liebenden, die sich endlich gefunden hatten. Als sie sich zum zweiten Mal sahen, ging sie mit zu ihm, und als sie in seinem Bett auf ihm saß, war er überrascht, dass eine Frau ihn mit solcher Zärtlichkeit lieben konnte. Alles passte zusammen. Alles.

Marlies war sauer. Sie machte ihm Vorhaltungen.

»Hat er sich strafbar gemacht?«, fragt Hildegard. »Hallo,

Georg, du hörst mir nie zu. Hat sich unser Sohn strafbar gemacht?«

Er schüttelt den Kopf. »Es ist nicht illegal. Der Geschäftsführer dieses Vereins hat mir das so erklärt: Die Ermittlertrupps begehen keinen Hausfriedensbruch, weil hinter ihrer Aktion ein höherrangiges Recht steht: der Tierschutz. Allerdings gehen sie nur in die Ställe, wenn die Türen offen sind. Sie brechen nichts auf. Sie beschädigen keine Zäune oder Anlagen. Sie beschädigen nichts. Das alles wäre strafbar. Sie erschrecken nicht einmal die Tiere. Sie verwenden aus diesem Grund Infrarotkameras. Ihre Ermittlungsergebnisse stellen sie den Staatsanwaltschaften zur Verfügung. Es geht ihnen um das Wohl der Tiere. Jakob hat nichts Illegales getan.«

»Und warum hat er mir nichts davon erzählt?«

»Mir hat er auch nichts erzählt. Oder ich habe ihm nicht zugehört. Wenn er bei mir war, hat er auch kein Fleisch gegessen. Sogar als wir letztes Mal zu meiner Mutter in den Schwarzwald gefahren sind, wollte er, dass sie kein Huhn mehr schlachtet. Die Hühner meiner Mutter sind die besten der Welt, das weißt du ja. Ich hielt das für eine Modeerscheinung. Wie Rap-Musik. Ich meine, vielleicht hab ich nicht genau genug zugehört. Er hat es wahrscheinlich irgendwann aufgegeben, mit mir über diese Dinge zu reden. Was für ein Scheißvater bin ich.«

»Was tun wir jetzt?«

»Ich werde herausfinden, wer mit seinem Handy Nachrichten verschickt.«

»Kann es denn nicht sein, dass sie jetzt in Barcelona sind und dort in irgendwelche Ställe einbrechen?«

Sie sieht auf, beugt sich vor und greift nach Denglers Hand. »Georg, vielleicht wollen sie etwas gegen den Stierkampf in Spanien unternehmen. Das könnte doch sein.«

»In Barcelona gibt es keinen Stierkampf mehr. Den haben die Katalanen ganz ohne unseren Sohn abgeschafft.«

»Du findest ihn, versprichst du es?«
»Das Ermittlungsteam dieses Tierrechtsvereins besteht aus
vier Personen. Bis auf einen türkischen Jungen namens Cem
stehen die anderen auf der Liste, die du mir gegeben hast.«
»Wirst du ihn finden?«
»Ich werde wahrscheinlich nach Barcelona fliegen.«

39. Bad Teinach, Hotel Schröder, vormittags

Julia schwimmt.
Bahn für Bahn zieht sie in dem großen, schönen Bad.
Christian Zernke sitzt im Liegestuhl und sieht ihr zu. Wie
soll er es ihr sagen? Sie hat ebenso hart gearbeitet. Seite an
Seite mit ihm. Sie haben ihre Sorgen geteilt und die wenigen
Freuden. Sie hat zwei Kinder großgezogen. Neben der Arbeit im Stall hat sie gekocht, gewaschen, gebügelt. Wie soll
er ihr sagen, dass der Hof bald nicht mehr ihm gehört? Ei-
gentlich gehört er doch auch ihr …
Ich kann es ihr nicht sagen. Sie wird es erfahren, wenn ich
tot bin und sie das Erbe antreten wird. Die Kinder werden es
auch nicht vorher erfahren.
Die beiden Söhne. Carsten und Jens. Zwei ganz verschiedene
Kinder. Jens wollte nie Bauer werden. Schon als Kind zeigte
er nicht das geringste Interesse an Schweinen. Er hasste es,
wenn er dem Vater im Stall helfen sollte. Er weinte, wenn die
Tiere zum Schlachten abgeholt wurden. Jetzt wohnt Jens in
Berlin. Er ist Innenausstatter geworden. Lebt in einer Wohn-
gemeinschaft. Sie haben ihn dreimal besucht. Wenn sein
Sohn ihm den Wedding gezeigt hat, wo die Wohngemein-
schaft eine Fünfzimmerwohnung gemietet hat, sah er nur
Araber, Türken, Russen. Niemand sah aus wie Jens. Und wie

er selbst schon erst recht nicht. An jedem dritten Haus stand: »Automaten-Kasino, 24 Stunden geöffnet«.

»Wieso spielen denn hier so viele Leute an Automaten?«, hatte er seinen Sohn gefragt.

Doch der hatte nur gelacht. »Geldwäsche, Papa, die sind nur zur Geldwäsche da.«

Manchmal fragte er sich, ob sein Sohn schwul war. Das war ein sehr unangenehmer Verdacht. Er sprach mit Julia darüber, doch die schüttelte nur den Kopf. Und wenn, sagte sie. Was war das für eine seltsame Welt? Er atmete jedes Mal freier, wenn er Berlin wieder verlassen hatte.

Alle seine Hoffnungen hatten sich auf Carsten gerichtet, den ältesten Sohn. Doch auch Carsten wird den Hof nicht übernehmen. Er studiert Agrarwissenschaften in Hohenheim. Aber er hat diese Bio-Flausen im Kopf. Sie schreien sich jedes Mal an, wenn er in den Semesterferien zu Hause ist. Das letzte Mal hatte Carsten ihm gesagt, er würde nichts anderes betreiben als Tierquälerei. Und er, der so stolz auf den modernen Betrieb war, hat ihn vom Hof gejagt. Den eigenen Sohn. Seither – nicht ein Wort.

Ich werde den Treuhandvertrag unterschreiben. Niemand wird davon erfahren außer der Bank. Der Steuerberater wird mich nicht verraten.

Ich bin kein guter Bauer. Ich dachte, ich sei schlau. Spezialisierung! Erst alles auf die Schweine gesetzt, dann alles auf die Puten. Ich habe vergessen, dass andere schlauer sind als ich. Und denen wird in wenigen Tagen der Hof meines Vaters gehören.

Er schaut Julia zu, die am Ende des Beckens wendet und in energischen Stößen eine neue Bahn zieht. Er bringt es nicht übers Herz. Es ist entschieden. Ich werde ihr nichts sagen.

Diese Entscheidung erleichtert ihn. Sie werden ja weiter auf dem Hof leben. Er ist nur kein freier Bauer mehr. Julia wird nie erfahren, dass sie die Frau eines Knechts ist.

Knechte haben ein Recht auf Urlaub. Er wird die Tage mit Julia genießen. Der erste Urlaub seit so vielen Jahren.

Er sieht seiner Frau zu, wie sie schwer atmend das Becken verlässt und sich unter die Dusche stellt. Sie sieht zu ihm hinüber, und Christian Zehmke wird es warm ums Herz. Er hat keinen Hof mehr, aber er hat noch diese Frau. Und das Leben wird weitergehen.

Irgendwie.

Er wappnet sich, denn sie kommt jetzt mit großen Schritten auf ihn zu. Er lächelt, und dieses Lächeln ist echt.

Sie setzt sich in den Liegestuhl ihm gegenüber und legt das Handtuch um ihre Schultern. »Was ist eigentlich los, Christian?«, fragt sie.

Er lacht verzerrt. »Was soll los sein, Julia? Nichts ist los, außer dass wir jetzt Urlaub haben. Das ist los. Endlich.«

»Halt mich nicht für blöd. Du liegst nachts wach. Du läufst umher. Du bist eigentlich gar nicht hier. Wir haben gar nicht das Geld für dieses wunderbare Hotel. Was also ist los?«

Tränen steigen ihm in die Augen. Er sieht seine Frau an. Dann beginnt er zu erzählen.

40. Hof des Bauern Zemke, Nähe Oldenburg, vormittags

»Duschen. Zuerst der Türke.«

Das Walross steht in der Tür.

»Wann können wir hier weg?«, ruft Laura.

»Türke, komm her! Sonst bleibst du so dreckig, wie du bist.«

Cem steht auf und geht.

»Es hat aufgehört zu regnen«, sagt Laura. »Ich höre keinen

einzigen Regentropfen mehr aufs Dach prasseln.« Dann unvermittelt: »Hoffentlich tun sie Cem nichts an.«

Cem war als Letzter zu ihrer Gruppe gestoßen. Jeden Donnerstagabend trainierte er mit Simon anderthalb Stunden Handball in der Sporthalle des Karls-Gymnasiums. Cem ist ein großartiger Kreisläufer. Simon spielt meist in der Mitte. Simon hat die bessere Wurfhand, dafür ist der türkische Junge ein begnadeter Dribbler, schnell, wendig. Sie ergänzen sich perfekt. Simon hält sich bereit, beobachtet Cem, der Gegner schwindlig spielen kann. Irgendwann kommt die Flanke, Simon springt hoch, fängt den Ball und – Tor. Oft jedenfalls.

Cem ist der Rebell unter ihnen. Er ist zunächst einmal dagegen. Egal, was es ist oder wer einen Vorschlag macht – Cem ist erst mal dagegen. Gegen alles. So auch damals.

»Tierschutz – habt ihr einen an der Waffel? So was Blödes hab ich noch nie gehört.«

Cem hatte ein ganz anderes Problem.

»Also Leute, ich, also ich … ich hab noch nie in meinem ganzen stolzen Deutschtürken-Leben Schweinefleisch gegessen. Ich will das probieren. Wer macht *das* mit?«

»Wir essen keine Tiere«, sagte Laura spitz.

»Ich hör mir dann auch euren Tierscheiß in aller Ruhe an. Aber allein will ich das unter keinen Umständen machen.«

»Cem, Schweinefleisch ist keine Droge«, sagte Jakob. »Du bekommst davon keinen schlechten Trip oder so was.«

»Schlimmer. Für mich ist das schlimmer als Speed. Ich mach das nicht allein.« Er schüttelt sich. »Auf keinen Fall!«

»Hör mal …«

»Auf keinen Fall.«

»Wenn ich mit dir Schweinefleisch esse, dann hörst du uns zu, und zwar ohne was zu sagen, bis wir fertig sind, und dann denkst du darüber nach, was wir dir erzählt haben«, schlug Simon vor.

»Ohne was zu sagen?«

»Ohne was zu sagen.«

»Du bist echt hart drauf.«

»Ich esse auf keinen Fall Schweinefleisch«, sagte Laura.

»Hey, bist du jetzt Muslim oder ich?«

»Entscheide dich«, sagte Simon.

»Zweimal Schweineschnitzel«, sagte Simon ein paar Tage später zum Kellner beim Haxen-Willi.

»Für mich nur eine Cola«, sagte Julia, und Jakob erhöhte diese enorme Bestellung auf zwei.

Erstaunlich schnell brachte der Kellner die beiden Schnitzel.

Cem stand plötzlich Schweiß auf der Stirn.

Simon lachte. »Gleich öffnet sich der Himmel, und Allah sendet Blitz und Donner auf seinen ungehorsamen Diener Cem.«

»Bestimmt. So etwas in der Art. Bestimmt passiert so etwas.«

Simon schnitt ein Stück ab und führte die Gabel mit einem eleganten Schwung zum Mund. »Los, iss!«, sagte er.

Angewidert sah Cem auf den Teller. Mit einer unendlichen Kraftanstrengung hob er Messer und Gabel. Ließ die Gabel wieder fallen. »Ich bring das nicht.«

»Sei doch froh«, sagte Laura.

»Ich fühl mich, als ob ich ein Verbrechen begehe. Ein sehr schweres Verbrechen.«

Wieder hebt er die Gabel. Es sieht aus, als würde eine unsichtbare Macht versuchen, seinen Arm auf den Tisch zu drücken. Mit aller Kraft drückt Cem die Gabel gegen die Gewichte seines Gewissens, die Pupillen geweitet und stier auf die Gabel gerichtet, das Gesicht schweißnass. Jakob und Simon beobachten ihn fasziniert. Selbst Laura kann den Blick nicht von dem Jungen wenden, dem nun die Muskeln des Oberarms zu flattern beginnen. Doch Zentimeter für Zentimeter nähert sich das Fleischstückchen Cems Mund. Wie in Zeitlupe öffnet er ihn, und seine Freunde sehen, wie er vorsichtig das Stück Schweinefleisch auf der Zunge ablegt. Jakob dreht den Oberkörper ein Stück nach rechts, weil er befürchtet, dass Cem das Fleischstückchen gleich ausspuckt und ihn damit trifft. So sitzt Cem einen Augenblick da, die Nase gerümpft, sodass sich rechts und links kleine Falten in dem ansonsten glatten Gesicht bilden, die Augen weit aufgerissen, und die Augenbrauen hochgezogen.

»So muss ich ausgesehen haben, als ich als Zehnjährige als Mutprobe einen Regenwurm gegessen habe«, flüstert Laura.

Dann schließt er den Mund und kaut, atemlos beobachtet von seinen Freunden, schneidet sich noch ein Stück ab, schiebt es in den Mund, kaut, schluckt, schneidet sich noch ein Stück ab.

Und grinst.

»Hey, ich esse Schweinefleisch! Wahnsinn.«

Cem lacht jetzt übers ganze Gesicht, schneidet noch ein Stück ab und kaut, schneidet und kaut. Das Lachen verschwindet plötzlich aus seinem Gesicht, und seine Freunde können fast mitempfinden, wie eine kleine Welle sich von seinem Bauch durch die Speiseröhre nach oben drängt. Cem sitzt völlig unbeweglich am Tisch. Jakob denkt, dass er in diesem Augenblick den bitteren Geschmack von Magensäure im Mund spüren muss. Cem wirft plötzlich Gabel und Messer auf den Tisch, hält sich die Hand vor den Mund. Erstaunt sieht er seine Freunde an. Dann rennt er mit großen Schritten zur Toilette.

»Schade, dass es nicht allen Fleischfressern so geht«, sagt Simon und schiebt seinen Teller beiseite.

Der Kellner hatte die Teller schon abgeräumt, als Cem wieder zurückkam. Er setzte sich an den Tisch, als sei nichts gewesen. »Ich höre jetzt zu, ohne etwas zu sagen.«

Laura beugte sich vor und sagt: »Also …«

Als sie sich eine halbe Stunde später zufrieden in ihrem Sitz zurücklehnte, wusste sie schon, dass sie Cem gewonnen hatte. Er hatte ihr aufmerksam zugehört, Quatsch: Er hing an ihren Lippen.

»Wow, da habt ihr echt lange nachgedacht. Tierschutz – wäre ich von allein nicht drauf gekommen.«
Er streckte seine Hand aus, und die anderen drei schlugen ein.

41. Stuttgart, Denglers Büro, vormittags

»Georg? Georg Dengler?«
»Ich bin's.«
»Mein Gott, Georg. Ist das lange her …«
»Das ist es, Marlies. Ich brauche deine Hilfe. Dringend.«
»Was ist los?«
»Mein Sohn.«

42. Stuttgart, Wohnzimmer Familie Trapp, vormittags

»Es freut mich, Sie kennenzulernen. Ihre Frau …, äh, Exfrau, ich meine Hildegard, kenne ich schon lange, viele Jahre. Ich war Elternvertreterin an der Schule, und sie war meine Stellvertreterin. Und Ihr Sohn …, ich meine Jakob, ist ein Freund unserer Familie. Er geht bei uns ein und aus. Wir haben ihn gerne hier. Er ist ein nachdenklicher junger Mann. Laura und Jakob, nun ja, sie sind seit ein oder zwei Jahren enge Freunde.«
Lauras Mutter ist etwa fünfzig, vielleicht auch erst Ende Vierzig. Eine hochgewachsene Frau, in einem langen ocker-

farben Kleid aus irgendeinem Naturstoff, Leinen wahrscheinlich. Sie trägt flache weiße Schuhe – und außer einem schlichten goldenen Ehering und einer langen Kette mit wuchtigen, polierten Holzkugeln keinen weiteren Schmuck. Haarfarbe blond, oder besser gesagt: messingfarben, vielleicht gefärbt, schulterlang, jetzt mit einem Band in der gleichen Farbe wie das Kleid aus der Stirn gehalten. Wache Augen, Farbe Grün-Grau. Eine schöne Frau, immer noch. Die Falten auf Stirn und um den Mund sind ausgeprägt und geben ihr etwas Bitteres.

Sie sitzt auf der Couch. Er in dem Sessel gegenüber. Dazwischen ein kleiner indischer Tisch. Sie hat zwei Räucherstäbchen angezündet, deren Geruch Dengler nur schwer erträgt. Räucherstäbchen erinnern ihn an Hildegard. Auf dem Tisch steht eine japanische Teekanne aus rotem Porzellan mit einem eigenartigen Muster. Zwei kleine Tassen, zur Kanne passend. Sie hat ihm grünen Tee angeboten. Er würde gerne einen Schluck trinken, vielleicht nur aus Verlegenheit, aber als er die Tasse hochheben will, ist sie noch zu heiß. Also wartet er.

»Nun sind sie zusammen nach Barcelona gefahren«, sagt Dengler.

»Ja, mein Mann war ja gegen diese Reise. Aber ich habe Laura immer zu Freiheit und Selbstständigkeit erzogen. Dazu gehört auch, dass man im Jahr vor dem Abitur allein verreisen darf. Meinem Mann wäre es lieber gewesen, sie wäre mit einer Freundin verreist, so wie ich das in diesem Alter gemacht habe. Aber die Zeiten ändern sich, das musste er erst einmal lernen. Dass Laura mit drei Jungs gefahren ist, nun ja, da musste er etwas schlucken.«

Die Finger ihrer rechten Hand gleiten an den Holzkugeln, die lang um den Hals hängen, auf und ab.

»Ist sie mit einem von ihnen zusammen?«

»Mit Simon, ja. Am Anfang dachte ich, Jakob wäre der Glückliche, aber dann erschien Simon eines Tages.«

Dengler ärgert sich. Nur kurz. Wenn Jakob mit dieser Laura zusammen wäre, dann wäre *sie* die Glückliche. Eitle Eltern.

»Kurzzeitig dachte ich sogar, sie hätte mit beiden Jungs etwas.« Sie stößt ein rostiges Lachen aus, das irgendwie in ihrem Hals feststeckt, und ihre rechte Hand gleitet dabei die Kette entlang.

»Ich hab Laura gefragt. Wir haben ein offenes Verhältnis. Ich kann mit meiner Tochter über diese Dinge reden.«

»Und was sagte sie?«

»Sie hat mich ausgelacht. Mach dir keine Sorgen, Frau Pfarrerin, kein Sodom und Gomorra. – Sie nennt mich manchmal ›Frau Pfarrerin‹, müssen Sie wissen.«

»Sie leiten die Pfarrei hier im Süden?«

Sie nickt. »Schon zehn Jahre. Nicht so einfach, hier im pietistischen Württemberg. Die Landeskirche ist nicht gerade …«

»Sie wissen, dass Laura und Jakob und die beiden anderen sich für Tiere einsetzen?«

»Für Tierrechte«, verbessert sie. »Ja, sicher weiß ich das. Ich bin sehr stolz, dass meine Tochter sich für eine bessere Welt einsetzt. Neulich hat sie vor dem Kaufhaus Breuninger dagegen protestiert, dass dort Pelzmäntel verkauft werden. An einem sonnigen Samstag. Ich meine, andere Töchter gehen an so einem Tag shoppen.«

»Sie wissen, dass die Kids in Mastanlagen eindringen und das Leben und Sterben der Tiere dokumentieren?«

Sie richtet sich auf und sieht ihn an. Sie nimmt die Hand von der Halskette, legt sie auf die Lehne der Couch und trommelt nervös mit zwei Fingern gegen den Stoff.

Sie weiß es nicht, denkt er.

»Es ist nicht illegal, aber doch gefährlich. Nun hat sich mein Sohn bei einer Tierschutzorganisation teure Kameras, Nachtsichtgeräte und Ähnliches ausgeliehen. Wissen Sie, was unsere Kinder damit in Barcelona aufnehmen wollen?«

Sie starrt ihn an. Dann steht sie auf, geht zu dem Sideboard, das unter dem Fenster steht, öffnet eine kleine Holzkiste und holt zwei neue Räucherstäbchen heraus, die sie zu Denglers Leidwesen anzündet und in eine mit Sand gefüllte Schale steckt, die sie auf den kleinen Tisch zwischen ihnen stellt. Dann setzt sie sich wieder auf die Couch.

»Stehen Sie in Kontakt mit Laura?«

Sie nickt.

»Haben Sie mit ihr telefoniert?«

Sie schüttelte den Kopf.

»Sie schickt mir SMS.«

»Kommt Ihnen an den SMS irgendetwas seltsam vor?«

»Seltsam?«

»Schreibt Laura wie sonst auch?«

»Ja, sicher!«

»Weiß Ihr Mann, was die Kids vorhaben könnten?«

Dengler sieht, wie sich ihr Kehlkopf hebt und senkt. Sie versucht alles, um die Fassung zu wahren. Er hat immer gedacht, nur Männer hätten solch einen ausgeprägten Adamsapfel, aber das scheint nicht zu stimmen.

»Laura ist ein Papakind«, sagt sie leise. »Ein richtiges Papakind.«

Sie sieht ihn an, und Dengler beobachtet, wie ihre Augen feucht werden.

»Ich wollte ihr immer etwas Spirituelles mit auf den Weg geben, es musste nicht einmal religiös sein, aber ich wollte, dass sie auch eine transzendente Seite entwickelt. Aber das nimmt sie nicht an – sie nimmt es einfach nicht an.«

Wahrscheinlich mag sie keine Räucherstäbchen, denkt Dengler.

»Sie ist klug, sehr klug, aber so schrecklich rational. Wie ihr Vater.«

»Ist Ihr Mann auch …«, Dengler will plötzlich nicht ›Pfarrer‹ sagen, »… seelsorgerisch tätig?«

Sie lacht bitter. »Mein Mann ist Lehrer.«

»Ein ordentlicher Beruf.«

»Physik, Mathe und Ethik«, sagt sie, als würde das alles erklären. »Sie müssten ihn kennen. Er sitzt für die SPD im Gemeinderat.«

Dengler hebt die Schultern, um damit zu signalisieren, dass er sich in der Kommunalpolitik nicht auskennt.

»Die Lehrer sind nämlich besonders schlau«, sagt sie plötzlich giftig. »Andere Berufe gründen eine Gewerkschaft, um ihre Interessen zu vertreten. Die Lehrer sind schlauer. Die haben gleich eine ganze Partei gekapert. Gegen die Lehrer läuft gar nichts. Verstehen Sie?«

Er muss die Richtung des Gesprächs ändern. Er will nichts über ihre Eheprobleme wissen.

»Weiß Ihr Mann etwas darüber, was Laura in Barcelona mit den Kameras und den Nachtsichtgeräten will?«

Sie sieht ihn mit einem Blick an, der von weit her kommt. »Ich glaube nicht. Ich werde ihn fragen und Sie dann anrufen.«

Dengler nickt. »Isst Ihre Tochter Fleisch?«

Sie schüttelt den Kopf. »Schon lange nicht mehr. Aus ethischen Gründen sei es ihr nicht möglich, sagte sie. Ich habe die Ernährung der ganzen Familie umstellen müssen. Es ist …«

Sie schweigt einen tiefen Seufzer lang. »Man kann auch aus religiösen Gründen auf Fleisch verzichten. Aus Respekt vor Gottes Schöpfung. Mir hätte es besser gefallen, sie hätte gesagt. Ich bin ab jetzt Vegetarierin, weil ich mich nicht länger an unseren Mitgeschöpfen versündigen möchte. Aber nein …«

»Sie ist ein Papakind. Und Ihr Mann unterrichtet Ethik.«

Sie hebt die Schultern und lässt sie wieder fallen. »Aber dann ging sie weiter, sogar weiter, als es meinem Mann recht war. Eines Tages sagte sie zu mir: ›Mama, es gibt neue Erkenntnisse.‹ Seither koche ich vegan.«

»Vegan?«

»Keine Eier zum Frühstück, keine Sahne in die Pasta, kein Käse und keine Milch, keine Schuhe aus Leder, kein Gürtel aus Leder.«

Dengler überwindet sich selbst zur nächsten Frage: »Und Jakob, isst er auch vegan?«

»Natürlich. Sie hat alle bekehrt.«

Wieso weiß ich nichts davon, dass mein Sohn Veganer ist. Warum redet er nicht mit mir über diese Dinge?

»Sie beschäftigt sich wohl schon lange mit Tieren, ich meine mit Tierschutz, Ethik und diesen Dingen?«

»Ja. Sie beteiligt sich sogar mit einer Arbeit bei ›Jugend forscht‹. Da geht es genau darum.«

»Kann ich diese Arbeit sehen?«

»Ich weiß nicht …«

»Bitte. Es könnte wichtig sein. Für uns alle, die Kids und die Eltern. Ich bin mir nicht sicher, aber ich fürchte, dass unsere Kinder in diesem Urlaub etwas nicht sehr Kluges anstellen. Wozu brauchen sie Nachtsichtgeräte?«

Sie nickt, steht auf und geht aus dem Zimmer. Dengler zieht sein Notizbuch heraus, schreibt seine Handynummer auf eine leere Seite, reißt sie heraus und legt sie auf die Couch.

Lauras Mutter kommt kurz danach mit einem blauen Schnellhefter und reicht ihn Georg Dengler.

»Ich bringe ihn bald zurück.«

Sie nimmt das Blatt mit seiner Handynummer. »Ab einem bestimmten Alter sind es nicht mehr romantische Gründe, wenn man von einem Mann die Telefonnummer zugesteckt bekommt«, sagt sie bitter.

Dengler nimmt rasch den blauen Schnellhefter an sich und steht auf.

43. Stuttgart, Praxis von Simons Vater, vormittags

»Haben Sie einen Termin?«

»Nein. Ich …«

»Sind Sie privat versichert?«

»Ich muss Dr. van Papen in einer privaten Angelegenheit sprechen. Unsere beiden Söhne sind zusammen verreist und ...«

»Bitte nehmen Sie einen Augenblick im Wartezimmer Platz. Ich werde Herrn Doktor informieren.«

Nach zwanzig Minuten ruft eine andere Frauenstimme aus dem Lautsprecher: »Herr Dengler, bitte in Sprechzimmer 2.«

Er wartet ein paar Minuten, dann geht die Tür auf.

»Herr Dengler, ich höre, unsere Söhne kennen sich?«

Dr. van Papen steht im Raum. Er ist groß, Dengler schätzt ihn auf 1,87 Meter, hager, braune, kurz geschnittene Haare, an den Schläfen deutlich grau, hellgraue Augen, randlose Brille. Weißer Kittel, weiße Jeans, sehr teuer, weiße Slipper aus Leder. Dr. van Papen lebt jedenfalls nicht vegan.

»Mein Sohn Jakob ist mit Ihrem Sohn nach Barcelona gefahren. Mit Interrail.«

»Ja, ja. Und?«

Dr. van Papen beginnt auf den Fußballen zu wippen.

»Irgendwas stimmt da nicht. Haben Sie irgendwas von Ihrem Sohn gehört?«

»Nein, die Jungs sind volljährig. Was wollen Sie? Ich habe keine Zeit, mein Wartezimmer ...«

»Wissen Sie, mich beschäftigt, dass mein Sohn Jakob vor der Reise eine teure Filmausrüstung ausgeliehen hat, die er längst hätte zurückbringen müssen. Das ist nicht seine Art. Ich mache mir Sorgen. Vielleicht wissen Sie, was unsere Söhne in Barcelona vorhaben?«

»Filmausrüstung, soso.« Van Papen wippt weiter. »Ich weiß nicht, was Ihr Sohn vorhat, guter Mann.«

»Isst Ihr Sohn Fleisch?«

Van Papen fixiert Dengler, als hätte er einen Irren vor sich.

»Natürlich essen wir in unserer Familie Fleisch. Meine Frau kauft allerdings nur *Organic* ein – aber über Ihren Sohn weiß ich wirklich nichts.« Er mustert Dengler.

143

Dengler nimmt einen neuen Anlauf. »Die Gruppe, der Ihr Sohn Simon angehört – sie sind Tierschützer, die …«

»Hören Sie, ich weiß nicht, was Ihr Sohn mit der Filmausrüstung angestellt hat. Simon hat auf jeden Fall nichts damit zu tun.« Das Wippen steigert sich. »Und nun entschuldigen Sie mich. Der nächste Patient wartet.«

»Es ist wichtig, und …«

Doch van Papen ist schon auf dem Weg ins nächste Sprechzimmer.

44. Stuttgart, Königstraße, mittags

»Georg? Ich bin's, Marlies.«

»Hast du etwas herausgefunden?«

»Ich kenne den BKA-Verbindungsbeamten in Madrid. Hab ihn aber noch nicht erreicht. Sobald ich wieder mit ihm gesprochen habe, melde ich mich bei dir.«

»Ich danke dir, Marlies.«

»Georg?«

»Ja?«

»Es tut mir leid, wenn deinem Sohn etwas zugestoßen sein sollte. Ich meine …«

»Marlies, ich …«

»Schon gut. Ich melde mich wieder. Ich tu, was ich kann.«

»Danke.«

45. Rückblende: Kimi bei den Landsleuten

Auch dieses Dorf strahlt Ruhe und Behaglichkeit aus, wie er
sie von den Dörfern in seiner Heimat nicht kennt. Diese Stille
aus Wohlstand und Sattheit! Niemand steht auf der Straße
und hält ein Schwätzchen mit den Nachbarn. Die Wohnungen sind so groß und so schön, dass die Familien lieber in den
eigenen vier Wänden blieben. Unvorstellbar für Kimi. Wie
sagte sein Großvater immer: Wenn man durch Arbeit reich
werden würde, dann müssten die Mühlen dem Esel gehören.
Er ist der Esel. Den rumänischen Landsleuten gehört die
Mühle.

Das Haus, dessen Lage ihm der Dolmetscher aufgezeichnet
hat, steht in einer Reihe mit anderen schönen Häusern. Keines davon ist aus Lehm gebaut, sondern alle aus rotem Back-
stein; Stein für Stein solide aufgeschichtet. Die Türen sind
aus Holz. Aus dickem Holz. Das Messing der Türgriffe und
der Beschläge glänzt wie Gold. An der Tür steht ein Name,
den er nicht versteht: »Grabag GmbH«.

Am liebsten würde Kimi wieder umdrehen und weit weg-
laufen. Ein so vornehmes Haus! Nicht seine Welt. Aber wer
immer nur darauf wartet, dass er zum Essen gerufen wird,
wird oft hungern. Und so atmet er einmal tief durch und
klingelt. Drinnen bellt ein Hund. Dann ist Ruhe. Er wartet.
Er klingelt ein zweites Mal, und drinnen bellt der Hund.
Er braucht sein Geld.

Kimi läutet Sturm, und der Hund bellt, als würde er zwanzig
Katzen jagen. Da endlich hört er etwas: einen Fluch in seiner
eigenen Sprache. Er nimmt die Hand vom Klingelknopf. Der
Schlüssel wird von innen gedreht. Die Tür öffnet sich nur ein
kleines Stück, ein Mann späht durch die Öffnung.

Kimi kennt diesen Mann. Er war immer dabei, wenn die
Mercedes-Limousine ihnen das Geld brachte. Er atmet erleichtert aus.

Er braucht sein Geld.

Das sagt er dem Mann. Er braucht zwei Monatslöhne. Er hat gearbeitet. Er hat die Därme von der Schweinescheiße befreit, und dann hat er mit Adrian die Tiere aufgeschnitten. Ich bin's – Kimi. Ich stehe bestimmt auf einer Liste. Es muss doch Papiere geben. Ich brauche meinen Pass. Ich will zurück in mein Dorf. Ich brauche mein Geld. Ich habe nicht einmal mehr etwas zu essen.

»Warte«, sagt der Landsmann und knallt die Tür zu. Kimi steht auf der Straße und wartet.

Die Tür wird wieder aufgezogen, eine Hand winkt ihn herein. Derselbe Mann führt ihn in ein Zimmer mit einer Couch.

»Setz dich.«

Kimi setzt sich.

In diesem Zimmer steht am Fenster ein Tisch mit einem Computer, an der Wand ein Regal mit Ordnern. Ein gutes Zeichen, findet Kimi. Ich stehe bestimmt auf einer Liste. In einem dieser Ordner befindet sich mein Pass.

Ganz leise kommt der Mann mit der Sonnenbrille ins Zimmer. Kimi hätte ihn nicht gehört, wenn nicht der riesige Hund neben ihm mit den Krallen auf dem Boden geklackt hätte. Der Mann setzt sich neben ihn auf die Couch. Der Hund kriecht unter den Tisch mit dem Computer und legt sich hin.

»Du willst dein Geld?«

Kimi sagt alles noch einmal. Zwei Monate Arbeit, seinen Pass, er will nach Hause. Die Deutschen haben ihn halb totgeschlagen. Ob er etwas von Adrian weiß?

Der Mann hört sich alles in Ruhe an. Einmal schiebt er den Zeigefinger unter die Sonnenbrille und reibt sich das rechte Auge, als würde er weinen.

»Die Deutschen haben uns alle bestohlen. Sie haben dein Geld. Sie haben deinen Pass. Du musst beides von den Deutschen zurückholen. Aber die Deutschen haben auch mich bestohlen. Ich habe nichts mehr.«

Er hebt die Arme und lässt sie wieder fallen. »Du weißt, wie das ist: Geht der Wein aus, hört das Gespräch auf. Geht das Geld aus, bleiben die Freunde weg. Wir beide müssen unser Geld von den Deutschen zurückholen. Dazu brauche ich deine Hilfe.«

»Meine Hilfe?«, sagt Kimi, entsetzt von der erneuten Komplikation. »Ich will nur mein Geld und meinen Pass. Dann will ich mit dem Bus zurück nach Bukarest, und von dort nehme ich …«

Der Mann nickt, als wisse er alles.

In diesem Augenblick läuft ein etwa fünfjähriges Mädchen in den Raum und umarmt den Mann mit der Sonnenbrille. Sie flüstert ihm etwas ins Ohr, dann nimmt sie seine Hand und versucht ihn hochzuziehen.

»Meine Tochter. Sie will mit mir auf ihrer Carrera-Rennbahn spielen. Gestern hab ich ihr die Rennbahn geschenkt. Da können die Puppen nicht mithalten.«

Er zieht das Mädchen zu sich heran und umarmt es. »Gleich, mein Engelchen, dann spielen wir.«

Jemand, der seine Tochter so sehr liebt, kann kein schlechter Mensch sein, denkt Kimi.

»Hör zu: Wir müssen dein Geld und mein Geld von den Deutschen zurückholen. Von den Deutschen mit den Motorrädern. Sie haben uns bestohlen. Morgen Nacht holen wir, was uns gehört. Dein Geld. Mein Geld. Deinen Pass.«

»Weißt du, was aus meinem Freund Adrian geworden ist? Die Deutschen haben ihn mit dem Kopf auf das Waschbecken im Lager geschlagen. Er hat geblutet und er …«

»Ich hab davon gehört. Schlimm. Wirklich schlimm. Die Deutschen sind sehr brutal. Aber ich weiß, er liegt im Krankenhaus. Er wird überleben.«

»Ich muss ihn sehen. Mit ihm sprechen.«

»Geh jetzt und iss etwas. Ruh dich aus. Morgen wird dich mein Fahrer zu deinem Freund ins Krankenhaus bringen.

Und als Gegenleistung hilfst du mir in der Nacht. Wenn wir uns unser Geld von den Deutschen holen.«

Er steht auf, und sofort springt auch der Köter unter dem Computertisch auf.

Der Mann mit der Sonnenbrille steht vor Kimi und reicht ihm die Hand. »Kann ich mich auf dich verlassen?«

Was soll er tun? Kimi schlägt ein.

»Iss jetzt etwas. Oben gibt es noch genug *Mititei* und Kartoffeln. Dann ruh dich aus. Ich brauche dich wach und stark.«

»Wach und stark«, wiederholt Kimi.

46. Mastanlage, Nähe Oldenburg, abends

»Morgen Nacht schließen wir das Ding hier ab.«

Marcus steht in der Küche am Herd. Alle anderen sitzen um den Küchentisch.

»Wird auch Zeit«, sagt Kevin und fährt sich über den Kinnbart.

»Danke, Kevin, deine Kommentare sind immer äußerst hilfreich.«

Alle lachen, nur Marcus und Kevin nicht.

»Der Regen hat endlich aufgehört. Heute ist es noch nicht trocken genug, aber für morgen ist kein Regen gemeldet. Morgen wird es funktionieren. Entscheidend ist, dass die Vorbereitungen so laufen wie geplant. Wenn die Aktion beginnt, müssen wir sofort verschwinden. Wir werden abgeholt. Drei Pkw werden an der Straße warten. Jede Sekunde zählt.«

Sie nicken. Alle haben die Schnauze voll von den stinkenden Puten.

»Ich brauch dann erst mal eine Sauna«, sagt Ronnie.

»Mit zwei Nutten«, grölt Kevin.

»Wird nicht reichen. Die Puten hier machen einen ja richtig scharf.«

Alle lachen, nur Marcus nicht.

Kevin: »Wenn hier bald Schluss ist, dann könnten wir die Kleine da drin doch zureiten.« Er steht auf.

Marcus: »Kevin, setz dich sofort wieder hin. Weißt du, was du zu tun hast?«

Kevin nickt.

»Scheiße, Kevin, ich will es von dir hören. Nicken reicht hier nicht.«

Kevin: »Marcus, sei kein Spielverderber. Lass uns die Kleine zureiten. Wenn es morgen losgeht, ist doch eh egal.«

Marcus: »Morgen könnt ihr sie haben. Jetzt will ich von jedem wissen, ob er den Plan kennt.«

Jeder sagt, was er zu tun hat.

47. Mastanlage, Nähe Oldenburg, abends

»Du da«, sagt das Walross und zeigt auf Jakob. »Mitkommen.«

Jakob steht unsicher auf.

»Wann lasst ihr uns laufen?«, ruft Laura.

»Komm jetzt, sonst hol ich dich.«

»Ich geh mit«, sagt Laura und springt auf. »Niemand geht allein.«

Das Walross gibt ihr einen Stoß, und sie stürzt rückwärts auf den Boden. Dann packt er Jakob mit der anderen Hand an den Schläfenhaaren und zieht ihn hinter sich her. Jakob schreit vor Schmerz.

In der Küche des Bauernhauses wartet der kleinere Rocker, der Chef.

»Setz dich.«

Jakob setzt sich und reibt sich die schmerzende Stelle an der linken Schläfe.

»Wann lasst ihr uns endlich laufen?«

Der Chef der Rocker sieht auf und blickt ihm direkt in die Augen: »Morgen.«

»Morgen? Warum nicht jetzt?«

Der kleine Rockerchef lehnt sich in seinem Stuhl zurück und klopft nervös mit den Fingerspitzen auf den Tisch.

»Weil dein Vater uns Ärger macht.«

Jakob unterdrückt ein Lächeln. Yes, denkt er, Papa ist auf unserer Spur. Er hat gemerkt, dass etwas nicht stimmt, dass sie gekidnappt wurden. Er wird sie finden.

»Wir machen jetzt ein Foto von dir. Setz dich an den Tisch, dort drüben, auf dem Platz neben dem Fenster.«

Jakob bleibt verdutzt stehen und schaut sich um. Vor dem Fenster, von der Decke bis zum Boden, hängt eine große Fototapete. Sie zeigt das Häusermeer von Barcelona, aus dem die Türme der *Sagrada Família* herausragen.

»Was soll das? Barcelona? Wie kommt ihr darauf?«

»Das geht dich nichts an. Stell dich hin und schau in die Kamera. Freundlich.«

Der Typ schießt einige Bilder von ihm mit einer Handykamera. Dann bringt ihn das Walross zurück in die Zelle.

»Was wollten die von dir?«, fragt Julia.

»Sie haben mich fotografiert.«

Laura sieht ihn entgeistert an. »Fotografiert?«

»Ja, keine Ahnung. Aber er hat gesagt, dass wir morgen freikommen. Ich hab ihn gefragt, und er hat gesagt: Morgen kommt ihr raus.«

Cem: »Mann! Das ist für mich die letzte Chance. Weil – sonst fliegt es auf, dass ich nicht mit meinem Onkel unterwegs bin. Den Ärger könnt ihr euch gar nicht ausmalen.

Das gibt Streit zwischen meinem Vater und mir. Und es gibt Streit zwischen meinem Onkel und meinem Vater. Meine Mutter versucht zu vermitteln, das heißt, es gibt Streit zwischen meinem Vater und meiner Mutter. Daraufhin macht sie mir Vorwürfe, und es gibt Streit zwischen ihr und mir. Dann mischt sich meine Schwester ein und das bedeutet ... Ihr könnt euch das echt nicht vorstellen!«

Simon: »Ich bin froh, wenn wir aus diesem Stinkstall wieder raus sind.«

Cem: »Freunde, ich hab euch das eingebrockt. Tut mir aufrichtig leid.«

Laura: »Hast du nicht, Cem. Wir haben das gemeinsam beschlossen. Es war immer ein Risiko dabei. Das war *jedem* von uns klar.«

Jakob: »Er sagte auch, mein Vater würde Ärger machen.«

Simon: »Ich lege mich drei Tage in die Badewanne.«

Jakob: »Ich hab noch nicht zu Ende erzählt. Die haben mich vor einer Fototapete fotografiert. Vor einer Fototapete von Barcelona.«

Simon: »Cem, wir werden wieder Handball spielen. Ich werd erst mal laufen. Ich renne bestimmt fünfmal um den Bärensee. Wahrscheinlich haben wir alle Muskelschwund, weil wir uns seit Tagen nicht bewegen.«

Laura: »Wieso Barcelona? Was meinst du mit Barcelona?«

Jakob: »Ich musste mich vor eine Fototapete von Barcelona setzen. Und musste in die Kamera grinsen. Das haben die dann geknipst.«

Simon: »Diese Rocker sind komplett bescheuert.«

Cem: »Woher wussten die das mit Barcelona?«

Simon: »Hast du die Fotos gesehen?«

Jakob schüttelt den Kopf.

Simon: »Total verblödet, aber wir kommen morgen hier raus. Das ist die entscheidende Nachricht.«

Cem: »Ihr habt euren Eltern erzählt, ihr fahrt nach Barcelona. Woher wissen die Kerle das?«

Laura: »Heißt das: ein Foto für deinen Vater?«

Cem: »Um ihn zu beruhigen. Geschickt mit deinem Handy. Haben die dich mit deinem Handy fotografiert?«

Jakob schüttelt den Kopf. »Konnte ich nicht genau erkennen. Außerdem: Was wäre der Sinn des Ganzen? Wenn sie uns morgen rauslassen, wieso wollen die dann meinen Vater beruhigen?«

Simon: »Weil sie bescheuert sind.«

Jakob: »Laura, hilf mir mal. Gehen wir doch mal davon aus, dass die einen Plan haben. Gehen wir mal davon aus, dass sie nicht bescheuert sind.«

Simon: »Das ist verdammt schwer anzunehmen.«

Laura beißt sich auf die Unterlippe: »Okay, Jakob. Sie wissen von unserer Ausrede mit Barcelona. Wir wissen nicht, wieso sie das wissen. Versetzen wir uns in die Köpfe der ...«

Simon: »... Hohlköpfe.«

Laura: »Simon, bitte, denk mal mit. Tu so, als wären die nicht dumm.«

Cem: »Rocker gibt es normalerweise nicht auf einem Bauernhof. Rocker misten keinen Stall aus.«

Laura: »Sondern? Was machen die sonst?«

Jakob: »Mädchenhandel. Drogen.«

Cem: »Wir haben sie bei einem Deal gestört. Sie übernehmen morgen eine Lieferung Drogen, packen das Zeug ein, und wir kommen frei.«

Jakob: »Dagegen spricht, dass sie gewusst haben, dass wir kommen. Sie waren vorbereitet. Die Rocker waren schon hier in diesem Raum, als wir uns hineinschlichen. Sie wussten, wo du dich versteckt hast. Sie kannten unseren Plan.«

Simon: »Zufall vielleicht.«

Laura: »Vielleicht. Was, wenn es kein Zufall war?«

Jakob: »Habt ihr irgendjemandem erzählt, was wir hier vorhaben?«

Cem: »Nein.«

Simon: »Natürlich nicht.«

Laura schüttelt den Kopf. Dann sagt sie: »Aber unsere Verabredung ist nicht erschienen. Vielleicht hat sie geplaudert?«

Cem: »Kann ich mir zwar nicht vorstellen, aber ...«

Simon: »Das wäre immerhin eine Erklärung.«

Jakob: »Aber unser Mann wusste nichts davon, dass wir unseren Eltern erzählen, wir würden nach Barcelona fahren. Außerdem müssten sie uns nicht drei Tage festhalten.«

Simon: »Zur Abschreckung?«

Laura: »Es passt alles nicht zusammen. Wir brauchen mehr Informationen.«

Die Tür fliegt auf. Das Walross steht davor.

»Türke, komm her und bring den leeren Wasserkanister.«

Cem steht auf, geht zu dem Tisch, auf dem der Plastikkanister steht, und übergibt ihn dem dicken Rocker.

Laura: »Morgen kommen wir frei, stimmt das?«

Der Rocker schnaubt verächtlich durch die Nase und geht.

Jakob: »Habt ihr das gesehen? Der hat Handschuhe an.«

Niemand von den anderen hat es bemerkt.

Nach einigen Minuten ist das Walross wieder da. Er bleibt an der Tür stehen. »Türke, komm her und nimm den Kanister.«

Als das Walross verschwunden ist, sagt Cem: »Weiße Plastikhandschuhe, eindeutig.«

Simon. »Eindeutig.«

Laura: »Was hat das zu bedeuten?«

Simon: »Der will keine Fingerabdrücke hinterlassen.«

Laura: »Jakob, hatten die Typen Handschuhe an, als du mit ihnen drüben in der Küche warst?«

Jakob schüttelt den Kopf. »Nein, hatten sie nicht. Da bin ich sicher. Als der Fettsack mich an den Haaren hier rausgezogen hat, hatte er keine an. Der kleine Chef in der Küche auch nicht. Ganz sicher. Der Bauernhof hier wimmelt von ihren Abdrücken.«

Simon: »Hey, Leute, ich glaube nicht, dass wir in der Lage sind, uns in so komplexe Hirne hineinzuwühlen wie in das von dem Walross.«

Laura: »Wenn das Walross nur Handschuhe trägt, wenn er den Kanister holt, dann ...«

Jakob: »... will er, dass seine Fingerabdrücke, die er bereits im ganzen Haus verteilt hat, auf keinen Fall auf dem Kanister sind.«

Laura: »Da finden sich nur unsere.«

Laura und Jakob sehen sich an.

Wunderschön, denkt Jakob.

48. Bad Teinach, Hotel Schröder, abends

Christian Zemke sitzt in dem schweren Hotelsessel und sieht seiner Frau zu, die ihre beiden Koffer auf das Bett geworfen hat und nun seine noch nicht getragenen Hemden sorgfältig hineinlegt. Sie packt die getragene Unterwäsche in eine Plastiktüte, drückt sie in das Nebenfach des Koffers und zieht den Reißverschluss zu.

Es war so einfach gewesen. Fast eine Stunde lang hatten sie sich in den beiden Liegestühlen gegenübergesessen, und endlich, endlich konnte er sich alles von der Seele reden, im wahrsten Sinne des Wortes, alles, was ihn seit Monaten bedrückte. Erst die Schweinepreise, dann die Putenpreise, die Anrufe von der Bank, der Kontostand, der Steuerberater mit seinen Mahnungen, dann der Vorschlag, das Land abzugeben und nur noch treuhänderisch zu verwalten – zu verwalten, hatte er zu ihr gesagt, Julia, stell dir das mal vor, ich verwalte den Hof nur noch, ich bin ein Knecht vom Osterhannes und seiner Putenfabrik, dann das Angebot, den Hof für ein paar Tage zu verlassen, die Schulden reduzierten sich dadurch ganz beträchtlich. Und dann seine Sorge, was jetzt gerade auf dem Hof vor sich geht, immerhin gehört er ja noch uns.

Sie hörte sich alles an. Sie schimpfte nicht, erstaunlich, weil sie sonst immer so schnell mit dem Schimpfen ist, wenn er mit den Stiefeln aus dem Stall in die Küche kommt oder wenn er etwas vergisst in der Stadt, etwas, was sie ihn gebeten hat einzukaufen. Diesmal schimpfte sie nicht.

»Gut, dass du endlich mit mir redest. Ich hatte kein gutes Gefühl in den letzten Monaten. Und ich hatte kein gutes Gefühl, hier in dem teuren Hotel.«

Sie hakte sich bei ihm unter, als sie in ihr Zimmer gingen. Wie lange hatte sie das nicht mehr gemacht? Arm in Arm in diesen weißen Bademänteln verließen sie das große Bad und gingen die Treppe hinauf in ihr Zimmer. Er konnte sich nicht erinnern, dass es ihm jemals so leicht ums Herz gewesen war. Die Sorgen waren alle noch da, aber sie waren ausgesprochen, und es fühlte sich an, als wären sie damit verschwunden.

Im Zimmer sagte Julia: »Setz dich.« Und er setzte sich in den großen Sessel, in dem er jetzt noch sitzt.

»Wir haben viel zusammen erlebt«, sagt sie. »Wir haben zwei Söhne großgezogen. Wir haben den Hof über Wasser gehalten. Wir haben uns nie unterkriegen lassen. Und wir lassen uns auch jetzt nicht unterkriegen.«

»Aber was wollen wir tun?«

»Wir fahren morgen früh zurück auf unseren Hof. Aber zuerst besuchen wir Martin, und ich will, dass ihr beide redet. Darüber, wie wir den Hof retten.«

Martin, ihr Sohn, der Ökologe

Christian Zemke nickt. »Wir fahren nach Hause, Julia. Ich bin ein niedersächsischer Bauernschädel. Sie kriegen uns nicht klein.«

Dann küssen sie sich. Sie küssen sich wie junge Leute, so lange, dass Julia irgendwann anfängt zu kichern.

Wie ein junges Mädchen.

49. Stuttgart, Wohnung der Familie Caimoglu, abends

»Cem ist ein guter Junge.«

Dengler nickt.

»Nehmen Sie noch ein wenig Tee.«

Dengler nickt.

»Jakob ist auch ein guter Junge.«

Dengler nickt.

»Er war schon oft hier bei uns.«

Auch davon hat Jakob ihm noch nie erzählt.

»Jakob ist mit Freunden nach Barcelona gereist.«

»Ja, ja, die Kinder reisen gern heutzutage. Cem ist auch unterwegs«, er macht mit der Hand eine fahrige Bewegung. »Unsere Kinder sind auf großer Fahrt.«

»Ist Ihr Sohn mit Jakob nach Barcelona gefahren?«

»Nein, nein, Cem ist mit meinem Bruder nach Istanbul. Mein Bruder transportiert Textilien. Die Türkei ist ein Paradies für Textilien. Wussten Sie das?«

Dengler nickt.

Er versucht, sich ein Textilparadies vorzustellen, aber es gelingt ihm nicht.

»Cem hilft meinem Bruder. Einladen, ausladen. Aufpassen, dass mein Bruder nicht am Steuer einschläft. Jetzt hat er den eigenen Führerschein und fährt auch manchmal.«

»Sind Sie auch in der Textilbranche?«

Cems Vater lacht. »Nein, ich bin wie jeder gute Türke beim Daimler. Allerdings bin ich Ingenieur. Ich arbeite in der Entwicklung. Wir entwickeln ein Auto, das immer waagerecht und ohne Erschütterungen bleibt, selbst wenn es übers Pflaster oder durch Schlaglöcher fährt.«

»Gut, dass sich jemand auch darum kümmert.«

Cems Vater lacht erneut, und dabei verzieht sich sein Gesicht in gut gelaunte Falten. Dengler mag den Mann.

»Viele meiner Freunde sagen, wir perfektionieren eine sterbende Technologie. Vielleicht haben sie recht. Aber bis jetzt ernährt sie meine Frau und meine Kinder.«

Dengler ist enttäuscht. Er hat angenommen, alle drei Freunde von Jakob seien nach Barcelona gefahren. Sie waren ein Ermittlerteam. Was bedeutet es, wenn Cem fehlt? Vielleicht hat ihr Verschwinden doch nichts zu tun mit Tieren?

Cems Mutter tritt ein, eine schmale Frau von etwa fünfundvierzig Jahren, große, dunkle, fast schwarze Augen, dunkles Haar, das sie färbt, denn an den Schläfenansätzen flimmert ein kleiner grauer Ansatz, sie trägt ein braunes Kostüm. Dengler steht auf, als sie eintritt, und sie gibt ihm die Hand. Dann setzt sie sich zu ihrem Mann und nimmt ein Glas, füllt es mit Tee.

»Sie sorgen sich um Ihren Sohn«, sagt sie und blickt ihn mit diesen großen dunklen Augen an. Dengler liest darin Interesse und Mitgefühl.

»Mein Sohn Jakob ist in einer Gruppe aktiv, die sich um Tierrechte kümmert. Er macht verrückte Sachen. Dreht Filme über das Leben der Schlachttiere. Wissen Sie, ob Cem auch dazu gehört?«

Tevfik Caimoglu richtet den Oberkörper auf. Sein Körper wird steif. »Cem ist ein guter Junge. Ich habe ihm beigebracht, die Gesetze zu respektieren. Meine Frau und ich sind Deutsche. Wir haben deutsche Pässe. Wir werden nie ...«

Dengler versucht es anders.

»Mein Sohn isst kein Fleisch mehr. Wie ...«

Cems Vater hebt die Hände zum Himmel und sagt einige Sätze laut auf Türkisch.

»Sprich Deutsch! Unser Gast versteht dich nicht«, sagt seine Frau.

»Das ist eine Geißel, die uns heimgesucht hat. Stellen Sie sich das nur vor: Cem weigert sich, Fleisch zu essen. Er isst keinen Käse und trinkt kein Ayran. Er macht uns Schande in der ganzen Familie. Und jetzt fängt unsere Tochter mit dem gleichen Unsinn an.«

Er sieht Dengler fast flehentlich an. »Essen Sie gerne Zicklein?«

Dengler hebt die Arme und zuckt die Schultern: »Meine Eltern waren Bauern.«

»Sehen Sie! Dann verstehen Sie mich. Jedes Jahr zum Ende des Ramadan bereite ich für meine Familie ein Zicklein vor. Ich suche es aus. Ich bereite es zu. Mit etwas Rosmarin! Wunderbar.« Die Augen von Cems Vater leuchten. »Und dann isst der eigene Sohn nichts davon. Niemand versteht das in der Familie, mein Bruder nicht, meine Schwägerin nicht, Cems Cousinen und Neffen nicht.«

»Unserem Sohn hätte Schlimmeres widerfahren können.«

»Da hat meine Frau recht. Sie hat meistens recht. Aber trotzdem: das Zicklein verschmähen. Wenn das keine Sünde ist!« Er lässt die Hände wieder in den Schoß fallen.

»Jakob hat gesagt, er fährt mit Freunden nach Barcelona. Jetzt gibt es Anzeichen, nicht mehr, aber doch Anzeichen, dass er nicht dort ist. Ich weiß es nicht, aber ich würde mich besser fühlen, wenn ich wüsste, dass er wohlauf ist.«

»Morgen kommt Cem zurück. Wir werden ihn fragen, was er weiß.«

Dengler gibt den beiden seine Telefonnummer. Er trinkt den Tee aus und verabschiedet sich.

50. Olgas Computerzimmer, abends

Am Abend ruft er Hildegard an.

»Vielleicht regen wir uns umsonst auf«, sagt sie.

»Ich war nie ein Helikoptervater. Aber ich will wissen, dass Jakob nicht in Gefahr ist.«

»Das ist gut, Georg«, sagt sie und legt auf.

Olga zeigt auf ihren Computer. »Ein weiteres Kennwort deines Sohnes ist gehackt«, sagt sie. »Wenn du irgendetwas über Schweine wissen willst: bitte!« Sie zeigt auf den Bildschirm.

Sie sehen sich einige Filme an. Junge Schweine werden kastriert, jungen Schweinen wird der Ringelschwanz abgeschnitten, jungen Schweinen werden die Zähne abgeschliffen. Sie quieken und schreien, fast wie kleine Kinder. Ohne Betäubung, sagt Olga. Auch diese Filme wirken noch roh und ungeschnitten. Offensichtlich sind sie mit versteckter Kamera aufgenommen worden.

Außerdem gibt es in dem Ordner noch einige Textdokumente. Dengler öffnet das erste.

Zusammenfassung der offiziellen Schlachtstatistik. In Deutschland werden pro Jahr 58 Millionen Schweine getötet. Das ist pro erwachsenen Bürger Deutschlands fast ein ganzes Schwein.
Trotz all unserer Kampagnen wachst die Massentierhaltung in Deutschland.
Nach Angaben der Schlachthöfe waren 137000 Schweine »insgesamt schlachtuntauglich«. Aber auch die Schweine, die geschlachtet wurden, waren zu Lebzeiten nicht so gesund, wie man sich das im Allgemeinen vorstellt. Fünf Millionen Tiere hatten eine geschädigte Lunge, fünf Millionen litten an Leberschäden durch Parasitenbefall. Nach Angaben der Zeitschrift »Schweinezucht und Schweinemast« vom März dieses Jahres litten 12,8 Prozent aller Schweine an Lungenentzündung, 8,2 Prozent an Brustfellentzündung, 4,1 Prozent an Herzbeutelentzündung.

Der Stich kommt von tief innen. Er kennt seinen Sohn überhaupt nicht. Jakob betrieb Studien über Herzbeutelentzündungen bei Schweinen! Und redet mit ihm darüber kein Wort.

Man muss dazu sagen, dass diese Schweine im Teenager-
alter bereits schwer krank sind. Sie werden ja nicht älter
als ein halbes Jahr, also vierzehn, fünfzehn Jahre, umgerechnet auf ein Menschenleben.

Dann erinnert Dengler sich an ein Gespräch. Es muss schon
eine Weile her sein. Das Huhn von Oma möchte nicht sterben, hatte Jakob zu ihm gesagt. Georg hatte umfangreiche
Erklärungen abgegeben, dass der Zweck des Hühnerlebens
das Schlachten sei. Wenn die Oma das Huhn nicht schlachten wollte, würde es gar nicht leben, und bei der Oma hatten die Hühner es gut.
Aber wir verhungern nicht, wenn wir es nicht essen.
Er hatte gelacht. Natürlich nicht, wir würden nicht verhungern. Aber es schmeckt uns einfach.
Er hatte nie über das Sterben der Tiere nachgedacht. Auf
dem Hof seiner Eltern wurde einmal im Jahr ein Schwein
geschlachtet. Es war eines der wichtigsten Ereignisse im
Jahr. Die Tanten kamen mit ihren Männern, Nachbarn auch,
alles wurde vorbereitet, die Messer geschliffen, die Wannen
bereitgestellt, Wasser gekocht. Jeder regte sich, jeder hatte
etwas zu tun, und es lag eine große Unruhe in der Luft. Er
erinnert sich genau, wie er zum ersten Mal beim Sterben eines Schweins dabei war. Das Tier wurde in den gekachelten
Raum hinter der Scheune geführt. Er erinnert sich, dass das
Schwein unruhig war, es grunzte und quiekte. Es wollte fliehen, aber zehn, zwölf Hände hielten es fest.
Was geschah dann? Er sieht, wie er mit Onkel Albert hinter
dem Schwein stand, die Frauen hatten schon die Messer in
der Hand, und irgendjemand hatte vorne, vor dem Schwein,
das Bolzenschussgerät in der Hand und hob es an den Kopf
der Sau. Da hatte Onkel Albert seine kleine Hand in seine
Pranke genommen. »So, steck mal den Zeigefinger raus.«
Das hatte er gemacht, die Hand zu einer Kinderfaust geballt,
nur der Zeigefinger stand geradewinklig ab. Onkel Albert

hob das Ringelschwänzchen des Schweins mit der linken Hand, mit der rechten nahm er seinen Zeigefinger und stieß ihn mit einem Ruck in den After des Tieres. Schwein und Kind erschraken beide, das Tier nur kurz, denn da knallte das Bolzenschussgerät. Plötzlich griff der Schließmuskel des Tieres nach seinem Finger und drückte ihn, als wolle das sterbende Tier ihn nie mehr loslassen.

Alle sahen ihn an und lachten. Die Männer und die Frauen. Alle lachten. Da fing er an zu weinen, aber niemand tröstete ihn. Jeder hatte zu tun. Der Nachbar schnitt den Bauch auf, und die Mutter sammelte das Blut in dem bereitstehenden Bottich. Komm rühr um, rief sie ihm zu. Aber er lief weg, Tränen in den Augen.

Lange her, das alles. Er hatte es verdrängt. Viele Jahre lang. Jetzt fällt ihm alles wieder ein, als er die erstaunliche Ausarbeitung seines Sohnes liest. Warum habe ich ihm diese Geschichte nie erzählt?

Diese Krankheiten sind die unvermeidliche Folge von Massentierhaltung und mangelnder Stallhygiene. Die Schweine stehen ihr Leben lang auf Spaltenböden. Kot und Urin fließen und fallen in darunterliegende Reservoirs. Der Landwirt braucht nicht mehr auszumisten. Doch die Tiere leben Tag und Nacht damit, dass sich wenige Zentimeter unter ihrem Rüssel die Exkremente befinden, deren Ausdünstungen sie Tag und Nacht einatmen. Die Zeitschrift »Großtierpraxis« (4/2013) schreibt: »Beeinträchtigung der Gesundheit und Leistung der Tiere sind vor allem auf die konzentrationsabhängige Reizung und Ätzung der Schleimhäute, der Atemwege und der Augen zurückzuführen. Die Reizung der Schleimhäute führt zu Mikroläsionen, die (…) Erregern als Eintrittspforte dienen können.«

Mit diesen Dingen beschäftigt sich mein Sohn.
Ist das eine Spur für sein Verschwinden?

Ein Motiv? Ein Motiv wofür?

Wahrscheinlich bereiten Jakob, Laura und Simon irgendeine verrückte Tierschutzaktion in Barcelona vor.

»Komm ins Bett«, sagt Olga.

Vierter Tag

Mittwoch, 22. Mai 2013

51. Stuttgart, Olgas Schlafzimmer, nachts

Diesmal sitzt Jakob auf dem Rücksitz der gepanzerten Limousine, gekleidet wie der Banker. Er flegelt sich in den Sitz, sodass Dengler ihm ein paar ermahnende Worte zurufen will. Er sitzt in dem Wagen des Begleitschutzes, als ihm bewusst wird, dass der Wagen mit Jakob in die Sprengfalle fahren wird. Er lässt sich aus dem fahrenden Wagen fallen und rennt zurück. Er rennt und rennt, rennt um die Ecken an gutbürgerlichen Villen vorbei, rennt Passanten um, rennt die Allee hinauf und sieht schon den Konvoi und sieht gleichzeitig, dass er es nicht mehr schafft, dass er zu spät kommt, dass er seinen Sohn nicht retten kann.

»Nein!« Er schreit, so laut er kann, läuft mitten auf die Straße und winkt und schreit und winkt und schreit.

»Georg, alles ist gut. Du bist bei mir.« Olga hat die Arme um ihn geschlungen. Sie streichelt sein Gesicht, es ist schweißnass.

Die Dämonen ziehen sich zurück. Er kann den Traum verlassen.

»Georg, deine Albträume werden immer schlimmer.« Sie wischt ihm die Stirn mit ihrem Kopfkissen ab. »Ich dachte, du wirst gar nicht mehr wach. So verwachsen warst du mit deinem Traum.«

Er versucht, ihr den Traum zu erklären, und merkt, wie er doch nur dumme, zusammenhanglose Wörter vor sich hinplappert – BKA, Bombe, Jakob, Schuld, zu langsam. Immer noch hebt und senkt sich sein Brustkorb schwer. Jeder Atemzug schmerzt.

»Diese Sache frisst dich auf. Irgendwann musst du sie in Ordnung bringen.«

»Ich muss Jakob finden.«

Er richtet sich auf und stellt ein Bein auf den Boden.

»Bleib bei mir. Und sprich mit mir.«

Er schmiegt sich an sie. »Ich will diese Albträume nicht mehr.«

»Wir suchen jetzt erst einmal deinen Sohn.«

Olga flüstert ihm etwas ins Ohr, was er schon nicht mehr versteht, denn jetzt erlöst ihn der Schlaf. Olga zieht vorsichtig die Decke über ihn und steht auf.

52. Hof des Bauern Zemke, Nähe Oldenburg, nachts

Wieder schlafen sie im Sitzen. Wie immer in den letzten Nächten dringt ein schmaler Lichtstreifen durch das Fenster in ihr Gefängnis. Cem schnarcht leicht. Laura hat ihren Kopf gegen Simon gelehnt. Jakob ist wach.

Er steht vorsichtig auf und betrachtet den Wasserkanister. Er kann nichts Besonderes daran finden. An jeder Tankstelle kann man für ein paar Euro einen solchen Kanister kaufen. Er zieht seinen Anorak aus, den Pullover und das Hemd. Er knäult das Hemd zusammen und reibt damit langsam den Kanister ab. Gründlich. Die Vorderseite, die Rückseite, die Seitenteile, den Griff und den Ausguss.

»Jakob, was machst du da?«, flüstert Laura.

Er hat sie nicht gehört. Leise ist sie neben ihn getreten und geht neben ihm in die Hocke.

»Ich habe mir gedacht, wenn die Rocker so viel Wert auf unsere Fingerabdrücke legen, dann ist es für uns gut, wenn wir sie abwischen.«

Laura nickt. Sie zieht ihr Hemd aus der Hose und hilft ihm.

»Irgendwas führen die im Schild, Laura. Ich weiß nicht, was. Aber ich kann nicht glauben, dass wir aus Versehen in einen Drogendeal oder so was hineingeraten sind. Die wussten doch, dass wir kommen. Die haben auf uns gewartet. Die Typen haben einen Plan.«

Sie nickt. »Fingerabdrücke findet die Polizei. Das würde bedeuten, dass die etwas vorhaben – etwas Kriminelles, meine ich. Und am Tatort findet man den Kanister mit unseren Fingerabdrücken.«

»Genau das glaube ich auch. Etwas in dieser Art. Dann würde es auch egal sein, dass sie uns hier tagelang eingesperrt haben.«

»Aber …«

»Es gib einige ›Aber‹ – zum Beispiel, warum sie sonst überall ihre Fingerabdrücke lassen. In diese Richtung müssen wir denken. Die planen etwas, und uns wollen sie's in die Schuhe schieben.«

»Aber was?«

»Keine Ahnung, es könnte …«

In diesem Augenblick hören sie draußen Grölen und lautes, betrunkenes Lachen. Sie drücken sich schnell an die Wand, gehen in die Hocke, stellen sich schlafend.

Die Tür fliegt auf.

Sechs Rocker stehen in der Öffnung. Besoffen.

»Laura, Schatz, jetzt bist du dran«, schreit einer.

»Rodeo, Rodeo!«, ein anderer.

»Schnappt sie euch«, sagt Dschingis Khan. »Bringt sie her.«

Drei rennen auf Laura zu, die im gleichen Moment aufspringt, ebenso wie Jakob und Cem. Jakob wirft sich dem Ersten entgegen und kassiert einen Tritt in die Rippen, der ihn zur Seite wirft. Cem ist klüger und wirft sich dem nächsten vor die Füße, rollt zweimal um die eigene Achse, der Rocker fällt über ihn, stürzt, rappelt sich fluchend wieder auf, tritt nach Cem, verfehlt ihn aber.

Simon stellt sich schützend vor Laura, doch einer der Rocker packt ihn an den Haaren, zieht ihn einfach weg und schlägt ihm in den Magen. Simon geht zu Boden, hält sich den schmerzenden Bauch und würgt. Laura rennt in die hintere Ecke, zwei Rocker hinterher. Einer greift in ihr Haar und reißt sie zu Boden. Der erste nimmt ihre Füße, der andere schnappt ihre Arme. Zu zweit schleppen sie die strampelnde Laura zur Tür. Jakob hat sich aufgerappelt und greift nach den Handgelenken des Rockers, der ihre Arme festhält. Das Walross sieht das und schlägt ihm mit der Faust ins Gesicht. Jakob wird nach hinten geschleudert, stolpert und fällt.

Zwei Rocker legen Laura auf den Boden. Immer noch hält der eine ihre Arme, der andere ihre Beine fest. Das Walross und ein dritter Rocker beobachten Jakob, Cem und Simon. Dschingis Khan steht an der Tür, ein dritter Rocker beugt sich lachend über das zappelnde Mädchen und öffnet Gürtel und Hosenknöpfe.

Laura schreit. Die Männer lachen.

Jakob und Cem reagieren auf Lauras Schrei gleichzeitig. Sie stürzen sich auf das Walross, das ihnen am nächsten steht.

Sie haben keine Chance.

Arme packen sie, Schläge treffen sie am Kopf und in den Bauch, dann stehen sie aufrecht, von je einem Rocker festgehalten. Keiner kann sich rühren.

»Ihr beiden Arschlöcher wollt zugucken«, sagt Dschingis. »Gut, da könnt ihr noch was lernen.«

Simon stöhnt und will sich aufrappeln. Ein Tritt in die Rippen legt ihn wieder flach.

Lauras Hose hängt nun knapp oberhalb ihrer Knie. Ein Rocker hält ihre Arme. Der zweite hält ihr rechtes Bein. Sie lachen. Der dritte öffnet den Klettverschluss des linken Schuhes, zieht ihn aus und zieht das linke Hosenbein über die Ferse. Dschingis beugt sich über sie mit einem Messer in der Hand und schneidet ihr den Slip vom Leib.

Jakob schüttelt sich, versucht sich aus dem Griff seines Bewachers zu befreien. »Schweine«, schreit er.

Auch Cem zieht und schreit, aber die Typen sind stärker. Und kampferprobt.

Dschingis steht über Laura und zieht ihren Gürtel aus der Hose. Dann tritt er zurück, holt aus und schlägt ihr damit über die Beine. Das Mädchen schreit laut auf. Jakob zappelt ohne Chance. Cem schreit: »Ich bring euch um. Ich bring euch alle um.«

Dschingis schlägt noch einmal zu. Zwei breite rote Striemen ziehen sich über Lauras Oberschenkel. »Gleich ist sie so weit«, stöhnt er. Dann hält er ihren nackten Fuß, während der andere Rocker auch das zweite Hosenbein vom Fuß abzieht. Die beiden ziehen Lauras Beine auseinander. Dschingis kniet sich dazwischen. Mit der rechten Hand greift er Laura hart zwischen die Beine. »Das wird richtige Arbeit«, schreit er und alle lachen. Dann steht er auf und öffnet seine Hose.

»Was soll die Scheiße?« Der kleine Rockerchef steht in der Tür. »Könnt ihr damit nicht bis morgen warten?«

»Wir brauchen auch mal ein bisschen Spaß.«

»Na, meinetwegen«, sagt der kleine Chef und dreht sich ab. »Aber keine Knochenbrüche. Die müssen heil aussehen.«

Aus einem Impuls heraus schreit Jakob plötzlich: »Ich hab den Kanister abgewischt. Es gibt keine Fingerabdrücke. Ich hab sie alle abgewischt.«

53. Denglers Küche, morgens

Dengler nimmt die gurgelnde Cafeteria vom Herd und gießt den heißen Espresso in seine gelbe Lieblingstasse. Aus dem Kühlschrank holt er Milch und gießt etwas dazu. Er nimmt die blaue Mappe, die ihm Lauras Mutter gestern mitgegeben hat, von seinem Schreibtisch, setzt sich in den Sessel am Fenster und liest.

Wer sind wir?
Die Bedeutung der Tierzucht und Massentierhaltung für die westliche Zivilisation
von Laura Trapp

Es gibt kaum ein Thema, das so viele Ansätze bietet, die menschliche Zivilisation zu erklären, wie die Ernährung. Das beginnt mit der Feststellung, dass die Zivilisation, ja der Großteil des menschlichen Lebens überhaupt ohne institutionalisierte Formen der Nahrungserzeugung untergehen müsste. Aber unser Essen ist mehr als das. Essen ist ein Spiegel unserer Gesellschaft. Der Ethnologe Claude Lévi-Strauss hat es so formuliert: »Cooking is a language through which society unconsciously reveals its structure.« Doch der Schwerpunkt dieses Aufsatzes liegt nicht darauf, was die Bedingungen der Nahrungsmittelproduktion, insbesondere der industriellen Fleischproduktion, heutzutage sind, noch wird er die ebenfalls wichtigen Fragen untersuchen, welche Rolle der Fleischkonsum bei der evolutionären Entstehung der Spezies Mensch gespielt hat.

Die Frage, um die es hier geht: Wie kommt es, dass europäische Mächte beinahe den gesamten amerikanischen Kontinent erobern und ihre Vorherrschaft kulturell und politisch so durchsetzen konnten, dass wir heute bei ›amerikanisch‹ eher an einen Big Mac denken als an aztekische Architektur? Mir ist bewusst, dass es zu diesem Themenkomplex jede Menge Untersuchungen gibt. Bücher über Bücher sind geschrieben worden, zu kulturellen Voraussetzungen, zu den historischen Zusammenhängen und den militärischen Strategien.

Militärische Strategien? Überlegene Waffen? Sicher, die gab es. Der technische Prozess begann mit der Entdeckung der Metallschmelze in Eurasien. In Amerika gab es nichts Vergleichbares. Metallschmelze und Metallbearbeitung sind jedoch nicht nur Fertigkeiten, sondern Denkmuster und Kulturtechniken, die das Verhalten der Europäer tiefgehend geprägt und sich von den Denkmustern der unterworfenen Völker völlig unterschieden haben. Etwas in seine Bestandteile aufgliedern und dann etwas Neues daraus herstellen scheint eine grundlegende Denkform des Abendlandes zu sein. Zu diesem Prozess gehört auch die Verwandlung von Wildtieren zu Haustieren und zu Schlachtvieh.

Und so war die verheerendste Waffe im Arsenal der Besatzer gar keine Waffe aus Stahl, die die Soldaten mit sich trugen. Auch die überlegenen Schiffe oder die ausgeklügelte Militärtechnik der Besatzer waren nicht entscheidend. Auch nicht ihr Verstand. Es war eine biologische Waffe, die den Angreifern den Sieg brachte.

Der Evolutionsbiologe Jared Diamond betont diese Tatsache in seinem 1997 erschienenen Buch »Guns, Germs and Steel« wie kaum ein anderer Forscher vor ihm. Bereits zur Zeit der Invasion Amerikas hatte man beobachtet, dass die Bewohner des Kontinents in großer Zahl erkrankten, noch ehe die bewaffneten Eroberer überhaupt in den Dörfern und Städten erschienen. Dafür hatte man keinerlei Erklärung. In der Zeit von Cortez gab es keine Epidemiologie, die hier Zusammenhänge hätte aufdecken können. War das nur ein weiterer Beweis für die Unterlegenheit der »wilden Rassen«, wie rassistische westliche Lehrmeinungen solche Vorgänge nur allzu gern interpretierten?

Dieses mysteriöse Sterben der Bewohner der »Neuen Welt« – in welchen Dimensionen muss man sich das vorstellen? War das tatsächlich ein wesentlicher Faktor? Mit dem heute zur Verfügung stehenden Instrumentarium der Wissenschaften beweist Diamond eindrucksvoll: Nur fünf Prozent der von Europäern wissentlich oder unwissentlich getöteten Menschen gehen demnach nicht (!) auf das Konto von eingeschleppten Krankheitserregern.

An dieser Stelle muss man sich nun fragen, was all das mit Nahrungsmittelproduktion, insbesondere Tierhaltung, zu tun hat.

Die Antwort ist ebenso einfach wie erschütternd: Im Unterschied zu Europa, Asien und Afrika hatte die Eiszeit in Amerika die domestizierbaren Großtiere weitgehend ausgerottet. Zum Zeitpunkt der europäischen Invasion gab es auf dem amerikanischen Kontinent nur fünf domestizierte Tierarten. Nur fünf! Diese Zahl überrascht. (Wer den Haustierbestand seines Freundeskreises überschlägt, kommt schnell auf weit mehr als fünf Tierarten.)

Von diesen fünf domestizierten amerikanischen Arten war nur das Lama ein größeres Säugetier. Ganz anders in Europa. Hunde, Katzen, Schweine, Pferde, Hühner, Kühe und viele weitere Tiere wurden seit Langem in unmittelbarer Nähe des Haushalts gehalten. Mensch und (Nutz-)Tier waren in stetem Kontakt, sie berührten einander, tauschten Mikroben aus. Tierische Krankheitserreger mutierten, wurden zu Krankheitserregern, die sich bald auch im menschlichen Körper wohlfühlten. Menschen ohne entsprechendes Immunsystem starben. Nach und nach passte sich das Genom der Europäer an; sie wurden seltener krank. Einige Jahrtausende später sollte dieser Umstand den Tod für unzählige Azteken bedeuten.

Im evolutionären Zeitrahmen war nur wenig Zeit vergangen, seit die europäischen und amerikanischen Menschen sich das letzte Mal gesehen haben, doch die Europäer hatten sich eine Umwelt erschaffen, in der sie gezwungen waren, innerhalb kürzester Zeit Abwehrmechanismen gegen neue Keime zu entwickeln. Und als sie dies geschafft hatten, blieben die Keime in ihnen. Weitgehend ungefährlich für sie, tödlich für jene, die seit Tausenden Jahren keinen Kontakt mehr zu ihren europäischen Geschwistern hatten.

Unsere uralte Tradition der Tierzucht ist daher der eigentliche Grundstein des amerikanischen Imperiums der Europäer. Aber um welchen Preis! ...

Dengler klappt das Heft zu.

Was sind das für Kinder? Womit beschäftigen sie sich? Sein Sohn mit Schweinezucht und Laura mit Philosophie. Warum nicht mit Mode und Fußball?

Die eigentliche Frage aber ist eine ganz andere: Warum kenne ich mein Kind so wenig?

Das Handy reißt ihn aus seinen Überlegungen. Er sieht auf das Display: Hildegard.

»Jakob hat sich gemeldet.«

»Tatsächlich? Wie, wann? Ich meine, warum hast du mich nicht gleich angerufen? Geht es ihm gut? Wo ist er?«

»Er hat sich über dich beschwert.«

»Über mich?«

»Ja, du würdest bei den Familien seiner Freunde rumschnüffeln. Und die Eltern machen jetzt seine Freunde verrückt. Georg?«

»Hast du mit ihm gesprochen?«

»Wir liegen falsch. Es tut mir leid, dass ich dich verrückt gemacht habe.«

»Hast du mit Jakob gesprochen?«

»Nein, er hat mir zwei Fotos aus Barcelona geschickt.«

»Schick sie an mich weiter. Gleich. Sofort.«

»Sie waren für mich. Nicht für dich.«

»Hildegard, ich muss wissen, was mit Jakob los ist. Das ist doch nicht seine Art, dass er sich bei dir über mich beschwert. Was soll das?«

»Okay, ich schicke sie dir.«

Eine Minute später erreicht ihn die Nachricht von Jakob. Sie lautet:

Mama, müsst ihr uns so nerven? Papa macht die El-
tern von Laura und Simon verrückt. Ich bin sauer.
Warum gönnt ihr mir nicht einfach mal ein paar
Tage Urlaub? Ich schicke dir mal zwei Fotos. Das
Erste ist die Rambla, die schöne Hauptstraße von
Barcelona, und das andere bin ich. Wir fanden ges-
tern einen schönen Platz mit Blick über die Stadt.
Lass mich jetzt einfach noch zwei, drei Tage in Ruhe.
Dann bin ich wieder bei dir. Bis bald, Jakob

Dengler betrachtet die Bilder. Eines zeigt die Rambla bei
Nacht. Er überprüft den Timestamp: aufgenommen gestern
Abend 20.56 Uhr. Etwas später aufgenommen worden war
das Foto von Jakob, fotografiert vor dem nächtlichen Pano-
rama der Stadt. Jakob ist gut zu erkennen, seine Kontur hebt
sich klar ab vor dem unscharfen Bild des Lichtermeers von
Barcelona. Immerhin sind die Türme der Kathedrale *Sagrada Família* gut zu erkennen. Sein Sohn schaut etwas be-
nommen in die Kamera, angespannt irgendwie, blass und
schmal. Die rechte Hand steckt in einer Hosentasche, die
linke hängt herunter. Dengler greift zum Handy und schickt
seinem Sohn eine SMS:

Der Privatdetektiv Dengler stellt seine Ermittlungen
ein. Genieß die letzten Tage. Gruß von deinem be-
sorgten Vater

Die Antwort kommt prompt und besteht nur aus einem
Wort.

Danke.

Dengler überspielt die Bilder auf seinen Laptop und vergrößert das Foto seines Sohnes. Der Gesichtsausdruck wirkt
leer. Er betrachtet die herunterhängende linke Hand. Der
kleine und der Ringfinger sind nicht sichtbar, weil Jakob sie
in den Handteller zurückgebogen hat. Daumen, Zeigefinger

und Mittelfinger dagegen hängen herunter und zeigen auf den Boden.

Das war einmal ein Zeichen zwischen ihnen gewesen. Jakob hatte es im Kindergarten aufgeschnappt. Wenn die Finger zum Schwur zum Himmel zeigten, dann galt ein Versprechen auf jeden Fall, zeigten die Finger auf den Boden, so war der Schwur aufgehoben. Jakob nutzte diesen Trick als Kind, um hinter dem Rücken die drei Schwurfinger auf den Boden zeigen zu lassen und so die Einhaltung von Versprechungen zu umgehen. Eine Kindergeschichte eben.

Hier aber ist diese Geste ein Zeichen.

Er ist sich sicher.

Kein gutes Zeichen.

Monolog Carsten Osterhannes

Was Schweinefleisch betrifft, so haben wir in Deutschland einen Selbstversorgungsgrad von etwa 120 Prozent. Das heißt: 20 Prozent unseres Produktionsvolumens setzen wir auf den Weltmärkten ab. Wir sind eine Exportnation. Auch beim Fleisch.

Es ist für die Mäster nicht immer leicht einzusehen, aber es ist trotzdem wahr: Sie konkurrieren mit brasilianischen Bauern. Oder mit indischen. Und natürlich ist der Preis für den Absatz immer das entscheidende Kriterium. Auch hier gilt das eiserne Gesetz: Kosten durch Stückzahl. Wir verfolgen daher im Schweinesegment folgende Politik:

Erstens, wir zwingen die Schweinezüchter, mehr und mehr auf intensive Mästung mit 3000 und mehr Tieren umzustellen. Im Augenblick nehmen wir uns Bayern vor. In Süddeutschland gibt es noch viel zu viel romantische Landwirtschaft mit Weidehaltung von Rindern, Bauern mit weniger als 100 Schweinen. Misthaufenbauern, sage ich immer zu denen. Wenn alles gut läuft, sind die in fünf Jahren alle im Museum, aber nicht mehr im Stall. Erfreulich ist, dass die Stallbauförderung im Rahmen des Agrarinvestitionsförderungsprogrammes der Bundesregierung diesen unaufhaltsamen Prozess ziemlich machtvoll anschiebt.

Die Bauern, die ihren Betrieb umgestellt haben, müssen billiger liefern. Das wiederum bedeutet wie in jeder Industrie: Automatisierung. Automatische Fütterung, automatische Entsorgung. Das Ziel ist, dass die Maschinen alles erledigen und eine ungelernte Kraft für Tausende von Schweinen völlig ausreicht.

Entscheidend dabei ist die Beibehaltung der Subventionen durch die EU. Die Schweinemäster erzielen die Hälfte ihres Einkommens durch EU-Beihilfen. Anders ausgedrückt: Jährlich fließt etwa eine Milliarde Euro Beihilfe in die Fleischproduktion. 950 Millionen werden als Direktzahlung an die verschiedenen Produzenten verteilt, 50 Millionen holen wir uns selbst ab; also die großen Schlachtereien. Es gibt das wunderbare Programm »Marktordnung« der EU, im Grunde Barauszahlungen an uns. 2009 bekam mein Konzern 1,2 Millionen aus diesem Topf. Der Kollege Tönnies holte sich sogar 3,3 Millionen ab. Der Export von Schweinefleisch wird außerdem mit fast 25 Millionen Euro jährlich gefördert. Alles läuft bestens.

Daher lehne ich mich ruhig zurück, wenn Politiker über Landwirtschaft und edlen Bauernstand reden. Sie brauchen eine gewisse Rhetorik, klar, sie wollen ja gewählt werden. Solange die Gelder fließen, dürfen sie reden, was sie wollen – oder müssen.

Das System ist also gesund. Die intensive Fleischhaltung wächst in Deutschland Jahr für Jahr. Unaufhaltsam.

Mit dem Schwein ist es so: Wenn ich eines für meine Familie schlachte, hänge ich es für ein paar Tage auf – Fleischreifung, so wie es früher der Metzger machte. Ich will schließlich vernünftiges Fleisch essen. In Serie machen wir es heute natürlich anders. Durch das Reifen verliert das Fleisch Wasser und damit Gewicht. Wir verkaufen aber nach Gewicht. Deshalb wird heute nach der Zerlegung das Fleisch oft schockgefroren, damit kein Gramm Wasser verloren geht. Aus diesem Grund wird in die Verpackungen immer ein saugfähiger Vliesstoff eingelegt, der das entstehende Wasser aufsaugt, wenn die Ware im Handel ist. Denn es wäre nicht schön, wenn das Schnitzel in einer wässerigen Brühe schwimmen würde. Die Leute zahlen für Wasser. Es ist ein gutes Geschäft, denn Wasser kostet uns nur 0,002 Euro pro Liter. Verwendet man Wasserbinder, kann man in das Fleisch zusätzliches Wasser spritzen, um das Gewicht zu erhöhen. Die Differenz zwischen dem Wasserpreis und dem Fleischpreis ist enorm, und wir freuen uns über diesen Zusatzgewinn. Die heiße Pfanne aber lügt nicht – da verdampft das Wasser, und das Fleisch schrumpelt auf seine Originalgröße.

Aber da ist es schon bezahlt.

Es gibt natürlich Geschäftspraktiken, die sind so, na ja, offensichtlich, da muss man fast drüber lachen. Einer meiner Wettbewerber, bekannte Marke, wurde erwischt, als er jeden Tag zwei Lkw-Ladungen Fleisch aus Polen beimischte. Sehr billig das Fleisch, allerdings schon leicht verwest. Jeden Tag zwei Lkws, das sind immerhin 40 Tonnen, die er dem frisch Geschlachteten untergejubelt hat. Jeden Tag. Ein paar Rumänen haben das verweste Material ausgeladen und schön mit Kaliumpermanganat abgewaschen. Das ist ein Teufelszeug. Aber gut. Sehr gut sogar. Wird als Mittel gegen Fußpilz eingesetzt. Das überlebt keine Bazille auf der Fleischoberfläche. Innendrin, nun ja, da regen sie sich munter weiter und treiben den Verwesungsvorgang voran. Aber das kriegt ja keiner mit. Das Gemisch mit dem Verfaulten kommt dann ins Marinierte. Und in das Fleisch für die Volksfeste. Vor lauter Marinade schmeckt man eh nichts. Und: Die Leute trinken auf der Kirmes Bier und Schnaps, und nicht nur einen, und wenn es ihnen am anderen Morgen schlecht ist, denken sie: Hätt' ich nur ein Bier oder einen Schnaps weniger getrunken. Keiner von denen denkt mehr an die Currywurst oder die Bulette oder den Schweinekamm.

54. Stuttgart, C&A, Damenabteilung, vormittags

»Vielen Dank, dass Sie gekommen sind«, sagte Cems Mutter. Sie stehen zwischen zwei Kleiderständern, und Frau Caimoglu nimmt einen Kleiderbügel von der Stange, hält sich ein Kleid vor den Körper und dreht sich vor einem Standspiegel, als prüfe sie, ob es die richtige Größe sei. Dengler steht neben einer zweiten Reihe mit Frauenkleidern und wartet. Wenn sie dies für einen unauffälligen Ort für eine Verabredung hält, täuscht sie sich. Gründlich. Es sind nur Frauen in dieser Abteilung. Und einige von ihnen starren ihn bereits misstrauisch an.

»Was ich Ihnen jetzt sage, muss unbedingt unter uns bleiben. Mein Mann darf nichts erfahren – unter keinen Umständen.«

Dengler nickt.

»Er ist ein guter Mann. Und ein guter Vater. Aber ein bisschen zu streng zu Cem. Sie verstehen?«

»Sehr gut. Väter eben …«

Sie sieht ihn an und beißt sich auf die Lippen. »Cem ist nicht mit seinem Onkel unterwegs.«

Sie sieht ihn an.

»Der Junge ist erwachsen. Aber mein Mann versteht das nicht. Deshalb hilft ihm mein Schwager …«

»… mit der Ausrede, dass er ihn auf eine Lieferfahrt nach Istanbul mitnimmt.«

»Wenn Sie sich Sorgen um Ihren Sohn machen, dann muss ich mich wohl auch um Cem fürchten?«

»Ich hoffe nicht. Wann kommt Ihr Bruder aus Istanbul zurück?«

»Morgen.«

»Dann hoffen wir, dass Cem und Jakob morgen wieder auftauchen.«

»Wenn mein Mann herausfindet, dass sein eigener Sohn, seine eigene Frau und sein eigener Bruder ihn angelogen haben … Ich will gar nicht daran denken. – Sie versprechen, mir alles zu sagen, was Sie herausfinden?«

Sie nimmt ein anderes Kleid, dreht sich damit vor dem Spiegel, doch sie sieht es mit keinem Blick an.

Dengler nickt zum dritten Mal. »Ich verspreche es«, sagt er und geht.

55. Stuttgart, Berliner Platz, vormittags

Dengler zieht das Handy aus der Hosentasche, sieht auf das Display, bleibt sofort stehen und nimmt das Gespräch an.

»Georg, der Verbindungsbeamte des BKA bei der spanischen Botschaft heißt Christof Streich. Ich hab mit ihm gesprochen. Er wartet auf deinen Anruf. Ich schick dir die Nummer per SMS, okay?«

»Marlies, du bist großartig.«

»Ich weiß.«

56. Stuttgart, Jakobs Schule, mittags

»Danke, dass Sie sich trotz der Pfingstferien Zeit genommen haben.«

»Ich hatte ohnehin in der Schule zu tun. Gut, dass Sie da sind. Ich meine, ich wollte sowieso mal mit Ihnen sprechen. Jakob hat uns Sorgen gemacht in letzter Zeit.«

Dengler sieht den Schulleiter an. Er sitzt einem drahtigen Mann von etwa fünfzig Jahren gegenüber, der in schnellem Takt mit dem Kugelschreiber auf den Schreibtisch klopft. Er trägt einen braunen Anzug, ein hellgelbes Hemd mit einer grünen Krawatte. Haare grau, vorne mit einem silbernen Streifen, ebenfalls drahtig und kurz. Graue Brille, dahinter schmale Augen. »Ihr Sohn hält den gesamten Lehrkörper für, für ...«

»Arschlöcher?«, schlägt Dengler freundlich vor.

Der Schulleiter sieht ihn unwirsch an. Das Klopfen mit dem Kugelschreiber wird schneller. »Ich bin froh, wenn er das Abitur in der Tasche hat. Erst macht er die ganze Schule verrückt mit Stuttgart 21, dann entdeckt er den Tierschutz. Er verlangt, dass es mittags bei uns vegetarisches Essen gibt. Dazu sammelt er Unterschriften der Schüler.«

Verärgert schüttelt er den Kopf.

»In unserer Kantine gibt es Nudeln mit Bolognesesoße, Salat, Dessert, Nudeln mit Tomatensoße, Baguette mit Salami oder Schinken oder Käse, Lasagne mit Rinderhack. Das kostet die Schüler zwei Euro, drei Euro oder maximal drei Euro fünfzig. Was glauben die denn alle, was man für die paar Euro machen kann?«

Der Kugelschreiber klopft und klopft.

»Entschuldigen Sie, Herr Direktor, vielleicht können wir darüber ein anderes Mal sprechen. Ich wollte Sie eigentlich fragen, ob Sie etwas von einer Reise nach Barcelona wissen, die ein paar Ihrer Schüler gemeinsam unternehmen wollten?«

»Davon weiß ich nichts.«
Der Kugelschreiber zerbricht in seine Einzelteile.

57. Hof des Bauern Zemke, Nähe Oldenburg, mittags

Laura sitzt zusammengekauert in der hintersten Ecke ihres Gefängnisses, die Arme um die angezogenen Beine geschlungen, den Kopf auf die Knie gelegt, und das einzige Geräusch, das sie von sich gibt, ist das Zähneklappern, das in kurzen Intervallen ertönt und den ganzen Raum ausfüllt. Hin und wieder kommt aus ihrer Ecke ein Schniefen, das tief aus ihrer Brust kommt und das Jakob geradewegs das Herz bricht.
Sie mag keinen von ihnen neben sich haben, sogar Simon schickt sie weg, als er sie trösten will.
Keiner von ihnen hat in der Nacht geschlafen. Als die Rocker gegangen waren, hatten Jakob und Cem den Holztisch mit dem Rücken gegen die Tür gewuchtet. Warum sind sie erst jetzt auf die Idee gekommen? Die ganze Nacht über haben Jakob, Simon und Cem abwechselnd Wache gehalten. Falls die Verbrecher wieder auftauchten, wollten sie den Tisch mit aller Kraft gegen die Tür stemmen. Aber die Rocker kamen nicht wieder. Keiner von ihnen sprach darüber, aber allen war bewusst: Diese Sperre würde angesichts der Überzahl und der Stärke der Rocker nicht lange halten.
Das weiß auch Laura.
Jakob setzt sich in einem Meter Abstand zu ihr auf den Boden. »Es tut mir leid, dass ich diese Schweine nicht aufhalten konnte.«
Sie schluchzt und hebt den Kopf, und Jakob sieht in tränen-

verschmierte Augen. Was redest du, Jakob? Ohne dich hätten die Kerle mich vergewaltigt.«

»Ja, dass mir das mit den Fingerabdrücken eingefallen ist ...«

Der kleine Chefrocker war ausgetickt, als Jakob gerufen hatte: *Auf dem Kanister gibt es keine Fingerabdrücke.* Er hatte Dschingis Khan und die anderen von Laura weggezerrt. Dann waren sie mit Fahrradketten in das Gefängnis zurückgekommen, und jeder der Jugendlichen musste den Kanister dreimal in die Hand nehmen. Jetzt hatten die Rocker einen Behälter mit ihren Fingerabdrücken. Was auch immer das zu bedeuten hatte. Laura hat Striemen an den Beinen und am Bauch, aber sie war Schlimmerem entgangen.

»Aber sie kommen heute Nacht wieder.«

»Wir müssen herausfinden, was sie vorhaben. Wir müssen nachdenken. Das können, glaube ich, wir beide am besten.«

Laura zieht die Nase hoch, reibt sich die Augen. Ihr Atem bebt noch einmal. Sie nickt.

»Lass uns noch einmal alles zusammentragen, was wir wissen«, sagt sie.

58. Stuttgart, Café Königx, mittags

»Ich bewundere Jungs wie Jakob, wirklich.«

Er sitzt Edith Metzger gegenüber, Jakobs Deutschlehrerin, einer Frau in Dunkelblau: dunkelblaue Schuhe, dunkelblaue Jeans, Jackett und T-Shirt. Dazu kinnlange Haare, Dunkelblond, randlose Brille in einem offenen Gesicht, kein Ehering, leichte Falten um die Mundwinkel, Lachfalten um die Augen, Mitte vierzig schätzt Dengler, alles in allem deutlich sympathischer als der Schulleiter.

Sie hatte das kleine Café vorgeschlagen, das nur wenige Schritte von seiner Wohnung entfernt lag und das mit seiner besonders schönen Einrichtung und den großartigen Kuchen zu den Besonderheiten seines Viertels gehörte. Warum war er eigentlich so lang nicht mehr hier gewesen? Dies war der ideale Ort für Olga und ihn. Wenn das alles vorbei ist, dann frühstücken wir hier gemeinsam, denkt er, lang und ausgiebig, und mit allen Zeitungen, die man im Kiosk um die Ecke bekommen kann.

»Jakob hat Ideale. Und er lebt nach diesen Idealen. Das können nur wenige Menschen von sich sagen. Besonders in diesem Alter«, sagt sie.

Ideale, die ihn möglicherweise in Teufels Küche gebracht haben, denkt Georg. Aber er sagt nichts.

»Ich überlege auch immer, vegan zu leben, aber ich schaff das einfach nicht. Ich esse wenig Fleisch, aber wenn ich eingeladen bin und die Gastgeber haben einen Tafelspitz …«

»Wissen Sie von einer Reise nach Barcelona?«

»Barcelona? Jetzt in den Pfingstferien? Nein. Das erzählen die Schüler meist hinterher. Meinen Sie, er wird nicht rechtzeitig zurückkommen? Aber so was kennen wir ja. Jakob wird sich eine Entschuldigung schreiben. Er ist ja bereits achtzehn. Volljährig. Er braucht keinen Trauerfall in der Familie.«

»Trauerfall in der Familie?«

»Na ja, einen Trauerfall akzeptieren wir als Entschuldigung bei Schülern unter achtzehn. Sie glauben gar nicht, wie viele Familienmitglieder sterben, solange die Schüler noch nicht volljährig sind.«

Sie lacht. Ein herzliches Lachen. Diese Lehrerin hat es mit dem Schulleiter sicher nicht leicht. »Ich freue mich, wenn er aus Barcelona zurück ist.«

»Ich hoffe, dass er zurückkommt«, sagt Dengler.

59. Kimi im Oldenburger Klinikum

Adrians Kopf ist nahezu vollständig bandagiert. Kimi sieht die geschwollenen Augen seines Freundes, die von einem wüsten Bluterguss eingerahmt werden, einem Farbgemisch aus Dunkelblau, Rot und Schwarz.

»Sie fragen mich hier nach meinem Ausweis. Sie fragen mich nach Versicherung. Sie fragen mich nach Geld. Ich habe nichts davon.«

Kimi legt seine Hand auf die von Adrian. Auch der Arm ist bandagiert.

»Dabei bin ich froh, dass die Wikinger mich nicht totgeschlagen haben.«

Kimi sagt: »Ich habe unsere Landsleute getroffen. Für die wir gearbeitet haben, bevor die Wikinger kamen. Wir werden uns von den Deutschen unser Geld zurückholen. Und unsere Pässe. Adrian, ich verspreche, ich besorge auch dein Geld und deinen Pass. Dann gehen wir zurück.«

Der bandagierte Kopf hebt und senkt sich ein wenig. Kimi denkt, dass das wohl ein Nicken sein soll.

Adrian flüstert: »Du weißt doch, dass ich die Putenställe aufgeräumt habe, bevor ich in der Schlachterei gearbeitet habe. Erinnerst du dich? Das habe ich dir doch erzählt.«

»Sicher. Das weiß ich doch.«

»Ich habe dir nicht alles erzählt. Ich habe dort jemand kennengelernt.«

»Kennengelernt? Eine Frau?«

Adrian hustet. Er verzieht dabei sein Gesicht. Dann sagt er: »Mach keine Witze, Kimi. Es tut höllisch weh, wenn ich lache. Keine Frau. Einen jungen Türken. Er hat sich als Landsmann ausgegeben und dort gearbeitet. Er hat heimlich gefilmt.«

»Gefilmt?«

»Ja, wie wir die *Turcia*, die Puten, verladen haben. Er hatte

184

eine ganz kleine Kamera. Wir sind dann am Abend ins Gespräch gekommen.«

»Warum hat er das gefilmt, Adrian?«

»Ich weiß auch nicht. Er sagt, er sei für Tierschutz. Und so dürfe man mit Lebewesen nicht umgehen.«

Kimi lacht rau. »Und was ist mit uns, Adrian? Darf man mit uns so umgehen? Unser Geld stehlen. Uns totschlagen? Was ist mit uns?«

»Darum geht es, Kimi.«

»Darum geht es? Was meinst du, Adrian?«

»Ich hab dem Jungen von uns erzählt. Wie wir arbeiten. Und leben müssen. Das wollte er auch filmen.«

»Er wollte uns filmen?«

»Ich war mit ihm verabredet. Vor ein paar Tagen. Auf dem Hof, auf dem wir die *Turcia* auf den Lkw geladen haben. Ich liege im Krankenhaus. Ich konnte nicht kommen. Er ist vielleicht gar nicht mehr da. Würdest du für mich hingehen und nachschauen?«

»Ich weiß nicht.«

»Rede mit ihm. Sag ihm, wie wir leben.«

»Erst hole ich dir dein Geld, Adrian. Und deinen Pass.«

»Gib mir das Blatt da, das auf dem Tisch liegt. Ich versuche, dir den Weg aufzuzeichnen.«

Monolog Carsten Osterhannes

Die Kampagne Putenfleisch für die schlankheitsbewusste Frau war die erste große PR-Kampagne. Sie wurde übertroffen von der zweiten Kampagne, die uns noch mehr Geld in die Kassen spülte. Und die uns zugleich von einem unangenehmen Problem erlöste. Das Problem heißt Abfallfleisch. Seit der BSE-Krise sind Fleischabfälle fast wie Sondermüll zu behandeln. Wissen Sie, was es kostet, Sondermüll zu entsorgen?

Nehmen wir als Beispiel Hühner. Wir verkaufen vor allem das Brustfleisch. Aber was machen wir mit den Nebenprodukten, den Hälsen, den Flügeln, den Füßen und Köpfen? Früher war das einfach: Das nicht verkäufliche Fleisch ging in die Tiermehlfabrik. Brachte also sogar Geld. Wegen der BSE-Erkrankung von Rindern verbot die EU generell die Verfütterung von Tiermehl. Die Fleischentsorgungskosten für die unverkäuflichen Teile sind seither um ein Vielfaches gestiegen. Unsere geniale Lösung: Wir liefern die gefrorenen Restteile nach Kamerun, Gambia und in andere afrikanische Staaten. Kommt alles in den Container – und ab. In Kamerun, nur um ein Beispiel zu nehmen, betrug der Import von gefrorenem Geflügelfleisch 1994 sechzig Tonnen. Zehn Jahre später waren es 24 000 Tonnen. Das ist erheblich billiger als Entsorgung per Sondermüll.

Natürlich gibt es auch hier ein paar Spielverderber. Die reden davon, dass wir die dortige Geflügelwirtschaft ruinieren. Ich aber sage: Wir leben in einer Marktwirtschaft. In einer globalen Marktwirtschaft.

Andere jammern, weil der Abfall unter der afrikanischen Sonne die wundersamsten Bakterien entwickelt. Klar, beim Transport von Fleisch bedarf es einer geschlossenen Kühlkette mit einer Temperatur von minus 18 Grad, damit das Fleisch frisch bleibt. In Malabo oder Jaunde oder wo auch immer das Zeug ausgeladen wird, herrschen 35 Grad, und die Luftfeuchtigkeit beträgt 95 Prozent. Geschlossene Kühlkette? Fehlanzeige. Das Fleisch wird auf einen Pritschenwagen geladen und ins Landesinnere geschafft. In nicht gefrorenem Zustand sind die Hähnchenflügel bei diesen Temperaturen aber schon nach ein paar Stunden verdorben. Müssen schrecklich aussehen, die Dinger. Ich hab gehört, die haben meine Hähnchenreste dort unten bald *poulet de la mort* getauft – Hähnchen des Todes.

Aber sagen Sie selbst: Ist das meine Schuld? Ich meine, man muss das ja nicht essen, oder? Ich zwing ja keinen.

Schwieriger war es mit dem Abfall vom Schweinefleisch. Da half unsere zweite Kampagne. Als die Agentur mir das erste Mal die Idee vortrug, dachte ich, die haben einen Vogel. Zielgruppe diesmal: die Männer. Der richtige Mann grillt. Beim Grillen kommt das Animalische im Mann zum Vorschein, sagte der Werbefuzzi. Na gut, fragte ich, was heißt das? Grillfleisch ist mariniertes Fleisch. Wer schmeckt da noch Bakterien? Verkaufen Sie doch Ihr problematisches Fleisch einfach mariniert.

In Deutschland das Animalische im Mann zu bewerben! Ich dachte, das funktioniert nie. Aber der Werbefuzzi hatte recht. Innerhalb von sechs Jahren haben wir das Ding gedreht. Heute grillt jeder Mann. Feuer, Fleisch, Weber-Grill, Amerika, Cowboy, und die Lady macht den Kartoffelsalat – perfekt!

Als dann die ersten Bücher zum Thema Grillen erschienen, ohne dass wir aus dem Werbebudget einen Pfennig dazuzahlten, wusste ich: Die Kampagne würde erfolgreich werden. Heute gibt es eine richtige Kultur um das Grillen – mit eigenen Zeitschriften: *Der Griller, Grill-Magazin, BEEF!, Fire & Food* für den edlen Griller. Und Kochschürzen mit Aufschriften wie »Vorsicht, Mann kocht. Bitte schon mal den Reinigungsdienst anrufen«, jede Menge Grill-Events. Sogar im Radio.

Ist doch großartig, oder? Wir liefern. Nicht nur das Marinierte.

60. Hohenheim, Wohnung von Carsten Zemke, nachmittags

Carsten wirft mit ausdruckslosem Gesicht ein paar Kaffeelöffel auf den Tisch. Dann geht er in die Küche und kommt mit drei Tassen zurück, die er achtlos auf den Tisch stellt.

»Carsten«, sagt Julia Zemke. »Wir sind eine Familie. Es gibt immer mal wieder Streit, aber eine Familie muss zusammenhalten, sich zusammenraufen.«

»Sag das ihm.« Carsten deutet auf seinen Vater.

»Er weiß das ebenso gut wie ich.«

»Warum sagt er dann nichts?«

Christian Zemkes Backenmuskeln mahlen. Es war ein Fehler, hierherzufahren. Er hätte es sich denken können.

Carsten geht in die Küche und kommt mit einer Kanne Kaffee zurück. Er schenkt die Tasse seiner Mutter voll und dann seine eigene Tasse. Dann stellt er die Kanne neben die leere Tasse seines Vaters.

Julia Zemke: »Wir haben Sorgen, Carsten. Große Sorgen.«

»Er hat mich vom Hof gejagt wie einen Strauchdieb.«

Christian Zemke beißt die Zähne zusammen. Er nimmt die Kanne und gießt sich Kaffee ein.

»Und jetzt sitzt er in meiner Küche und trinkt meinen Kaffee, als wäre nichts gewesen.«

Zemke steht auf. »Komm, Julia, hier haben wir nichts zu suchen.«

»Setz dich wieder hin!«

»Wir gehen.«

»Carsten – der Hof gehört bald nicht mehr uns. Wir brauchen deine Hilfe«, sagt die Mutter.

»Brauchen wir nicht«, brüllt Christian Zemke.

»Setz dich hin und rede.«

Mühsam setzt sich Christian Zemke. Er stützt sich dabei mit der Hand an der Stuhllehne ab.

Vater und Sohn sehen sich an.

»Carsten, ich habe Fehler gemacht. Viele Fehler. Vielleicht kenne ich noch nicht einmal alle. Dich vom Hof zu jagen, habe ich mir nie verziehen. Der größte Fehler war, dass ich nicht auf dich gehört habe.«

Dann beginnt er zu erzählen. Lange. Sein Sohn schenkt ihm zweimal Kaffee nach.

61. Stuttgart, Denglers Büro, nachmittags

»Streich!«, meldete sich der Mann. Eine ruhige, klare Kommandostimme.

»Ich heiße Georg Dengler. Ich bin ein ehemaliger Kollege … Marlies, Sie kennen doch Marlies, gab mir Ihre Nummer …«

»Ich bin im Bilde. Es geht um Ihren Sohn, nicht wahr?«

»Ja, ich mache mir große Sorgen um ihn. Ich fürchte, ihm ist etwas zugestoßen.«

»Ich helfe einem Kollegen gerne. Auch einem ehemaligen Kollegen. Du hast immer noch einen guten Ruf, wusstest du das?«

»Nein, um ehrlich zu sein, bin ich erstaunt.«

»Kannst du morgen bei mir sein?«

»In Madrid?«

»Wo denn sonst? Calle de Fortuny, 8. Melde dich am Empfang, wenn du da bist.«

62. Stuttgart, Hildegards Wohnung, abends

»Vielleicht übertreiben wir.«

»Nein. Schau mal, Hildegard. Auf diesem Foto schickt Jakob uns ein Zeichen. Die drei Finger, das war früher unser Zeichen für …«

»Ich weiß, aber da war er fünf oder sechs. Jetzt ist er erwachsen.«

»Aber angenommen, er ist in Gefahr. Und jemand will uns zur Beruhigung ein Foto zukommen lassen. Sie zwingen Jakob zu diesem Foto. Was könnte Jakob tun? Er könnte nur dieses Zeichen senden, in der Hoffnung, dass wir es verstehen. Vielleicht ist es verrückt, aber irgendetwas sagt mir, dass da was nicht stimmt.«

Hildegard stellt zwei Gläser und eine Flasche Rotwein auf den Tisch. Dengler öffnet die Flasche, gießt ein.

»Du bist so wahnsinnig cool, Georg.«

»Ich bin überhaupt nicht cool.«

»Du warst schon immer so – überlegen.«

Hildegard nimmt das Glas und trinkt es aus. Dengler schenkt nach.

»Ich bin nicht überlegen. Hildegard, ich habe Angst. Es gibt Anzeichen, dass unser Kind in einer Situation ist, von der wir nichts wissen, die es vielleicht nicht mehr beherrscht.«

»Du hast Angst? Das wär ja das erste Mal, dass du Gefühle zeigst.«

Dengler trinkt in einem Zug fast das ganze Glas aus.

»Ich hab keine Lust mehr auf deinen Psychoterror.«

»Psychoterror! Ha! Du wolltest doch das Kind gar nicht.«

Sie füllt ihre beiden Gläser nach.

Er muss jetzt gehen. Das alte Spiel beginnt. Er hat es nie gemocht.

Er trinkt.

»Wenn es nach dir gegangen wäre, gäbe es keinen Jakob.«

Er will aufstehen, kann sich aber nicht regen. Plötzlich merkt er, dass sein Gesicht nass ist. Noch einmal versucht er vergeblich, aufzustehen – vergeblich.

Hildegard schenkt nach.

Jetzt steht er auf.

»So cool«, sagt Hildegard. »So verdammt cool.«

Dengler greift sie mit beiden Händen an der Bluse und zieht sie zu sich, sodass ihre Gesichter sich berühren. Dann umfasst er mit beiden Händen ihren Hals. Sie steht still und rührt sich nicht. Wie ein Irrer sieht er sie an.

Plötzlich greift ihr Dengler von hinten in die Haare und zieht ihren Kopf zurück. Dann küsst er sie. Verzweifelt. Sie streckt sich ihm entgegen. Mit beiden Händen greift er nach dem Kragen ihrer Bluse und reißt sie auf.

Er erinnert sich nicht mehr, wie sie in ihr Schlafzimmer kommen. Aber jetzt liegen sie auf Hildegards Bett und atmen schwer. Er spürt eine tiefe Sehnsucht nach Olga. Noch nie hat er sich so sehr nach Olga gesehnt wie in diesem Augenblick. Er sehnt sich nach ihrem Geruch, ihrem Körper, dem vertrauten Gefühl, erschöpft neben ihr zu liegen. Hier ist er fremd. Er will weg.

Er sieht zu Hildegard. Sie hat die Augen weit offen und starrt irgendwo hin. Weit weg.

»Wir können es nicht wieder zurückholen, nicht wahr?«, sagt sie leise.

»Nein«, sagt er und steht auf.

Fünfter Tag

Donnerstag, 23. Mai 2013

63. Hohenheim, Wohnung von Carsten Zemke, nachts

Julia betrachtet den Mann neben sich. Schade, dass er erst den Hof ruinieren muss, bevor er sich mit seinem Sohn versöhnen kann. Trotzdem: Sie haben wieder Hoffnung geschöpft. Sie haben lange geredet. Carsten sprach über ökologischen Landbau, und zum ersten Mal hat ihr Mann zugehört, hat Fragen gestellt, Antworten gehört, neue Fragen gestellt.

»Hört sich gut an. Aber wie soll ich das finanzieren? Was wird die Umstellung kosten?«

»Gib mir etwas Zeit.«

»Zeit? Die habe ich nicht.«

64. Hof des Bauern Zemke, Nähe Oldenburg, nachts

»Was wissen wir?«

Jakob: »Wir wissen, dass ihnen unsere Fingerabdrücke auf einem Kanister wichtig sind. Es ist ein Kanister, den man an jeder Tankstelle kaufen kann und in dem normalerweise Benzin aufbewahrt wird.«

Laura: »Denken wir das Schlimmste.«

Jakob: »Sie zünden etwas an, brennen etwas ab. Man findet den Kanister mit unseren Fingerabdrücken. Wir werden als Brandstifter beschuldigt. Tierschützer fackeln Putenfarm ab. Warum aber ausgerechnet Rocker das machen, ist unklar.«

»Diese Rocker sind keine Opas auf Harley Davidsons. Die

Kerle sehen aus nach – organisierter Kriminalität. Nennt man das nicht so? Sie führen einen Auftrag aus. Von wem?«
»Keine Ahnung.«
»Wenn wir der Brandstiftung beschuldigt werden, können wir aussagen, dass sie uns gefangen haben.«
Jakob überlegt nur eine Sekunde lang. »Wenn wir es überleben.«
Laura nickt. »Sie wollen mich vergewaltigen. Aber mir darf dabei kein Knochen gebrochen werden, weil man das meiner Leiche ansehen würde. Mit gebrochenen Knochen legt niemand Feuer. Das ergibt eine klare Strategie, falls sie mich heute Nacht noch einmal schnappen wollen.«
»Um Gottes willen, Laura …«
»Siehst du eine andere Möglichkeit?«
»Ich kann dir doch nicht den Arm brechen.«
»Du musst zumindest so tun, als wärst du dazu bereit. Cem muss dir dabei helfen. Wenn es mich vor diesen Kerlen rettet.«
»Laura, ich …«
»Ich weiß, dass du mich vielleicht nicht genug magst. Für so was.«
»Was redest du für einen Blödsinn?«
»Du bist zweimal weggelaufen. Vor mir.«
»Aber das war doch ganz anders. Es war …«
Dann erzählt er seine Geschichte. Und Laura hört zu.

65. Deutsche Botschaft, Madrid, vormittags

Das Büro des BKA-Verbindungsbeamten ist erstaunlich klein. Aber immerhin gibt es einen kleinen Besprechungstisch.
»Spanischer Kaffee«, sagt Streich und stellt zwei Tassen ab.

»*Café cortado.* Nach einer Weile gewöhnt man sich daran. Erzähl. Was ist los?«

»Mein Sohn. Da stimmt was nicht. Offenbar ist er ein aktiver Tierschützer, bereit, eine Menge dafür zu tun. Soweit ich weiß, hat er keine Straftaten begangen, aber vielleicht steht er kurz davor, eine Dummheit zu begehen. Er hat gesagt, er fährt nach Barcelona, und sein Handy sendet Bilder aus Barcelona, aber die sind irgendwie sonderbar. Auf bestimmte Fragen, die wir ihm per SMS geschickt haben, kommen falsche Antworten. Er telefoniert nie, schickt nur SMS. Alles nicht seine Art. Ich hab Filme auf seinem Rechner gefunden, die nahelegen, dass er vielleicht was plant. Ich will wissen, ob er tatsächlich in Barcelona ist. Wenn ja, schnappe ich ihn und nehme ihn mit zurück nach Deutschland.«

»Verstehe. Pubertät, oder? Sag mal, was ganz anderes. Die Marlies: Lief da was zu deiner Zeit beim BKA?«

»Wir hatten eine gute Zeit miteinander.«

»Ja, Marlies.« Streichs Stimme verliert plötzlich alle Festigkeit und Bestimmtheit. »Ich weiß nicht, was sie bei ihrem Typen hält. Ein Idiot.«

»Sie hat dir wohl zugesetzt.«

»Ja, das hat sie. Ich hätte sie auf Händen auf den Mount Everest getragen.«

Sie nehmen beide einen Schluck *café cortado.* Streich sieht ihn an.

»Wir ermitteln gerade zu einem Fall im Bereich organisierte Kriminalität. Es geht um eine kontrollierte Lieferung Kokain aus Südamerika. Die Ladung geht von hier über Amsterdam nach Berlin. Wir arbeiten eng mit den spanischen Kollegen zusammen. Ich kann das Handy deines Sohnes in den Fall einspeisen. Die spanischen Kollegen werden es orten. Du kannst ihn dann finden. Und nach ein paar Tagen werde ich ihnen sagen, dass sich der Verdacht nicht bestätigt hat.«

»Das würde mir sehr helfen.«

»Schreib die Nummer auf diesen Zettel.«

»Ich schreib noch drei Nummern seiner Freunde dazu.«

»Und sicherheitshalber auch noch mal deine Nummer. Ich rufe dich an, sobald ich etwas weiß.«

»Danke. Ich fahre heute auf jeden Fall noch nach Barcelona. So oder so.«

66. Hof des Bauern Zemke, Nähe Oldenburg, vormittags

»Das Wetter spielt mit. Wir schließen die Sache hier heute Nacht ab. Haben wir den Kanister mit den Fingerabdrücken von den Scheißern da drin?«

»Haben wir.«

»Ist Benzin in dem Kanister?«

»Halb voll wie besprochen.«

»Noch Fragen?«

»Was ist mit der Kleinen? Können wir die heute Nacht zureiten?«

»Meinetwegen. Aber keine äußeren Verletzungen. Keine Knochenbrüche. Sie muss noch heil aussehen.«

»Von außen schon.«

Röhrendes Gelächter.

»Benny, sind die Motorräder vom Hof?«

»Ist längst erledigt.«

»Dann los. Es gibt noch viel zu tun.«

67. Kimi im Klinkerbau

»Kimi, hör mir gut zu«, sagt der Landsmann mit der Sonnenbrille. »Der Plan sieht so aus: Du gehst als Erster auf den Hof. Du schreist dort, dass du dein Geld haben willst. Du gehst auf keinen Fall in das Haus. Du bleibst auf dem Hof stehen und schreist. Ich will mein Geld. Ich will meinen Pass. Du musst die Deutschen in den Hof locken. Den Rest übernehmen wir. Mehr musst du nicht machen.«
»Okay. Aber morgen muss ich mich um Adrian kümmern.«
»Morgen ist alles vorbei. Heute Nacht ist unsere Zeit.«
»Und du glaubst, die geben mir mein Geld?«
Der Landsmann lacht. Er lacht so laut, dass der Hund unter dem Tisch aufsteht und bellt. »Das glaube ich sicher. Ganz sicher. Und jetzt schauen wir uns den Hof mal aus der Nähe an.«

Monolog Osterhannes

Uns wird vorgeworfen, wir würden massiv die Umwelt schädigen.
Schweine scheißen und pissen. Das ist so. Sie produzieren Gülle. Das ist Natur. In Deutschland insgesamt 50 Millionen Tonnen. 2,5 Millionen Tanklaster voll. Allein in Cloppenburg und Vechta hier um die Ecke 7,4 Millionen Tonnen. Das meiste wird auf den Feldern ausgebracht.
Das führt zu einer Belastung des Grundwassers mit Nitraten. Manchmal hängt über den Dörfern eine Dunstglocke aus Güllegestank. Ich weiß, dass das nicht gesund ist.
Aber wissen Sie was? Es geht mir am Arsch vorbei! Die Au-

toindustrie verpestet die Luft. Jährlich wird durch Autos die Bevölkerungszahl eines großen Dorfes ausgerottet. Kommt deshalb irgendjemand auf die Idee, die Automobilindustrie zu kritisieren? Autofreie Tage zu verlangen? Nein. Aber jetzt sind auf einmal Veggiedays der große Hit. Das stimmt doch das Verhältnis nicht! Der Fortschritt hat immer einen Preis. Beim Auto die schlechtere Luft und einige Tausend Tote. Bei uns nur das Grundwasser.

Die Wasserwerke mischen heute nirtratbelastetes mit sauberem Grundwasser. Sie bohren tiefere Brunnen. Wir dehnen unsere Mastanlagen nach Brandenburg aus.

Es geht mir am Arsch vorbei. Wirklich.

68. Café an der Puerta del Sol, Madrid, mittags

Olga sitzt an einem Tisch, den Laptop aufgeklappt, und tippt auf das Gerät ein.

»Ist bei Ihnen noch ein Platz frei?«

Sie sieht Dengler an und lächelt. Mit einer koketten Handbewegung zeigt sie auf den freien Stuhl.

»Und? Warst du erfolgreich?«

»Der Kollege lässt Jakobs Handy orten. Und die Handys seiner Freunde. Ich habe uns zwei Flüge nach Barcelona gebucht. Und du?« Er deutet auf den Laptop. »Hast du mehr herausgefunden?«

Olga nickt. »Dein Sohn hat einen Facebook-Account, aber er benutzt ihn wenig. Das Gleiche gilt für die hübsche Laura und für Cem. Nur Simon schreibt etwas mehr. Er scheint ein Handballcrack zu sein. Über Facebook wickelt er Trainingspläne und Ähnliches ab.«

»Kein Hinweis, wo sie sind?«

Olga schüttelt den Kopf. »Aber ich bin sicher, bald das nächste Passwort geknackt zu haben.«

»Die Hühner?«

»Die Hühner!«

»Das waren noch Zeiten, als sich Jungs mit Modelleisenbahnen oder Briefmarken beschäftigten.«

»Vergangene Zeiten. Georg. Wenn dein Sohn Briefmarken sammeln würde, würdest du dir auch Sorgen um ihn machen.«

Dann: »Ich hab's. Die Hühner sind frei.«

Sie schiebt ihm den Laptop über den Tisch.

69. Hohenheim, mittags

Julia umarmt ihren Sohn lange und herzlich.

»Wir werden wieder eine richtige Familie.«

»Arm, aber glücklich.«

»Bisher waren wir nur arm.«

Christian Zemke reicht seinem Sohn feierlich die Hand. »Ich danke dir. Ich sehe jetzt einen kleinen Hoffnungsschimmer am Horizont.«

»Gestern warst du noch Teil der Agrarmafia.«

»Rede nicht so mit deinem Vater.«

»Lass ihn nur, Julia. Er hat ja recht.«

Dann umarmt er seinen Sohn. Carsten ist zunächst noch steif, dann klopft er seinem Vater auf die Schulter, aber plötzlich bricht der Damm, und die beiden liegen sich in den Armen.

Als sie im Wagen sitzen, kurbelt Julia die Fensterscheibe herunter und winkt so lange, bis Carsten, der mitten auf der Straße steht, nicht mehr zu sehen ist.

Zufrieden dreht sie das Fenster wieder hoch und setzt sich in dem Sitz zurecht. »Was hältst du von Carstens Plänen für den Hof, Ökobauer Zemke?«

»Er ist übergeschnappt wie immer. Das ist alles völlig unrealistisch.«

Julia schaut ihn entgeistert an.

»Christian?«

Zemke gibt Gas und biegt auf die Schnellstraße ein. »Völlig unrealistisch, aber unsere einzige Chance.«

70. Straße vor dem Hof des Bauern Zemke, Nähe Oldenburg, mittags

»Wir lassen dich hier aus dem Auto aussteigen, du läufst auf diesem Weg dort zu dem Hof. Wenn du vor dem Wohnhaus stehst, schreist du, so laut du kannst: Ich will mein Geld. Ich will meinen Pass. So oft, bis die Deutschen aus dem Haus kommen. Hast du das verstanden?«

»Und wenn die mich wieder verprügeln?«

Der Landsmann mit der Sonnenbrille lacht. »Dazu werden sie nicht kommen. Verlass dich ganz auf mich.«

Kimi sitzt auf dem Beifahrersitz und sieht zu dem Gehöft hinüber. Er sieht das Wohnhaus und die lang gezogenen Schweine- und Putenställe. Er greift in die Hosentasche und zieht Adrians Plan heraus. Sein Freund hat den Plan gut gezeichnet. Die Landstraße, auf der sie jetzt stehen, der Weg zu dem Haus, sogar die Lage der beiden großen Schweine- und der drei Putenmastanlagen hat Adrian ziemlich exakt eingezeichnet.

Dort müssten Adrians Freunde sein. Wenn sie noch da sind. Er kneift die Augen zusammen, um besser sehen zu können.

Aber drüben auf dem Gehöft rührt sich nichts.
»Ich mache das. Ich gehe erst mal allein dort hin. Und du bist
da, wenn die Deutschen aus dem Haus kommen, nicht wahr?«
»Genau so läuft es. Und ich bin nicht allein.«

71. Hof des Bauern Zemke, Nähe Oldenburg, mittags

»Das ist doch nicht normal«, sagt Ronnie.
Er nimmt eine Handvoll Stroh und wirft es den Schweinen
zu. »Irgendwie müssen die sich doch beschäftigen. Schweine
sind schlaue Tiere.«
»Grunz, grunz, Schweinchen Schlau. Ich mag sie lieber als
Schnitzel.«
»So kann man Schweine nicht halten. Die brauchen was
zum Spielen. Die brauchen Stroh. Die brauchen …«
»Was die brauchen, ist mir so was von egal. Ich bin heilfroh,
wenn wir die Viecher nicht mehr füttern müssen.«
»Mein idealer Lebenszweck ist Schweinebauch und Schin-
kenspeck«, singt Ronnie. »Ich bin auf dem Land aufgewachsen. Mir macht das nix.«
»Ich hasse das.«
»Hey Ronnie, komm mal rüber, die Scheißputen spielen verrückt.«
»Sofort.« Vergnügt stellt der Rocker die Mistgabel zur Seite
und folgt Marcus. Sie verlassen die Schweinemastanlage, gehen an dem Güllebassin vorbei, hinüber zu der ersten der
beiden Puten-Mastanlagen. Sie betreten eine Art Büro und
sehen durch ein großes Fenster auf das Heer der roten Putenköpfe. Am Rand liegen zehn tote Tiere. Die Puten in ihrer Nähe picken in die Kadaver.

»Irgendwas haben die Scheißvögel. Wenn die jetzt alle krepieren, 'ne Vogelgrippe kriegen oder so was, sind wir angeschmiert. Du bist doch der Bauer unter uns. Also, Ronnie, mach was.«

»Hey Mann, ich hab da keinen Plan. Meine Alten hatten einen Hof, bis ich zehn war. Dann mussten sie ihn aufgeben.«

»Red kein Stuss. Guck mal, hier stehen Medikamente rum. Mach die Vögel wieder gesund, verstanden?«

»Okay, Marcus, aber ich kann da echt nur improvisieren.«

»Mach sie wieder heil, Ronnie. Das ist ein Auftrag. Ich weiß nicht, wie lange wir hier noch bleiben müssen. Die Puten dürfen auf keinen Fall vorzeitig krepieren.«

Marcus geht mit steifen Schritten wieder ins Freie.

Ronnie geht zu den Säcken mit Medikamenten, liest die Aufschriften und kratzt sich am Kopf. Marcus steckt wieder den Kopf durch die Tür: »Ich verlass mich auf dich, Ronnie.«

Ronnie streicht sich mit der rechten Hand seinen Walrossbart glatt. Dann nimmt er einen Sack und trägt ihn hinüber zur Trinkwasseranlage. Er greift in den Sack, nimmt eine große Handvoll Pulver heraus und lässt es in einen Trichter rieseln. Dann sieht er interessiert durch das Fenster zu den Puten.

»Putt, putt, putt«, sagt er leise, als lausche er einem Klang aus Kindertagen nach.

72. Madrid, nachmittags

Dengler liest die Aufzeichnungen seines Sohnes.

Notizen zum Huhn
von Jakob Dengler

Ein Küken wiegt nach dem Schlüpfen 40 Gramm. Der sogenannte Züchtungserfolg besteht darin, dass es nach
drei Tagen bereits 80 Gramm wiegt. Nach einem Monat
erreicht es das 38-Fache dieses Gewichtes. Das Masthuhn
wächst während der gesamten Mastperiode. Es ist quasi
noch ein Teenager, wenn es geschlachtet wird. Die Per-
version der Züchtung ist, dass das Fleischwachstum vo-
rauseilt und die Entwicklung des Skelettsystems und des
Bewegungsapparates, aber auch des Herz-Kreislauf-Sys-
tems dem nicht folgen können.
Die Lebensdauer eines solchen Huhns beträgt 30 Tage.
Kein einziger davon ist ein glücklicher Tag. Unmittelbar
nach dem Schlüpfen wird dem Küken der Schnabel ab-
gehackt bzw. mit einem Laserstrahl verstümmelt. Damit
soll verhindert werden, dass die Hühner sich gegenseitig
verletzen, wenn sie sich zusammengedrängt in den Mastanlagen picken.
In den Ställen, die wir gefilmt haben, leben 38000 Hühner
dicht an dicht. Ich stelle mir vor, wie es für mich wäre, wenn
ich Schulter an Schulter mit 37999 anderen Jugendlichen
Tag und Nacht in einer Halle stehen müsste. Ohne Tages-
licht. Die Lampen brennen immer, auch nachts. Der Stress
würde mich nicht schlafen lassen. Damit ich nicht auf die
neben mir Stehenden einprügele, wären meine Hände am-
putiert. Trotzdem schlage ich mit den Stümpfen auf andere
ein, um ein bisschen Bewegungsfreiheit zu haben.
Damit ich nicht ausraste, bekomme ich im Trinkwasser
Beruhigungsmittel verabreicht.
Nach allem, was ich gesehen und gelesen habe, weiß ich,
dass Hühner und Puten den Stress ihrer Aufzucht nicht
ohne Krankheiten überstehen können. Deshalb werden
sie (und zwar ohne Ausnahme) mit Medikamenten voll-

gestopft. Antibiotika, Beruhigungsmittel aller Art werden ins Trinkwasser gekippt, und jedes Huhn, egal, ob krank, egal, ob gesund, nimmt diese Stoffe auf.

An einem heißen Sommertag im letzten Jahr erdrückten sich in Österreich 5000 Tiere bei dem Versuch, etwas Frischluft durch einen Türspalt zu erhaschen. Im Landkreis Kleve starben 4000 bis 6000 Puten mangels frischer Luft. Industrielle Haltung macht die Tiere zwangsläufig krank. Massentierhaltung erfordert daher zwangsläufig massiven Medikamenteneinsatz. Hühner, die im Supermarkt verkauft werden, sind voll mit ESBL-Keimen. Der BUND untersuchte Hähnchenprodukte in deutschen Supermärkten und fand in jedem zweiten Hähnchen die gefährlichen Keime. Die Tester kauften Schenkel, Brustfilet, Flügel und Hühnerfrikassee in den Supermarktketten Aldi, Lidl, Rewe, Edeka und Real. Das Fleisch stammte von drei der größten Hähnchenproduzenten Deutschlands: Wiesenhof, Sprehe und Stolle.

Die nordrhein-westfälische Regierung kommt bei einer Untersuchung zu dem Ergebnis, dass 96,4 Prozent aller Masthähnchen mit Antibiotika gefüttert werden.

Durch den jahrzehntelangen massiven Einsatz von Antibiotika haben sich Krankheitskeime gebildet, die mit Antibiotika nicht mehr bekämpft werden können. Der BUND fand auch MRSA, sogenannte »Krankenhauskeime«, in dem Fleisch: Das sind Keime, die immun gegen Antibiotika sind.

Die Keime gelangen durch Mund und Nase in den Körper der Menschen und setzen sich dann im Darm fest.

Coli-Bakterien und weitere Keime leben normalerweise im Tierdarm. Während der Schlachtung und Verarbeitung gelangen sie auf die Fleischoberfläche. Wird das Fleisch gründlich gebraten oder gekocht, werden die Keime abgetötet. Sie sind jedoch nicht nur im Fleisch. Sie sind auch im Tauwasser, gelangen dann auf die Hände und

über die Hände in nicht gekochtes Essen und damit in
Magen und Därme der Menschen, wo sie sich festsetzen.
Die *Süddeutsche Zeitung* zitiert Elisabeth Meyer von der
Berliner Charité: »Wenn diese Keime in der Nase herum-
getragen werden, macht das nichts. Aber sobald sie Infek-
tionen von Harnwegen, Lungen oder Wunden auslösen,
können sie lebensgefährlich werden.« Gefährlich wird es,
wenn das rohe Fleisch mit kleinen Wunden, zum Beispiel
an den Fingern, in Berührung kommt. Durch die Düngung
mit Gülle kann außerdem auch Gemüse verseucht werden.
Das Bundesgesundheitsamt empfiehlt daher dringend,
bei der Zubereitung von Puten und Hühnern Gummihandschuhe zu tragen.
Die Fleischindustrie vergiftet ihre Kunden.

»Schön, was dein Sohn da alles zusammengetragen hat.«
»Er und seine Freunde haben sich mit mächtigen Feinden an-
gelegt. Das ist es, was mir Sorgen macht.«
»Und Putenfleisch?«
»Nie wieder.«

Sechster Tag

Freitag, 24. Mai 2013

73. Hof des Bauern Zemke, Nähe Oldenburg, nachts

»Laura, Schätzchen, wir kommen! Wir lieben dich.«
Die Tür ihres Gefängnisses fliegt auf. Fünf Rocker stehen in der Tür. Dschings Kahn ganz vorne, den Gürtel in der rechten Hand, schlägt damit klatschend in die linke Handfläche.
»Rodeo, Laura!«, ruft er. »Rodeo!«
»Stopp!«, schreit Jakob und stellt sich ihnen in den Weg.
»Stopp. Wenn ihr nur einen Schritt weiter geht, brechen wir Laura den Arm.«
Er tritt einen Schritt zur Seite, und die Rocker sehen den Tisch hinten an der Wand. Auf ihm liegt bäuchlings Laura, den Arm über die Tischkante gelegt. Simon hält ihre Beine fest, und Cem hält ihren Arm mit beiden Händen, er hält ihn wie ein Stück Holz, bereit, ihn über der Kante zu brechen.
Dschingis Kahn reibt sich mit der Hand, die den Gürtel hält, über die Augen. Er versucht die Situation zu verstehen, entscheidet dann aber, dass er sie nicht zu verstehen braucht.
»Das machen wir schon selber. Ich ficke sie auch mit gebrochenem Arm.« Er macht einen Satz nach vorne. »Packt sie«, schreit er.
Cem drückt zu, und Laura schreit, so laut sie kann.

74. Auf der A 4 vor Oldenburg, nachts

»Bist du nicht müde, Schatz?«
»Wir sind gleich zu Hause, Julia.«
»Ja, das ist gut. Soll ich dir was verraten?«

»Nur zu.«

»Ich freu mich auf zu Hause.«

»Du denkst nicht mehr an unser schönes Hotel?«

»Nein, ich freu mich, mit dir in unserem Wohnzimmer zu sitzen und Pläne zu schmieden.«

»Für ein neues Leben.«

»Ja, für ein neues Leben.«

»Sind wir dazu eigentlich nicht zu alt?«

»Ich fühl mich so stark wie schon lange nicht mehr.«

»Ich auch.«

Christian Zemke nimmt die rechte Hand vom Lenkrad und streichelt zärtlich die Wange seiner Frau. »Du hast strahlende Augen, Julia. Sie leuchten im Dunklen.«

Sie beugt sich zu ihrem Mann herüber und küsst ihn.

75. Hof des Bauern Zemke, Nähe Oldenburg, nachts

Marcus springt vor Kevin und hebt die Hände.

»Stopp«, ruft Jakob.

Cem drückt Lauras Arm nach unten.

Laura schreit.

»Hey, macht keinen Scheiß«, sagt der kleine Rocker.

»Zurück«, ruft Jakob.

Laura schreit.

»Zurück«, ruft Jakob.

Marcus dreht sich um und hält Kevin zurück.

Der will an Marcus vorbei. »Ich fick das Miststück. Ich bring's um. Ich fick das Miststück.«

»Beruhig dich!«, sagt Marcus.

»Ich fick sie.«

Marcus will ihn festhalten, aber Dschingis Khan drängt an ihm vorbei und brüllt.

»Zurück«, ruft Jakob.

Laura schreit noch lauter.

Marcus gibt Ronnie ein Zeichen. Das Walross zieht ein Rohr aus der Tasche und schlägt es Kevin in den Nacken.

Dschingis Kahn bleibt nur kurz stehen, dann schiebt er Marcus beiseite. Er stößt einen Schrei aus. Ronnie schlägt noch einmal zu, und diesmal geht Kevin zu Boden.

Marcus hebt die Hände. »Ganz ruhig«, sagt er. »Ganz ruhig. Der Kleinen passiert nichts. Ganz ruhig.«

»Raus«, schreit Jakob. »Raus.«

»Wir gehen schon.«

Langsam drehen sich die Rocker um und quetschen sich durch die schmale Tür.

In diesem Augenblick hören sie eine Stimme in gebrochenem Deutsch rufen: »Ich will mein Geld! Ich will meinen Pass!«

»Da ist jemand auf dem Hof«, sagt Ronnie.

Marcus schiebt sich nach vorne und zieht seine Glock 22 aus dem Hosenbund und entsichert sie. »Alle mir nach.«

76. Barcelona, mittags

»Von hier aus müsste das Foto aufgenommen worden sein.«

Dengler und Olga beugen sich über sich das Handyfoto.

»Olga sagt: »Nein, der Fotograf steht etwas weiter oben und etwas weiter links.«

»Wie soll das denn gehen?«

Sie sehen sich um. Und sie sehen gleichzeitig links von ihnen ein großes vierstöckiges Haus, das von einer großen Veranda aus den Blick auf die Stadt freigibt.

»Der Fotograf muss dort oben gestanden haben. Auf dieser Veranda.«

Sie gehen auf das Haus zu. Ein großes Tor mit einer Autoeinfahrt, davor steht ein Polizist mit einer Maschinenpistole. Der Mann hält sie auf, als sie an ihm vorbeigehen wollen.

»¡Alto! No hay paso!«[*]

Olga: »Nos gustaría ir a la hermosa terraza y mirar hacia abajo en el valle.«

»Aquí no entra ninguna persona no autorizada.«

»¿Por qué no?«

»Este es un edificio de la policía financiera. Por favor, retroceda tres pasos.«

77. Bar del Pi, Barcelona, abends

»Georg, du kannst im Augenblick nichts tun. Entspann dich also.«

Dengler gibt dem Barkeeper ein Zeichen. »Noch einen Brandy.«

Olga legt ihm die Hand auf den Arm. »Du hattest eindeutig genug Brandys.«

Als der Barkeeper das Glas vor Dengler hinstellt, wiederholt sie: »Eindeutig.«

»Was macht mein Sohn auf der Veranda eines bewachten

---

[*]   »Halt! Kein Durchgang!«
      »Wir möchten gerne auf die schöne Veranda und ins Tal hinuntersehen.«
      »Hier kommt kein Unbefugter hinein.«
      »Warum nicht?«
      »Dies ist ein Gebäude der Finanzpolizei. Bitte gehen Sie drei Schritte zurück.«

Hauses der Finanzpolizei? Bekämpft er jetzt auch die Verbrecher in der Finanzindustrie?«

Er nimmt einen kräftigen Schluck.

»Jakob wird mir langsam unheimlich. Ich mach einen Vaterschaftstest.«

Olga lacht. »Der ist dir so ähnlich.«

In diesem Augenblick klingelt sein Handy. Georg Dengler springt vom Barhocker und greift in die Hosentasche. Es dauert eine Weile, bis er merkt, dass das Klingeln aus der Jacketttasche schrillt. Als er das Telefon in der Hand hat, ist es bereits wieder still. Er sieht aufs Display.

»Scheiße, das war Streich.«

Er aktiviert den Rückruf und wartet. Olga nimmt Denglers Brandyglas und trinkt es aus.

»Dengler, die spanischen Kollegen haben das Handy deines Sohnes und seiner Freunde lokalisiert. Sie sind alle an dem gleichen Ort. Ich gebe dir die Koordinaten. Hast du was zum Schreiben?«

Dengler zieht sein Notizbuch heraus und notiert sich die Angaben.

»Das ist ein Hotel direkt neben der Kathedrale. Im Augenblick sind alle Handys in derselben Zelle. Sie wurden auch gemeinsam spazierengeführt. Ich sende dir ihre Route per E-Mail. Hilft dir das weiter?«

»Ob mir das hilft? Ich hoffe, dass mein Sohn in diesem Hotel ist.«

»Halt mich auf dem Laufenden.«

»Versprochen.«

»Komm! Wir sehen uns das Hotel an«, sagt er zu Olga.

Direkt gegenüber der großen Kathedrale liegt das Hotel Colón, ein Traditionshaus in neoklassizistischem Stil. Nicht gerade der Ort, wo Schüler absteigen, denkt Georg Dengler. Das Foyer ist hell erleuchtet, das Licht strahlt golden auf den Platz. Der Nachtportier, der am Empfangstresen der Rezeption sitzt und liest, blickt auf, als sie kommen.

»Ich suche einen jungen Mann, Jakob Dengler. Er ist bei Ihnen abgestiegen.«

Der Mann schaut auf den Computerbildschirm, der vor ihm steht, und schüttelt den Kopf.

»Vielleicht hat seine Freundin oder ein Freund das Zimmer gemietet. Laura Trapp oder Simon van Papen.«

Der Portier befragt erneut den Computer. »Bedauere.«

»Ich renne von Zimmer zu Zimmer, bis ich Jakob gefunden habe«, sagt Georg zu Olga. »Und morgen früh bin ich der erste Gast im Frühstücksraum.«

»… sind wir die ersten Gäste, Georg: du und ich. Heute Nacht solltest du nichts mehr durchsuchen. Lass uns ein Zimmer nehmen und ins Bett gehen.«

78. Hof des Bauern Zemke, Nähe Oldenburg, nachts

Marcus stürmt aus der Mastanlage auf den Hof. Vor der offenen Tür des Wohnhauses steht ein jüngerer Mann. Das Licht aus dem Flur beleuchtet ihn spärlich. Er trägt billige Jeans, eine graue Jacke und eine Pudelmütze aus Wolle.

»Ich will mein Geld. Und meinen Pass.«

Marcus gibt Ronnie und Kevin ein Zeichen. Die beiden rennen auf den seltsamen Fremden zu. Im Laufen zieht Kevin die Fahrradkette aus dem Gürtel.

»Hey, du Arsch, verschwinde hier!«, schreit Ronnie.

Er hört das satte Plopp des Schalldämpfers nicht. Er hat nur das merkwürdige Gefühl, mit vollem Tempo gegen eine Mauer gelaufen zu sein. Er versteht das nicht. Er spürt auch keinen Schmerz. Er sieht nur das Loch in seinem Brustkorb und denkt, dass es da nicht sein dürfte. Erstaunt dreht er sich zu Marcus um, weist mit der rechte Hand auf die blutende Wunde – und fällt der Länge nach auf den immer noch nassen, geteerten Boden.

Marcus begreift als Erster. »Runter, Kevin, runter!«, schreit er. Doch Kevin blickt nur verwundert auf den fallenden Ronnie. Dann reagiert auch er. Er lässt sich fallen. Aber eine halbe Sekunde zu spät. Ein Geschoss zerfetzt seinen rechten Oberarm. Auf dem Boden liegend wälzt er sich in den Schatten der Mastanlage und flucht.

Marcus löscht mit einem gezielten Schuss die Lampe im Hauseingang des Wohnhauses. Bruno dreht den Lichtschalter an der Mastanlage aus. Jetzt ist es dunkel im Hof – und still.

»Ausschwärmen«, kommandiert Marcus.

Im Dunkel hört er das metallene Geräusch, als seine Kumpels die Waffen durchladen. Sie pressen sich eng an die Wand. Nebenan gackern die Puten laut, er hört sie flattern.

Aus der Dunkelheit hört er erneut jemand rufen: »Ich will mein Geld! Ich will meinen Pass!«

Er feuert in die Richtung, aus der der Ruf kommt, und springt zugleich in einem riesigen Satz einige Meter weg. An der Stelle, wo eben sein Mündungsfeuer zu sehen war, schlagen einige Geschosse ein.

»Seid vorsichtig! Wir haben es mit mehreren Leuten zu tun«, ruft er seinen Kumpels zu.

79. Auf der Landstraße, Nähe Oldenburg, nachts

»Gleich hast du es geschafft«, sagt Julia und streicht ihrem Mann zärtlich über den Kopf.

»Ich bin gar nicht müde. Ich denke die ganze Zeit nach.«

»Über unser neues Leben?«

»Es wäre doch schön, wenn Carsten wieder bei uns leben würde.«
»Erst muss er seinen Abschluss machen.«
»Sicher, aber danach.«
»Und wir gehen auf das Altenteil.«
»Erst bringen wir den Hof wieder nach vorne. Dann übergeben wir ihn Carsten.«
»So machen wir's«, sagt Julia und streichelt ihren Mann erneut. »Ich freu mich auf unser Zuhause.«

80. Hof des Bauern Zemke, Nähe Oldenburg, nachts

»Nur feuern, wenn du ein Ziel hast«, flüstert Marcus Bruno zu. »Die schießen auf unser Mündungsfeuer.«
Langsam, mit dem Rücken an der Wand, bewegen sie sich vorwärts.
»Ich will mein Geld. Ich will meinen Pass.«
Marcus gibt Bruno ein Zeichen. Der Rocker bewegt sich schnell durch die Dunkelheit auf den Platz vor dem Haus. Dort kommt die Stimme her.
»Ich will mein Geld. Ich will meinen Pass.«
Bruno tritt schnell mit einem erhobenen Schlagstock hinter Kimi und schlägt zu. Kimi geht sofort zu Boden und rührt sich nicht mehr.
Marcus überquert vorsichtig den Hof. An der Ecke des Wohnhauses trifft er wieder auf Bruno. Sie sehen um die Ecke. Aus dem Dunkel schälen sich zwei Limousinen.
»Unsere rumänischen Freunde«, flüstert Bruno.
Kevin steht mit schmerzverzerrtem Gesicht neben ihnen und reicht Marcus eine Uzi-Maschinenpistole.

»Dann wollen wir mal«, sagt Marcus. Er entsichert die Waffe, schiebt sie um die Ecke und stellt den Bügel auf Dauerfeuer. Eine Garbe durchlöchert den ersten Mercedes.

81. Landstraße, vor dem Hof des Bauern Zemke, nachts

»Da ist die Einfahrt«, sagt Julia.
Christian Zemke schaltet in den zweiten Gang, setzt den Blinker, obwohl es Nacht und kein weiteres Fahrzeug zu sehen ist, und biegt auf die Zufahrt zu seinem Hof.
Julia streckt sich und gähnt.
»Ich freu mich, endlich wieder in unserem Bett zu liegen.«
»Mir waren die Hotelbetten viel zu weich.«
»Mir auch. Aber die Aromadusche wird mir fehlen.«
»Jetzt gibt's wieder Schweinegeruch.«
»Und die blöden Puten.«
»Und die Puten.«
Der Scheinwerfer tastet sich den Weg zum Hof entlang.
»Kanntest du die Öko-Bank, die Betrieben hilft, auf natürliche Landwirtschaft umzustellen?«
»Nein. Nie gehört. Außerdem, ich hab noch was in der Hinterhand.«
»In der Hinterhand?«
»Wir bekamen nicht nur den Urlaub bezahlt von unserem Schlachtbaron. Er zahlt mir auch ...«
»Christian, pass auf!«
Aus dem Dunkel rast ihnen ein Mercedes ohne Licht entgegen. Instinktiv reißt Zemke das Steuer herum und fährt seinen Wagen ins offene Feld. Der VW rumpelt und kommt dann zum Stehen. Zemke springt aus dem Wagen und rennt

zum Weg. Ein zweiter schwarzer Wagen schießt aus dem Dunkel, Steine werden aufgewirbelt und treffen ihn auf der Brust. Dann ist der Wagen vorbei. Er biegt weiter vorne auf die Landstraße, und Zemke hört das Aufbrüllen des Motors, als der Fahrer Vollgas gibt.

Julia steht neben ihm. »Was war das?«

»Das möchte ich auch wissen.«

»Was machen die auf unserem Hof?«

»Ich weiß es nicht, Julia.«

»Christian, hast du mir noch etwas zu sagen?«

»Später.«

»Um Gottes willen«, sagt sie, als sie wieder im Auto sitzen. »Du weißt also nicht, was auf dem Hof passiert ist, als wir weg waren.«

»Wir werden es gleich wissen«, sagt er und zwängt sich hinter das Steuer. Er fährt zu dem Weg zurück. Die ersten Regentropfen fallen auf die Windschutzscheibe. Zemke schaltet den Scheibenwischer ein.

82. Gefängnis der Kids, nachts

Nachdem die Rocker verschwunden sind, ruft Cem: »Wir versuchen noch einmal, mit dem Tisch die Tür zu verrammeln.« Die drei Jungs springen auf, Laura hält sich den Arm, Cem und Jakob tragen den Tisch zur Tür, kippen ihn hochkant, Simon stützt ihn von der Seite, und zu dritt schieben sie ihn mit der schmalen Seite so unter den Türgriff, dass diese sich von außen nicht mehr herunterdrücken lässt. Das Rattern der Maschinenpistole lässt sie mitten in der Bewegung stillstehen.

»Die legen sich gegenseitig um«, sagt Simon ängstlich.

»Die haben wahrscheinlich den Typ umgelegt, der gerufen hat, dass er sein Geld und seinen Pass will«, sagt Cem.

Ein zweiter Feuerstoß aus der Maschinenpistole.

Kurz danach heulen zwei schwere Motoren auf. Sie hören, wie Reifen durchdrehen.

»Bandenkrieg«, sagt Laura und reibt sich den Arm. »Beim nächsten Mal legt sich jemand von euch auf den Tisch. Cem, du hast echt fest gedrückt.«

»Ich wollte glaubwürdig sein.«

»Das nächste Mal legst du dich auf den Tisch und ich drücke deinen Unterarm auf die Kante.«

»Das wäre nicht so glaubwürdig.«

Simon: »Gott sei Dank, Laura, ist es gut gegangen.«

Laura: »Dass sie mich heil haben wollen, ist für uns ziemlich scheiße.«

Simon: »Wieso?«

Jakob: »Laura und ich glauben, dass die Rocker folgenden Plan haben: Sie wollen den Hof anzünden. Dafür spricht der Kanister, in dem sie uns Wasser gegeben haben. Wahrscheinlich haben sie zwei oder drei davon, die werden dann mit Benzin gefüllt, und unsere Fingerabdrücke sind da drauf. Damit uns die Schuld an dem Brand in die Schuhe geschoben wird. Dass die Rocker uns ihre Gesichter gezeigt haben, bedeutet, dass wir diese Geschichte hier nicht überleben sollen.«

Cem: »Red keinen Quatsch, Mann.«

Laura: »Eine Gruppe radikaler Tierschützer dringt in eine Putenmastanlage ein und steckt sie in Brand. Zehntausend Puten kommen um. Die Tierschützer stellen sich jedoch so ungeschickt an, dass sie selbst bei dieser Aktion draufgehen. Es wird Zeit, dass die Tierschutzorganisationen gestoppt werden. Sie sind eine Gefahr.«

Simon: »Du meine Güte, Laura. Du bist wahnsinnig. Das werden die nie machen.«

Laura: »Die schießen mit Maschinenpistolen. Die hätten

mich zu zehnt vergewaltigt. Was glaubst du, wozu diese Verbrecher fähig sind?«

Jakob: »Die Frage ist nur, woher die so viel über uns wissen.«

Simon: »Von dem Typen, den wir hier filmen wollten!«

Cem: »Der wusste aber nicht, dass ...«

In diesem Augenblick schließt jemand von außen die Tür auf. Als sie sich nicht öffnen lässt, drückt er von außen dagegen. Dann wirft er sich dagegen. Doch der Tisch hält. Der Mann tritt gegen die Tür. Doch sie hält noch immer.

Dann hören sie den kleinen Chef der Rocker rufen: »Hey, ihr Arschgeigen. Ihr könnt gehen. Aber wenn wir euch noch einmal hier irgendwo sehen, geht's euch schlecht.«

Sie hören seine Schritte, die leiser werden.

Simon: »Gott sei Dank. Ihr habt mir eben echt Angst eingejagt.« Er greift zum Tisch und will ihn von der Tür wegziehen.

Cem: »Stopp! Vielleicht ist das eine Falle.«

Simon: »Was soll denn das für eine Falle sein? Wir sitzen bereits in einer Falle.«

Er packt den Tisch und zerrt ihn von der Tür weg. Sofort wird sie aufgestoßen, und zwei Rocker kippen ein Bündel in ihr Gefängnis, ziehen die Tür wieder zu. Der Schlüssel dreht sich von außen zweimal. Die Rocker lachen.

Laura geht auf das Bündel zu, das sich jetzt bewegt. Es ist ein Mann, braun und schmutzig im Gesicht, nicht besonders groß.

»Wer bist du?«, fragt Laura.

»Ich bin Kimi«, sagt das Bündel mit osteuropäischem Akzent. »Ich will bloß mein Geld. Ich will meinen Pass. Ich will nach Hause.«

»Das wollen alle hier«, sagt Laura und reicht ihm die Hand.

83. Hof des Bauern Zemke, Nähe Oldenburg, nachts

»Was ist denn hier los?«
Die Scheinwerfer des Wagens beleuchten eine gespenstische Szene. Zwei wild aussehende Männer schleppen eine bewusstlose Gestalt über den Hof zur Putenmastanlage. Zwei bärtige Gesichter sehen geblendet direkt zu ihnen hinüber. Sie lassen die Gestalt fallen.
Christian Zemke öffnet die Wagentür, springt hinaus und läuft auf die Typen zu. »Was machen Sie auf meinem Hof? Verlassen Sie sofort meinen Hof.«
Julia reißt ihre Tür auf und schreit ihrem Mann hinterher: »Christian, komm zurück! Christian ...«
Da reißt jemand ihre Tür auf, eine Hand greift ihr ins Haar und wirft sie mit einem Ruck auf den Boden. Sie sieht ihren Mann, der mitten in der Bewegung erstarrt, sie sieht seinen offenen Mund, den Gesichtsausdruck, den er immer hat, wenn er etwas nicht versteht. Sie sieht, wie er sich umdreht und zu ihr rennt. Dann trifft sie etwas am Kopf. Sie spürt noch die Regentropfen, die jetzt mit großer Wucht auf ihr Gesicht prasseln. Dann wird es schwarz um sie.

Monolog Carsten Osterhannes

Über eines muss man sich im Klaren sein: Es gibt keine intensive Viehwirtschaft ohne Medikamenteneinsatz. In einem Stall, in dem vierzigtausend Puten oder Hühner oder Tausende Schweine oder Rinder dicht an dicht stehen, durchquert ein Erreger innerhalb einer Stunde zweimal eine komplette Mastanlage. Deshalb brauchen wir Antibiotika. Es gibt nichts Besseres gegen Bakterien. Wer gesundes Fleisch will, muss die Tiere medikamentieren. Es gibt keine andere Lösung. Sie werden aggressiv ohne Beruhigungsmittel und picken sich gegenseitig wie Puten und Hühner oder fressen sich die Schwänze ab wie Schweine. Puten brauchen Schmerzmittel. Ohne Antibiotika sterben uns die Bestände innerhalb kürzester Zeit weg. So einfach ist das. Und deshalb setzen wir weiterhin Antibiotika ein. Wir können gar nicht anders. Basta.

Wenn ich in Berlin bin, verbringe ich gerne einen Abend im Wedding. Ich laufe die Müllerstraße hinauf und freue mich über den Dino Imbiss, den Kismet Grill, das Kebab Haus oder das Best Asia Chicken. Ich sitze im Borchardt und sehe der oberen Mittelklasse beim Fleischverzehr zu. Vielleicht wissen die Türken und die Libanesen, die Araber und die Bulgaren im Wedding nichts von den resistenten Mikrobenstämmen, aber hier unter den gebildeten Menschen ist bekannt, dass rotes Fleisch Gicht, Rheuma, Diabetes und Krebs hervorruft. Und? Sie essen es trotzdem. Jeder hier weiß, dass 300 Gramm rotes Fleisch wöchentlich das Risiko von Dickdarmkrebs um zwanzig bis dreißig Prozent erhöhen. Das weiß der Schlachter, das weiß der Koch, das weiß der Gast – und?

Nichts!

So sieht es aus. Unser Geschäftsmodell ist nicht zu stoppen, weil jeder es will.

Die Politik ist Gott sei Dank auf unserer Seite. Aber sie muss Rücksicht nehmen. Politik hat immer zwei Gesichter. Eines zum Publikum und ein wirkliches. Als die Verwendung von Antibiotika ein öffentlicher Aufreger und sogenanntes Wachstumsdoping verboten wurde, verordnete sie, dass die Medikamente nur unter Aufsicht eines Tierarztes verabreicht werden dürfen. Vorher hat der Mäster das Zeug selbst ins Futter gemischt, danach musste der Herr Doktor höchstpersönlich anreisen und genervt selbst einen Blick durch das Glasfenster auf die Tiere werfen. Ging der Medikamenteneinsatz deshalb zurück? Natürlich nicht. Er steigt nach wie vor.

Aber das Publikum war besänftigt.

Das immerhin.

Aber die Botschaft an uns ist eindeutig.

Weitermachen! Oder würden Sie das anders verstehen?

Denn wir haben große Pläne.

Die großen Fleischproduzenten Deutschlands werden den europäischen Markt aufrollen. Wir haben alle Voraussetzungen dafür geschaffen. Wir haben die Kapazitäten. Wir haben die Strukturen. Die Lieferwege. Doch eines geht nicht: Es geht nicht, dass sich bei jeder Mastanlage Leute zusammenrotten und Ärger machen. Um ein Beispiel zu nennen: Allein in der letzten Woche gab es Proteste gegen uns in Bad Dürrheim, im Landkreis Augsburg; in Witze/Celle schrien 7000 Demonstranten: »Wir haben die Agrarindustrie satt«; es gibt Gottesdienste gegen uns, der evangelische Landesbischof predigt dagegen, dass wir Hühnerflügel und andere minderwertige Teile nach Afrika verkaufen. Es gab in derselben Woche eine Demonstration gegen uns in Leipzig, eine Protest-Radrundfahrt in Ostbrandenburg, eine Predigt in Günzburg, Kabarett in Vegesack, Grüne Jugend in Gotha – alles in einer Woche.

Wir haben Genehmigungen für große Schlachthöfe, die eine Million Hühner am Tag schlachten können. Wir planen Hunderte von Mastanlagen in der Größenordnung von jeweils 10 000 Schweinen und 500 000 Hühnern.

Und wir werden sie bauen.

84. Hof des Bauern Zemke, Nähe Oldenburg, nachts

»Schnell, schnell, bevor es wieder richtig schüttet!«
Marcus kommandiert Bruno mit einem Kanister zum Wohnhaus. »Verteil das Zeug in der Küche und zieh eine Spur durch den Flur bis auf den Hof. Gib eine Extraladung über das Blut von Ronnie. Kevin, Benzin an alle vier Ecken des Scheißputenstalls. Schnell.«
Er blickt sorgenvoll in den nächtlichen Himmel. Der Regen verwandelt sich gerade in einen Wolkenbruch.
Von Weitem sieht er rotierendes Blaulicht. »Licht aus«, schreit er. Alle Lichter aus.«
Er rennt ins Wohnhaus, stürmt die Kellertreppe hinab und legt den Hauptschalter um. Alle Lichter gehen aus. Dann rennt er die Treppe wieder hoch, nimmt die Uzi vom Küchentisch und läuft in den Hof. Das Blaulicht ist schon näher gekommen.
»Wenn die Bullen auf den Hof kommen, erst schießen, wenn ihr die Maschinenpistole hört. Verstanden? Das scheint nur ein Wagen zu sein. Danach hauen wir ab.«
Das Blaulicht kommt näher. Jetzt sehen sie den Polizeiwagen. Die Männer halten die Luft an. Er hat jetzt die Einfahrt erreicht – und fährt weiter.
»Jesses«, sagt Bruno.
»Weitermachen!«
Marcus kippt einen kräftigen Schuss Benzin auf den Boden. Aus der Hosentasche zieht er sein Feuerzeug hervor. Mit beiden Händen schützt er die Flamme und hält sie an die Benzinpfütze.
Nichts.
»Scheiße.«
Er probiert es noch einmal.
Nichts.

Wütend dreht er sich um. »Kommando zurück«, schreit er.
»Wir warten, bis der Scheißregen vorbei ist.«
»Was machen wir mit Ronnie?«, fragt Bruno. »Soll der hier
liegen bleiben?«
»Den nehmen wir mit, wenn wir unseren Auftrag hier erle-
digt haben.«

85. Wohnzimmer der Zemkes, nachts

Die Wunde an Julia Zemkes Kopf hat endlich aufgehört zu
bluten. Eine breite rote Bahn zieht sich von ihrer Schläfe
über die Wange, vorbei an ihrem Mund und fließt über das
Kinn an ihrem Hals entlang. Mit der Zunge kann sie das Blut
erreichen. Es schmeckt nicht.
Ihre Hände sind auf dem Rücken gefesselt, das Seil ist mehr-
mals um das Heizungsrohr gebunden. Am zweiten Rohr ha-
ben die Verbrecher Christian festgeschnürt. Vor ihnen auf
dem Boden ist eine Lache mit Benzin, das ihnen beiden in
die Nase sticht.
»Die wollen den Hof anzünden, Julia, die wollen den Hof
anzünden.«
»Die werden *uns* anzünden, Christian.«
»Hilfe, Hilfe! Schrei doch mit, Julia!«
»Du weißt genau, dass uns niemand hören kann – außer den
Verbrechern. Hör also auf mit dem Unsinn.«
»Irgendetwas müssen wir doch machen.«
»Ich bin es leid, dass du irgendetwas machst. Du hast den
Hof ruiniert, ohne mit mir zu reden. Du hast die Verbrecher
für Geld hier reingelassen, ohne mit mir zu reden. Ich bin
gerade nicht zugänglich für deine Vorschläge.«
»Julia, die bringen uns um.«

»Ja, die bringen uns um, weil du mit deinem ewigen Dickkopf nie mit mir geredet hast. Wenn du nur einmal die wichtigen Fragen mit mir besprochen hättest, wäre der Hof noch
unser, wir wären nie in Urlaub gefahren, es gäbe keine Verbrecher auf unserem Hof, wir wären jetzt nicht gefesselt,
und niemand würde uns umbringen.«

»Julia, dann lass uns beten.«

»Beten? Ich hab genug gebetet in meinem Leben. Jetzt ist die
Gelegenheit rauszufinden, ob es sich gelohnt hat.«

»Julia, wie redest du? Versündige dich nicht.«

»Wir werden nicht mehr zum Beichten kommen, Christian.
Und ich will dir in der Hölle Gesellschaft leisten.«

»Bist du böse mit mir?«

»Böse? Ich würde dir alle Töpfe auf deinem Dickschädel zer-
trümmern, wenn ich nicht gefesselt wäre.«

»Bitte, Julia, angesichts des Todes müssen wir zusammenhalten.«

»Pah, zusammenhalten? Angesichts des Todes ist es Zeit für
die Wahrheit.«

86. Gefängnis der Kids, nachts

Sie stehen um den Mann herum, der sich langsam aufrap-
pelt. Laura reicht ihm die Hand und zieht ihn hoch, Cem
kratzt sich am Kopf, Jakob und Simon sehen den Mann ver-
blüfft an. Kimis Gesicht sieht nicht gut aus. Die Haut am
rechten Wangenknochen ist aufgeplatzt, die Wunde blutet
immer noch. Er fährt sich mit dem Ärmel übers Gesicht, um
das Blut abzuwischen, dann sieht er die vier Jugendlichen
an, die ihn anstarren wie ein Weltwunder. Er schaut Laura
an und sagt: »Engel«, dann Jakob und Simon, schließlich fällt

sein Blick auf Cem und er sagt: »Cem.« Und dann noch einmal: »Cem?«

»Alter, das bin ich.«

Cem reicht ihm die Hand, und Kimi schlägt ein.

»Gruß von Adrian.«

»Wo ist er? Wir sitzen hier in der Falle und warten auf ihn.«

Kimi greift sich an den Kopf und prüft mit den Fingern die Wunde, dann setzt er sich, und die vier Kids kauern sich um ihn herum. Dann erzählt er, so gut er kann auf Deutsch, was geschehen ist: dass sie kein Geld bekommen hätten, dass sie ohne Geld nicht arbeiten wollten, dass die Rocker kamen und Adrian halb tot geschlagen hätten, dass er selbst vor ihnen auf der Flucht sei, dass die rumänischen Landsleute ihm helfen wollten, aber jetzt selbst von den Wikingern in die Flucht geschlagen worden seien. Und dass er Adrian im Krankenhaus besucht habe und dass er Cem viele Grüße ausrichten solle.

»Hey Mann, unsere Lage ist nicht besser als deine. Wir haben hier auf Adrian gewartet. Diese Putenanlage hab ich mit ihm zusammen ausgestaltet, und er hat mir geholfen zu filmen. Ist ein prima Kerl. Aber als wir hier ankamen, war Adrian nicht da, sondern die Rocker.«

»Die Wikinger«, sagt Kimi.

»Wir haben gedacht, dass Adrian ihnen etwas verraten hat. Hat er das?«

»Bestimmt nicht. Ich war die ganze Zeit mit ihm zusammen. Er hat mit niemandem gesprochen über eure Verabredung. Nicht einmal mit mir. Erst als ich ihn im Krankenhaus besucht habe, hat er mir von Cem erzählt. Und dass dich hier treffe.«

»Glaubst du, dass deine Landsleute vielleicht die Polizei informieren? Und die Polizei uns dann hier rausholt?«

Kimi sieht die Kids der Reihe nach an. Dann sagt er: »Das machen sie ganz sicher nicht. Polizei kann man ausschließen. Sind nicht die Art von Männern, die zur Polizei gehen.

Aber vielleicht kommen sie wieder. Mit mehr Waffen. Und mehr Männern.«

Jakob: »Mein Vater war Polizist. Er hat unsere Entführer schon irgendwie nervös gemacht. Ich bin sicher, der ist hier irgendwo in der Nähe. Er holt uns hier raus.«

87. Hotel Colón, Frühstückszimmer, Barcelona, morgens

Dengler beobachtet die Männer, die wie Geschäftsreisende aussehen. Dunkle Anzüge, weiße Hemden, noch müde, zwei tippen auf ihre Smartphones ein, einer starrt vor sich hin und lächelt, der andere liest *El País*. Olga mustert die Männer, dann blickt sie zu Georg und schüttelt mit dem Kopf. Ein amerikanisches Ehepaar mit zwei Kindern tritt jetzt zum Frühstücksbüfett, die Frau hat eine harte und durchdringende Stimme. Sie weist die beiden Kinder zurecht, die verschlafen neben ihr stehen.

Olga schüttelt den Kopf.

Ein unbeschreiblich dicker Mann mit Glatze schiebt sich an das Büfett und schaufelt Würstchen, Rühreier mit Speck und einen Berg Lachs auf einen großen Teller.

Olga wiegt ihren roten Haarschopf hin und her.

Dengler tippt eine SMS:

Hallo Jakob, schon wach? Dein Papa.

Eine Minute später kommt die Antwort:

NEIN!!

Niemand im Frühstücksraum hat eine SMS getippt.

Nach einer halben Stunde tummeln sich seriöse Geschäftsleute, freakige Skandinavier, junge Paare und einige ältere Touristen in dem Raum.

> Hallo Jakob. Schon beim Frühstücken?
> Nein. Zähneputzen.

Eine halbe Stunde später:

> Was macht ihr denn heute?
> Strand. Sonne. Wie ist das Wetter in Stuttgart?
> Dauerregen.
> Ich bring Sonne mit.
> Versprochen?
> Versprochen.

Es ist die kräftige blonde Frau mit Pferdeschwanz in einem blauen T-Shirt, die die SMS beantwortet. Schwarze Jeans, unter dem kurzen Ärmel ihres Shirts lugt ein buntes Tattoo hervor. Sie sitzt am Fenster, ihre Handtasche liegt auf dem Tisch.

Jetzt steckt sie Jakobs Handy in die Tasche zurück. Dengler unterdrückt nur mühsam den Impuls, hinüberzulaufen und sie zu schütteln: Wie kommen Sie an das Handy meines Sohnes? Wo ist Jakob?

Ich muss ruhig bleiben. Er sieht zu Olga.

Olga nickt.

Die Blonde lädt sich Früchte und Joghurt in eine Schale, als es in ihrer Handtasche hupt. Sie stellt sofort die Schale ab, geht schnell an ihren Tisch, zieht ein weiteres Handy hervor, setzt sich und telefoniert.

»Dieses Telefon brauchen wir«, sagt Dengler.

88. Hof des Bauern Zemke, Nähe Oldenburg, morgens

»Vielleicht sollten wir die Aktion abblasen?«, sagt Bruno.
»Auf keinen Fall. Irgendwann muss der verdammte Regen doch auch wieder aufhören.«
»Aber jetzt, wo die Bauern wieder da sind, kommen hier vielleicht Nachbarn vorbei. Oder Verwandte, was weiß ich!«
»Wir bleiben im Haus. Bruno, du knebelst die beiden Alten.«
Bruno steht mühsam auf und geht einen Stock höher.
Er hört, wie Julia Zemke zu ihrem Mann sagt: »Das war mit dir schon immer so. In der ganzen Zeit unserer Ehe hast du allein gemacht, was dir in den Sinn kam. Nie hast du mich gefragt. Immer ...«
Bruno betritt das Wohnzimmer. Er hat ein großes Pflaster in der Hand und klebt es Julia Zemke, die den Kopf hin und her wirft, über den Mund.
»Jetzt hast du deine Ruhe«, sagt er zu dem Bauer.
Christian Zemke wehrt sich nicht, als der Rocker ihm ebenfalls ein Pflaster über den Mund klebt.
Er weint.

89. Hotel Colón, Frühstückszimmer, Barcelona, morgens

Endlich schiebt die große Blonde ihren Teller zurück und steht auf. Sie durchquert den Frühstücksraum, läuft an einer alten Putzfrau vorbei und marschiert auf die Toiletten zu. Olga springt auf, geht in schnellen Schritten hinter ihr her, überholt sie, öffnet vor ihr die Tür, hält sie der Frau sogar auf. Dengler bleibt vor der geschlossenen Tür mit dem Piktogramm für *Señoras* stehen.

Drinnen geht die Blonde an der Reihe mit den Waschbecken vorbei und schließt sich in der ersten Box ein. Olga bleibt vor den Waschbecken und den großen Spiegeln stehen und öffnet zwei Wasserhähne. Sie greift in ihre Jackentasche und zieht das Handy der Blonden heraus. Dengler steckt den Kopf zur Tür herein, und Olga winkt ihn heran. Sie drückt auf einen Knopf des Telefons, und das Gerät verlangt eine PIN-Nummer.

»Sch ...«, entfährt es Georg Dengler.

In diesem Augenblick geht die Tür auf, und die Putzfrau steht in der Tür, bewaffnet mit Schrubber und einem Eimer. Erschrocken bleibt sie stehen, als sie den Mann auf der Damentoilette sieht, und zieht Luft in ihre Lungen, die sie für die folgende Schimpfkanonade sicher braucht. Dengler dreht Olga mit einer heftigen Bewegung zu sich und küsst sie auf den Mund. Mit seiner rechten Hand greift er an ihren Oberschenkel und schiebt sie unter ihren Rock.

Die Putzfrau erstarrt mitten in der Bewegung, und die angestaute Luft entweicht mit einem sanften Pfeifen. Sie dreht sich um, murmelt etwas auf Andalusisch und schließt die Tür hinter sich.

»Was hat sie gesagt?«, flüstert Dengler.

»Eesa era tambien mi hora preferia. – Das war früher auch immer meine Zeit.«

»Ohne die PIN-Nummer kommen wir nicht weiter.«

In der Box rauscht die Wasserspülung.

»Ich muss ihr das Telefon in die Tasche schieben, wenn sie rauskommt. Und du musst hier raus, und zwar schnell.«

Dengler geht zur Tür.

In der Kabine wird die Tür entriegelt, und die Frau kommt heraus. Sie kramt in ihrer Handtasche, sucht ihr Telefon.

Olga geht direkt an ihr vorbei, stößt sie leicht an, entschuldigt sich und schließt die Tür hinter der zweiten Kabine.

Die Blonde kramt weiter in ihrer Handtasche, findet das Handy, und Olga hört sie sagen: »Nein, hier ist alles in Ordnung.«

Siebter Tag

Samstag, 25. Mai 2013

90. Schuhgeschäft, Barcelona, vormittags

»Los! Mach schon. Führ uns zu Jakob.«
Doch die blonde Frau steht vor dem Schuhregal und redet
mit der Verkäuferin. Diese, ein junges Mädchen mit schwarzen Zöpfen, nickt und verschwindet durch eine Tür. Dengler fotografiert sie mit der Handykamera. Doch nach wenigen Minuten erscheint sie wieder und jongliert vier
Schuhschachteln und stellt sie neben die Blonde, die sich auf
einen Stuhl gesetzt hat. In aller Ruhe probiert sie die Schuhe
an, läuft im Laden auf und ab und kann sich nicht entscheiden. Dengler fotografiert sie.
Er schickt das Bild an Hildegard.

Kennst du diese Frau?

Die Antwort kommt prompt:

Nein? Wer ist das?

Die Blonde besucht einen Modeladen und kauft zwei
T-Shirts. Dann schlendert sie die Ramblas hoch, betritt weitere Schuhgeschäfte, probiert ein Kleid an.
Dengler flucht. »Ich hätte Lust, sie in die Mangel zu nehmen. Aber dann wird sie ihre Hintermänner informieren.
Ich war noch bei keiner Observation so ungeduldig.«
»Ich denke die ganze Zeit über den leeren Ordner nach. Auf
dem Computer deines Sohns sind alle Ordner mit Material
gefüllt. Schweine, Hühner, Puten, Kälber …«
»Nur der Ordner mit ›Menschen‹ ist leer. Lautet die Schluss-
folgerung daraus vielleicht: Jakob und seine Freunde haben
sich vom Tierschutz abgewandt und kämpfen gegen jetzt
die internationale Finanzmafia? Treffen sie sich deshalb mit
Leuten von der spanischen Finanzpolizei und lassen sich
auf deren Veranda fotografieren?«
»Die gerne Teenager empfängt?«

Dengler sagt: »Ich weiß, das klingt alles absurd. Wir kennen die Zusammenhänge nicht. Immerhin haben wir eine Spur: Wir müssen an der Blonden dranbleiben.« Dann: »Wer ist mein Kind? Ich weiß es nicht, Olga. Je mehr ich ermittele, desto fremder wird Jakob mir.«

Als die blonde Frau aus dem Modeladen kommt, rennt ein Jugendlicher an ihr vorbei, in der Hand eine Damenhandtasche. Hinter ihm läuft ein spanischer Kellner, der laut »¡Detened al ladrón!« ruft. Die Leute sehen auf, aber da ist der Junge schon vorbeigelaufen. Zwanzig Meter weiter steht ein Moped mit laufendem Motor. Der Junge springt auf, der Fahrer gibt Gas, und der Kellner bleibt laut schimpfend stehen.

Die blonde Frau sieht dem ungerührt zu und geht dann weiter.

»Wir brauchen ihr Handy«, sagt Dengler. »Ich hab eine Idee.«

91. Hotel Colón, Barcelona, nachmittags

Die Blonde verlässt durch die Drehtür das Hotel. Sie hat sich umgezogen, trägt nun einen Minirock aus Jeansstoff, hohe Korkschuhe, ein weißes T-Shirt, und über die Schulter hat sie eine große Badetasche aus schwarzem Stoff gehängt. Zielstrebig wendet sie sich nach links zur Plaza de Antonio Maura und steigt in eines der am Straßenrand wartenden gelben Taxis. Dengler und Olga lassen sich in den nächsten kleinen Wagen fallen.

»Geradeaus«, sagt Dengler und beugt sich vom Rücksitz nach vorne, um besser sehen zu können.

»Deutsche?«

»Genau.«

Das Taxi vor ihnen mit der Blonden biegt nach links ab.

»Links«, sagt Dengler.

Nach einer Weile: »Jetzt rechts, dann geradeaus.«

»Soll ich dem Kollegen vor mir folgen?«

»Wäre super.«

»Freunde?«

»Ja, kann man sagen.«

Der Taxifahrer fängt an zu singen: »*Ein Freund, ein guter Freund, das ist das Schönste, was es gibt auf der Welt* ... Acht Jahre Köln. Ford. Motormontage. Kölle Alaaf. Südstadt gut. In unserem Veedel.«

»Jetzt links.«

»Himmel un Ääd. Ah, Köln. Ich denke gerne daran zurück. Ihre Freundin fährt bestimmt zum Strand. In Köln regnet es jetzt. Hab ich heute Morgen noch im Fernsehen gesehen.«

»Es regnet überall in Deutschland. Ist ein komisches Frühjahr.«

Sie fahren nun die Avenue del Litoral entlang. Rechts liegt La Barceloneta und das Mittelmeer. Durch das geöffnete Fenster des Taxis strömt warme Meeresluft. Doch Dengler hat Angst. Ein drückendes Gefühl in seiner Magengrube. Angst. Angst und Ungewissheit. Die Frau, der sie folgen, soll sie zu seinem Sohn und zu dessen Freunden führen. Aber stattdessen macht sie einen Ausflug zum Meer.

Das Taxi vor ihnen hält.

»Halten Sie zwanzig Metern davon entfernt.«

Olga steigt aus, Dengler bezahlt den Fahrer. Dann folgen sie der Blonden, die durch eine schmale Straße hinunter zum Meer läuft. Sie dreht sich nicht um. Sie beachtet den Kitsch in den Auslagen der Touristenläden nicht, die Barca-T-Shirts, die Dalí-Poster, die Postkarten, die Miró-Imitationen, die Fototapeten mit Motiven der Stadt.

Die Fototapeten?

Olga hält Georg Dengler am Arm fest und weist schweigend auf ein Schaufenster. Drei große Fototapeten hängen von der Wand. Eine davon hat genau das Motiv, vor dem Jakob fotografiert wurde.

92. La Barceloneta, Strand, nachmittag

»Jetzt!«
Die Blonde telefoniert.
Sie liegt auf einem großen blauen Badetuch in einem knappen Bikini. Und das bereits seit drei Stunden.
Dengler und Olga erheben sich von dem Tisch in dem Strandcafé etwas oberhalb des Strandes. Sie gehen in schnellen Schritten auf die Blonde zu, die nun aufrecht sitzt, das Handy am rechten Ohr.
Dengler rennt los.
Als er bei der Blonden ist, schlägt er ihr das Handy aus der Hand, schnappt sich ihre Badetasche und rennt los.
Die Blonde schreit: »Hey!« und springt auf. Sie sucht das Handy, aber Olga hat es schon in der Hand.
Olga schreit: »Bleib stehen, du Scheißer!« Und rennt einige Schritte hinter Dengler her, der jetzt die Badetasche fallen lässt, weiterrennt, die Straße erreicht und verschwindet.
Olga und die Blonde laufen einige Schritte hinterher, die Frau hebt ihre Badetasche auf, und Olga reicht ihr das Handy.
»Diese Scheißtypen. Wenn ich den erwischt hätte.«
»Wenn Sie zur Polizei gehen wollen, ich komme gerne als Zeugin mit.«
Die Blonde winkt ab. »Ich hab die Badetasche ja wieder zurück. Außer einem T-Shirt und meinem Rock war da ja gar nichts drin.«
Sie schüttelt den Kopf. Dann klopft sie den Sand von der Tasche.

»Danke. Vielmals danke.«

»Keine Ursache.« Die beiden Frauen reichen sich die Hände.

Kurz danach treffen sich Dengler und Olga in ihrem Hotelzimmer.

»Hast du die Telefonnummer?«

Sie reicht ihm einen Zettel.

Dengler greift nach seinem Handy und wählt die Nummer des BKA-Verbindungsbeamten in Madrid. »Hallo Christof, ich habe noch eine Nummer. Könntest du feststellen, wer der Teilnehmer ist, wo er ist und mit wem er um 16.20 Uhr in Barcelona gesprochen hat? – Ja. Ich danke dir.«

Achter Tag

Sonntag, 26. Mai 2013

Monolog Carsten Osterhannes

Unternehmer sein heißt auch immer wieder, Chancen zu erkennen und vor allem Chancen zu nutzen. Jetzt sprechen wir über den nächsten Regelkreis: die Beschaffung von Arbeitskräften. Die entscheidende Chance sahen wir nach dem Zusammenbruch des Ostblocks. Man kann es nicht anders sagen: Die Fleischindustrie war ihrer Zeit weit voraus.

Wir schickten damals den kleinen Arbeitsminister aus der Regierung Kohl los. Es gibt Fotos, da sieht man mich noch, irgendwo hinten in der dritten Reihe, da stehe ich und grinse in die Kamera. Das Abkommen, das am 8. Dezember 1990 in Warschau unterzeichnet wurde, heißt: *Vereinbarung zwischen der Regierung der Bundesrepublik Deutschland und der Regierung der Republik Polen über die Entsendung von Arbeitnehmern polnischer Unternehmen zur Ausführung von Werkverträgen.*

Diese Vereinbarung und die weiteren, die folgten, sind die Grundlage des Wohlstands der Fleischregion in Deutschland, also des Gebiets südlich von Oldenburg, das sich bis Münster zieht und nach Ost-Westfalen, Hoheitsgebiet meines Kollegen Tönnies. Über dieses Abkommen schrieb keine Zeitung lange Artikel, aber es veränderte die Bundesrepublik. Es veränderte unsere Branche. Und in aller Bescheidenheit: Es machte mich zu einem der reichsten Männer Deutschlands.

Der Vertrag sah vor, dass Schlachtereien aus Polen Kontingente ihrer Arbeitskräfte in Betriebe in Deutschland schicken durften. Später kamen – sehr wichtig – Rumänien und Bulgarien hinzu sowie die Slowakei, Bosnien-Herzegowina, Mazedonien, Kroatien, Slowenien, Lettland und Ungarn. Diese Abordnungen aus Betrieben des ehemaligen Ostblocks sollten hier erleben, wie die westliche Marktwirtschaft funktioniert, um dann nach ihrer Rückkehr das hier Gelernte dort umzusetzen. Hier sollten sie Hilfsarbeiten verrichten, genau umrissene Aufgaben erledigen, eben sogenannte Werkverträge erfüllern. Es gab komplexe Verträge, die wir augenzwinkernd akzeptierten. So hieß es zum Beispiel in der deutsch-bulgarischen Regierungsvereinbarung: »Die Arbeitserlaubnis wird nur erteilt, soweit die Entlohnung des Werkvertragsarbeitnehmers (…) dem Lohn entspricht, welchen die einschlägigen deutschen Tarifverträge für vergleichbare Tätigkeiten vorsehen.« Für uns, die deutsche Fleischindustrie, war als Anreiz nur vorgesehen, dass wir für die osteuropäischen Arbeitskräfte keine Sozialversicherung zu zahlen brauchten, weil diese Leute ja in ihren heimatlichen Unternehmen versichert waren. Es sollte, so zumindest die Darstellung nach außen, Lohndumping verhindert werden.

Aber unter uns gesprochen: Jedem Eingeweihten war klar, was wir vorhatten, und die Bundesregierung machte ja auch mit. Schon nach wenigen Jahren beschäftigten wir Fleischleute an die 50 000 osteuropäische Arbeiter. Wir wurden, wie gesagt, sehr, sehr reich dabei.

Heute beschäftige ich in meinen Firmen etwa zehn Prozent deutsche Arbeitskräfte in Festanstellung. Ich brauche die im Büro, an den Computern, in der Finanzbuchhaltung, zur Überwachung und Kontrolle. Das Zählen und Wiegen der gelieferten Schweine in der Lebendviehannahme macht natürlich jemand von uns, aber sonst …

Um Werkverträge abzuschließen, brauchen wir Partnerfirmen aus den osteuropäischen Ländern, so steht es zumindest in den Gesetzen und Verträgen. Aber diese Schlachtereien waren erstens bald pleite, zweitens gibt es in ganz Rumänien nicht so viele Schlachter, wie wir Rumänen beschäftigen wollten. Also gründeten wir selbst Firmen oder griffen auf rumänische Unternehmer zurück, die bereits im Personalgeschäft tätig waren. Kann sein, dass die auch illegale Sachen machten. Kann sein, dass die auch Frauenhandel betrieben. Es steht mir nicht zu, die Moralkeule über diese Länder zu schwingen. Außerdem kümmere ich mich nicht um die Wertvorstellungen der Leute, mit denen ich Geschäfte mache. Entscheidend war: Wir brauchten Firmen, mit denen wir Werkverträge abschließen konnten.

In unseren Firmen vergaben wir zunächst die Kuttelei an einen solchen Subunternehmer. Scheißarbeit, im Wortsinn. Die Därme werden in den Kellern gereinigt. Die ersten unserer Kellerkinder waren Polen, heute sind es meist Rumänen. Dann vergaben wir nach und nach ganze Produktionsabschnitte an die Subunternehmen mit den rumänischen Arbeitern. Reinigung der Organe, dann die Verpackung. Schließlich das Zerlegen selbst.

Früher hatten wir beim Zerlegen fünfzehn teure Metzgergesellen mit ein paar Hilfsarbeitern am Band stehen. Die hatten eine Lehre gemacht und mussten womöglich mit ihrem Lohn Frau und Kinder ernähren. Meist waren das Bauernkinder aus der Umgebung, sie kannten sich mit Fleisch aus. Wir zahlten damals Stundenlöhne um die dreißig, vierzig Mark. Jeder von denen in der Gruppe verdiente gleich viel. Deshalb hielten sie zusammen wie Pech und Schwefel. Auch gegen uns. Jeder von denen konnte alles machen: Grobzerlegen, Feinveredlung, Schinken auslösen, Oberschalen rausschneiden. Einerseits Profis. Andererseits teuer.

Wir haben sie alle entsorgt. Altersbedingt die einen, Hartnäckige in die Kuttelei versetzt, bis sie von sich aus kündigten, und so weiter. Wo früher fünfzehn Fachkräfte standen, stehen heute sechzig ahnungslose Ostarbeiter. Die schneiden rechte Augen aus, zwölf Stunden am Tag. Die zwacken den linken Fuß ab, die entfernen die Borsten an der Brühanlage, zwölf, fünfzehn Stunden am Tag. Zerteilen in zwei Hälften – das kriegt der blödeste Rumäne hin.

Für uns hatte das zwei Vorteile: Wir steigerten die Produktivität durch Arbeitsteilung. Wo früher fünfzehn am Band standen, stehen heute sechzig. Die Geschwindigkeit des Bandes verdreifachte sich.

Und die Leute kosten ja nix.

93. Café am Platz vor der Kathedrale, Barcelona, vormittags

»Dengler, Gratulation! Die Nummer, die du mir gegeben hast, ist heiß. Sie gehört zu einem Ring von Mädchenhändlern. Organisierte Kriminalität vom Feinsten. Eine Rockerbande, die rumänische und bulgarische Frauen an Bordelle und Laufhäuser in Deutschland vertickt. Der Teilnehmer heißt Marcus Steiner und ist einer der Chefs der First Rocker Crew. Wir checken gerade das Telefon der Frau, mit der er telefoniert hat.«

»Ich brauche unbedingt den Standort des Handys von diesem Marcus Steiner. Ich würde auch gerne wissen, mit wem dieser Steiner sonst noch spricht.«

»Kompliziert, Georg, kompliziert. Das machen jetzt nicht mehr die spanischen Kollegen, das läuft jetzt direkt über Wiesbaden.«

»Es geht um meinen Sohn, Christof.«

»Ich weiß, ich weiß. Aber ich bin jetzt am Ende meiner Möglichkeiten. Sorry. Aber das ist eine heiße Spur. Die Kollegen in Wiesbaden ...«.

»Ich brauch deine Hilfe. Wo sitzt dieser Steiner? Hallo? Hallo, Christof? Hallo?«

94. Büro Dr. Richard Müller, BKA Wiesbaden, vormittags

»Marlies, vielen Dank, dass Sie wieder mal an einem Sonntag für mich ins Büro gekommen sind. Was liegt noch an?«

»Die Unterschriftenmappe. Ich würde sie gerne wieder mit-

nehmen. Ich will dann auch gleich nach Hause und hätte die
Sachen gerne weg von meinem Schreibtisch.«
»Okay, okay. Was Wichtiges dabei?«
»Nichts Wichtiges, ein paar Sachen nur, Büromaterial,
Druckerpapier, zwei Tonerkartuschen, die ich dringend
brauche, eine Telefonüberwachung, das Protokoll der letz-
ten Sitzung des ... «
»Okay, okay. Warten Sie kurz, Marlies. Sie können die Mappe
gleich wieder mitnehmen.«
Dr. Müller unterschreibt mit schwungvollem Bogen die For-
mulare und reicht die Mappe Marlies zurück.

Monolog Carsten Osterhannes

Um ein Beispiel zu nennen: Wir zahlen dem Subunternehmer 1,03 Euro pro geschlachtetes Schwein. Früher lagen
die Kosten mehr als doppelt so hoch, nämlich bei 2,50 pro
Schwein. Der Subunternehmer schlachtet 600 Schweine in
der Stunde und braucht dazu 60 Mann. Er bekommt also
von uns 618 Euro in der Stunde. Wir bekommen dafür von
ihm fertig zerlegte Schweinehälften. In diesem Preis ist ent-
halten: das Aufhängen der betäubten Schweine, das Ste-
chen, das Schrubben der Haut, das Kopfabschneiden, das
Fußabhacken, das Entfernen und Säubern der Darmpakete
und so weiter.
Auf seine Leute umgerechnet setzt der Subunternehmer
also 10,30 Euro pro Arbeitskraft und Stunde um. Davon
muss er für seine Leute jedoch noch Arbeitskleidung, Werk-
zeuge, Beile, Messer und Sozialversicherung zahlen. Und er
wird reich dabei. Der deutsche Subunternehmer, der uns
jahrelang mit Rumänen belieferte, erzielte innerhalb von

vier Jahren fünf Millionen Euro Privatvermögen – nach Steuerzahlung.

Für die Rumänen am Band bleiben dann zwei Euro, zwei Euro fünfzig oder drei Euro pro Stunde. Da das fleißige Leute sind, die zehn und mehr Stunden arbeiten, freuen die sich. Für die ist das viel Geld. Allen ist geholfen. Alle sind glücklich.

Um einen Schlüsselbeinknochen auszulösen, braucht man zwei oder drei kräftige Schnitte. Meine Personalabteilung hat es ausgerechnet: Pro Schnitt verdient eine Frau 0,0098 Euro, ein Mann 0,0131 Euro. Es ist eine harte Arbeit, ich weiß. Mit 100 000 Schnitten im Monat erhält eine rumänische Frau 980 Euro – brutto.

Und das muss so sein. Ohne die Werkverträge müssten wir Tariflöhne bezahlen. Mir schaudert allein bei dem Gedanken. Durch die Werkverträge haben wir ein Niedriglohnparadies mitten in Deutschland geschaffen. Das ist unsere Basis, um den europäischen Markt aufzurollen. Mitten in Deutschland, im schönen Oldenburger Land, rund um das idyllische Münster mit den schönen Boutiquen, im Herzland des Katholizismus, haben wir es geschafft, ein Lohnniveau zu schaffen wie in den Karpaten.

Es ist kein Wunder, dass Danish Crown Schlachtbetriebe in Dänemark geschlossen hat und zu uns ins Oldenburger Land gekommen ist. Belgische Schlachtereien siedeln sich hier an. Nirgends sonst ist die Arbeit so billig wie hier.

Okay, es gibt Verfahren bei der EU wegen des angeblichen Lohndumpings in der Fleischindustrie in Deutschland. Aber dem sehen wir ruhigen Blicks entgegen. Solange die Regierung unsere Expansion fördert, werden wir dieses System ausbauen.

Wir stehen ja erst am Anfang.

95. Hotelzimmer, Barcelona, mittags

»Georg?«

»Hallo Marlies. Hast du was für mich?«

»Ja, mein Süßer, habe ich. Ich hab's gemacht wie früher.
Dem Müller einfach eine Postmappe ...«

»Klasse, ich danke dir. Und?«

»Sei doch nicht so kurz angebunden. Der Anruf kam von
einem Bauernhof in der Nähe von Oldenburg. Ein kleines
Anwesen, das einem Bauern namens Zemke gehört. Zemke
ist in keiner Kartei. Nicht vorbestraft, ordentlicher Bürger,
nicht mal was wegen Alkohol am Steuer oder zu schnellem
Fahren. Der Anrufer Marcus Steiner ist einer der Chefs der
FRC, steht für First Rocker Crew. Die sind im Rotlichtmilieu
unterwegs, verschleppen Frauen aus Osteuropa und schicken sie in Deutschland auf den Strich. Mehrfach vorbestraft
wegen Gewaltdelikten. Hat drei Jahre in Berlin abgesessen.«

»Wer ist die blonde Frau hier in Barcelona?«

»Gisela Schulte, seine Freundin, kommt aus gutem Eltern-
haus, Studium der Psychologie in Hamburg und München,
Abschluss, danach Arbeit als Therapeutin, jetzt halt dich
fest, im Knast Berlin-Tegel. Hat Marcus Steiner dort kennen-
gelernt. Sie verliert ihre Stelle. Warum genau, bleibt unklar.
Sie ist jedoch nicht vorbestraft. Gemeldet ist sie in Berlin.
Keine gemeinsame Wohnung mit Steiner. Mehr geben die
Akten nicht über sie her.«

»Psychologin? Sie kann sich jedenfalls gut in die Psyche der
verschwundenen Kids einfühlen. Weißt du, was dieser Steiner auf dem Bauernhof von diesem Zemke zu schaffen
hat?«

»Keine Ahnung. Vielleicht macht er Ferien auf dem Bauernhof.«

»Ein Schwerkrimineller? Wie oft telefoniert er mit Gisela
Schulte?«

»Zwei-, dreimal am Tag. Die beiden sind wohl ein Paar. Seine Freundin macht Urlaub in der Sonne, hat das verregnete Frühjahr in Deutschland satt. Und da telefonieren die beiden und sagen sich nette Sachen.«

»Und warum hat sie die Handys von Jakob und seinen Freunden?«

»Keine Ahnung, Georg. Das ist alles, was ich herausgefunden habe.«

»Ich müsste wissen, ob die Kinder auf diesem Bauernhof sind.«

»Ich bin hier nur die Chefsekretärin.«

»Marlies, du hast schon ganz andere Sachen gemacht.«

Dengler hört seine frühere Geliebte am Telefon seufzen.

»Also erneut Amtsanmaßung. Ich ruf dort an. Sie sollen das untersuchen.«

»Ich bin dir mehr als einen Gefallen schuldig.«

Sie lacht. »Du weißt genau, was ich gerne von dir hätte.«

»Eine Nacht?«

»Das reicht nicht, Georg. Drei sollten es schon sein.«

»Ruf mich sofort an, wenn du mehr weißt. Wir beschatten so lange die Frau Schulte in Barcelona.«

Monolog Carsten Osterhannes

Schweine, Hühner und Rumänen, sag ich immer, sind die Quellen unseres Wohlstands. Es ist ja nicht nur, mit Verlaub, die Firma Osterhannes, die profitiert.

Der BV Cloppenburg zum Beispiel, unser Fußballclub. Wie heißt das Stadion? Von einer Zeitarbeitsfirma gesponsert: Time Partner Arena.

Stellen Sie sich nur mal vor: Die Rumänen und Bulgaren,

die Polen und Letten, die müssen ja auch irgendwo wohnen. Fahren Sie mal durch Quakenbrück, durch das Oldenburger Essen, durch Lastrup oder Cappeln. Überall sehen Sie diese alten Häuser mit den verhängten Fensterscheiben, ehemalige Bäckereien oder Gebäude, die nicht mehr so ganz stabil sind. Drinnen steht Doppelstockbett an Doppelstockbett. Jeder Hausbesitzer, der irgendwo noch eine Hütte hat, stellt Betten rein und vermietet sie.

Und es lohnt sich.

Die Bürger sind den Schlachtereien dankbar.

Es kommt Geld in die Region.

Da gibt es einen Gemüsebauer, der sich fragt, warum soll ich Gurken oder Kürbisse anbauen, warum soll ich mich den ganzen Tag bücken, ich kann doch Container aufs Feld stellen. Da gibt es einen Geschäftsmann, der hat gleich eine alte Kaserne gemietet. Die nehmen von den Rumänen sieben Euro pro Bett und Nacht, bei acht oder zehn von denen in einem Zimmer. Das ist ein gutes Geschäft. Die Bürger sind uns dankbar. Ihre Häuser sind wieder etwas wert, selbst die älteste Hütte kann problemlos vermietet werden. Die Mieten in Oldenburg und Umgebung sind durch uns kräftig gestiegen und inzwischen so hoch wie in Bremen. Wenn da ein junges Paar mit der Miete feilschen will, dann kann der Vermieter sagen: Entweder du nimmst sie oder gehst, da stehen schon vierzig Kanaken vor der Tür, die hier wohnen wollen. Natürlich sieht die ärmlichen Gestalten niemand gern durchs Dorf schleichen. Manche fühlen sich unwohl, wenn die beim Bäcker neben ihnen stehen. Aber der Wohlstand hat seinen Preis, sag ich immer.

Neunter Tag

Montag, 27. Mai 2013

96. Hof des Bauern Zemke, Nähe Oldenburg, vormittags

Der Streifenwagen biegt von der Landstraße in die Zufahrt zum Gehöft des Bauern Zemke ein. Vorsichtig umfährt er die zahlreichen Pfützen, doch hin und wieder erschüttert ein Schlagloch die beiden Männer, die auf den beiden Vordersitzen des blauen VW sitzen.

Jörg Baumann und Willi Hanke sind erfahrene Polizisten, beide über zwanzig Jahre dabei. Baumann spielte früher in der A-Mannschaft des BVC und träumte von der Karriere als Tormann. Er ging dann zur Polizei, weil er hoffte, im öffentlichen Dienst besser trainieren zu können. Nun spielt er immer noch Fußball, ist immer noch Tormann, allerdings in der Altherrenmannschaft seines Vereins. Willi Hanke dagegen ist eher der Typ für den Innendienst, er liebt Tabellen und Listen, und er schreibt gerne die Berichte für Baumann, der mit der Schreibarbeit nicht so gut zurechtkommt. Hin und wieder braucht Hanke wie jeder Mensch etwas Abwechslung, und er freut sich, mit Baumann Streife zu fahren. Selbst dann, wenn sie einen so seltsamen Auftrag haben wie heute.

Am Morgen war eine dringende Bitte des BKA gekommen, auf dem Hof des Bauern Zemke nachzusehen, ob dort nicht einige vermisste Jugendliche festgehalten und versteckt würden. Jeder im Ort kennt Christian Zemke. Es ist eine alteingesessene Bauernfamilie: Christian, jetzt allerdings auch nicht mehr der Jüngste, hat den Hof vom Vater übernommen und dann ganz auf modern gemacht, Schweinezucht im größeren Stil und neuerdings auch Puten.

Baumann und Hanke kennen die Zemkes von Kindesbeinen an. Man sieht sich sonntags in der Kirche, bei Hochzeiten, auf den Festen. Nicht dass sie eng befreundet wären, aber hier oben geht es ja gar nicht anderes. Im Laufe der Jahre hat man schon einige Schnäpse zusammen gekippt. Deshalb hat Hanke das Ermittlungsgesuch des BKA seinem Kollegen Baumann mit den Worten gezeigt: »Guck mal, jetzt drehen die vollständig durch.«

Zur Bürokratie innerhalb der Polizei haben die beiden eine feste, auf langjährige Erfahrung gegründete Meinung. Wenn man alle Vorschriften und Befehle, die sich die Sesselfurzer in Wiesbaden ausdenken, hier auf dem flachen Land tatsächlich ausführen würde, dann würde es keine Streifenfahrten und keine Einsätze geben. Alle Kräfte wären ausschließlich damit beschäftigt, Berichte an die oberen Stellen zu schreiben. Den ganzen Tag lang.

Also lachten die beiden, als sie das Fax des BKA aus dem Drucker gezogen und gelesen hatten. Andererseits: Das Bundeskriminalamt war das Bundeskriminalamt, und es kam nicht alle Tage vor, dass man sich mit einem Ersuchen hier an ihre kleine Dienststelle wandte. Eigentlich war es sogar das erste Mal. Also musste man zum Bauern Zemke rausfahren. Konnte ja auch nicht schaden, wenn man dem mal Guten Tag sagte. Baumann stoppt den Wagen vor dem Wohngebäude, stellt den Motor ab und zieht die Handbremse an.

»Lass mich den Schrieb schnell noch mal lesen«, sagt er und streckt die Hand aus. Hanke, der Pedant, öffnet eine Mappe und reicht ihm das Dokument in einer Klarsichthülle. Baumann liest, schiebt die Mütze nach vorne, um sich besser am Hinterkopf kratzen zu können, als die Tür aufgeht und Christian Zemke heraustritt und auf sie zugeht.

»Na, was macht ihr denn schon so früh hier? Ist doch gar nicht eure Zeit?«

»Christian, wir sind dienstlich hier. Vier Jugendliche aus Süddeutschland werden vermisst. Und wir müssen wissen, ob die hier auf deinem Hof versteckt werden.«

Die Verblüffung auf Zemkes Gesicht ist echt. »Ihr meint, ich hätte hier ein Pfadfinderlager oder so was?«

»Nein, Christian, wir haben den Auftrag, uns nach den vier Vermissten zu erkundigen.«

»Hier sind nur ab und zu die Rumänen zum Ausstallen der Puten. Aber das dauert noch ein paar Wochen, bis die wiederkommen.«

Baumann kratzt sich immer noch am Kopf. Ihm ist die Befragerei peinlich.

»Und noch 'ne Frage. Waren auf deinem Hof Rocker? Du weißt schon, so Typen mit Motorrädern. Die sollen hier gewesen sein.«

Zemke sieht Baumann an, sicht zum Hof zurück. Dann sagt er: »Ja, aber die sind schon wieder weg.«

»Die waren hier? Auf dem Hof?«

»Für eine Minute. Hatten sich verfahren und wollten wieder zurück auf die Autobahn. Waren auf dem Weg nach Hamburg.«

»Wir müssen unseren Job machen wie du auch. Nach den Jugendlichen wird von ganz oben gesucht. Da müssen wir ...«

Zemke sagt plötzlich leiser: »Schon gut. Wollt ihr einen Kaffee? Meine Frau kann euch einen starken schwarzen ...«

»Nix für ungut«, sagt Hanke. »Ich muss wieder zurück in die Stube. Formulare, Formulare – von der Wiege bis zur Bahre. Du weißt ja.«

Zemke sagt, immer noch leise: »Kommt schon, ein Kaffee schadet euch doch nix.«

»Nächstes Mal, Christian, das nächste Mal.«

»Meine Frau macht das wirklich gern für euch.«

Baumann rückt die Mütze gerade und lässt den Motor an. »Danke für die Auskunft.«

Langsam gleitet das Polizeifahrzeug vom Hof.

»Meine Frau macht das gern für euch«, wiederholt Hanke. »Also würdest du es mit dem Zemke seiner Alten treiben wollen? Er hat das so leise gesagt, als sei's was Unanständiges.«

Baumann lacht: »Der Zemke doch nicht. Der denkt doch nur an seine Säue.«

Sie erreichen jetzt die Landstraße, und Baumann beschleunigt den Streifenwagen.

97. Hof des Bauern Zemke, Nähe Oldenburg, vormittags

Langsam und mit hängenden Schultern geht Christian Zemke zur Eingangstür zurück. Er dreht sich noch einmal um und lässt den Blick über seinen Hof schweifen. Dann tritt er in den Flur.

Hinter der Tür steht der widerliche kleine Schläger. Er steht hinter Julia, hat den linken Arm um ihren Hals gelegt und mit der rechten drückt er ihr eine Pistole an die Schläfe.

»Sind sie weg?«

Zemke nickt resigniert. »Sie sind weg.«

»Was wollten die von dir?«

Zemke sieht ihn müde an. »Lass meine Frau los. Die suchen vier Jugendliche, die hier irgendwo in der Gegend sein sollen. Und die hatten den Auftrag sogar vom Bundeskriminalamt, die hier zu suchen. Dann haben sie noch nach Rockern gefragt. Sie sind wieder weg.« Dann lauter: »Und jetzt lass meine Frau los.«

»Scheiße.« Marcus Steiner gibt Julia frei und stößt sie von sich. »Bruno«, brüllt er. Bruno kommt aus der Küche, auch er mit einer Pistole in der Hand. »Sperr die beiden oben ein und fessele sie. Los. Wir müssen hier weg.«

Bruno hebt die Waffe und weist zur Tür. »Auf geht's.«

In der Küche sitzt der Rest von der Crew.

»Marcus, wir wollen jetzt mal wissen, wie das hier weitergeht«, sagt einer.

»Was wollten die Bullen?«, fragt ein anderer.

Der nächste: »Wir müssen den Ronnie wegbringen. Der stinkt schon.«

»Der hat doch immer schon gestunken«, sagt Kevin, aber keiner lacht.

»Wir müssen hier weg. Die Bullen suchen die Kids. Wir bla-

260

sen hier alles ab. In zehn Minuten ist Aufbruch. Wischt überall rum, wo Fingerabdrücke sein könnten.«

Die Männer nicken.

»Dann sitz hier nicht blöd rum. Hier ist Schichtende.«

Stühle werden zurückgeschoben. Einige fallen um. Kevin sagt: »Das Landleben hat mir sowieso nicht gefallen.«

Ein anderer: »Wir könnten uns zum Abschied ja noch mal die Kleine vornehmen.«

»An der ist doch nix dran.«

»Keine Volksreden mehr«, sagt Marcus. »Es ist jetzt ernst.«

Dann geht er hinüber ins Wohnzimmer und lässt sich in die beige Couch der Zemkes fallen. Er greift sich an den Kopf. Jetzt nur keine Fehler machen. Irgendetwas ist aus dem Ruder gelaufen. Woher weiß das BKA, dass die verfluchten Kids hier sind? Er muss den Rückzug antreten. Es dürfen keine Spuren gefunden werden. Nichts darf auf die First Rocker Crew hinweisen. Hauptsache ist, dass er seine Leute heil hier rausbringt.

Zwei Anrufe sind jetzt wichtig: Er wählt die erste Nummer. »Gisela, etwas ist schiefgegangen. Wirf die Dinger weg, die du hast. Und verschwinde aus Barcelona. Ich weiß nicht, warum. Verschwinde einfach. Und zwar sofort. Nicht erst in einer Stunde. Ich meine: jetzt sofort.«

Dann wählt er die zweite Nummer. Er atmet zweimal kräftig ein und aus. Dieses Gespräch wird schwieriger werden.

Als er das Handy wieder in die Tasche steckt, ruft er seine Leute zusammen. »Änderung der Marschrichtung. Wir bleiben bis heute Nacht. Wir fackeln hier alles ab. Egal, ob es regnet oder nicht.«

98. Gefängnis der Kids, vormittags

Simon: »Ich habe mich wohl echt geirrt. Ich dachte wirklich, die lassen uns wieder laufen. Nach ein paar Stunden oder spätestens nach zwei Tagen. Ich hab gedacht, die wollten uns nur einen Schreck einjagen.«
Cem: »Das haben sie. Also mir jedenfalls. Keine Ahnung. Ich habe wirklich keinen Plan, was die von uns wollen.«
Kimi: »ich will nur meinen Lohn. Zwei Monate. Und ich will meinen Pass zurück. Ich will nur zurück nach Hause. Mehr will ich doch nicht.« Dann neigt er den Kopf und versinkt in tiefes Brüten.
Jeder hängt seinen eigenen Gedanken nach. Laura denkt an ihre Mutter. Macht sie sich Sorgen? Bereitet sie gerade eine Predigt vor? Manchmal fragt sie: »Laura, hör mal, wie findest du das? *Der Herr hat gesagt: ›Ich will dich nicht verlassen und nicht von dir weichen.‹ Ich möchte heute mit Ihnen, liebe Trauergemeinde, dieses Bibelwort aus zwei unterschiedlichen Richtungen betrachten. Ich habe den Verstorbenen nie kennengelernt, aber nach allem, was ich von ihm gehört habe, was mir Menschen erzählt haben, die ihm nahestanden, bin ich überzeugt, dass ihm dieser Satz selbst wichtig gewesen ist.«*
»Das ist Bullshit, Mama. Du glaubst es doch selbst nicht, dass der Mann, den du nicht kanntest, diesen Unsinn für wichtig hielt. Du hältst ihn für wichtig. Aber Jesus hat den Toten doch verlassen, oder?«
Und schon waren sie mittendrin in einer ihrer philosophischen Debatten, die den Vater vom Tisch trieben. Laura lächelt. Sie freut sich auf zu Hause. Sie freut sich auf die Debatten mit der Mutter, die sie bisher oft genug unsäglich fand.
Cem denkt, dass in seiner Familie die Hölle los sein muss. Der Onkel ist aus Istanbul zurück, und der ganze Schwindel, dass er mit ihm gereist sei, schon längst aufgeflogen. Die

Mutter wird verheult in einer Ecke sitzen, der Vater wütend durch die Wohnung tigern. Wenn das hier alles vorbei ist, wartet die nächste Katastrophe auf ihn. Er weiß nicht, welche schlimmer ist.

Simon sitzt da und murmelt vor sich hin: »Ich versteh das nicht.« Und dann wieder: »Ich versteh das alles nicht.« Er wird Ärger mit seinem Vater bekommen, aber irgendwie wird sich das schon wieder regeln lassen. Trotzdem: Das macht doch alles keinen Sinn!

Jakob versucht, sich in den Kopf des gefährlichen, des kleinen Rockers zu versetzen. Wie kommt der Kerl auf die Idee, ausgerechnet ihn, Jakob, vor der Fototapete zu fotografieren? Weil sein Vater ihn sucht! Das haben die Gangster mitbekommen. Sie wollen Papa ablenken. Deshalb das Foto. Aber woher wussten die überhaupt, dass sie allen ihren Eltern von der Reise nach Barcelona erzählt haben? Woher konnten die das wissen? Woher? Er grübelt, und ihm fällt nichts ein. Außer: Einer von uns muss geplappert haben. Aber wem gegenüber? Jemandem in der Schule? Jemanden in Cems oder Simons Handballverein? Und wie kommt das zu den Rockern? Er denkt nach, aber es ist, als würde er gegen eine Gummiwand rennen. Er kommt nicht voran. So sehr er sich anstrengt, er kommt nicht voran.

Da denkt er lieber etwas Angenehmes. Er imaginiert sich zurück, in die frühe Zeit ihrer Clique. Sie haben diese erste Phase die »Phase der Orientierung« genannt. Keine Tiere mehr essen! Verantwortlich leben. Sie waren eine eingeschworene Gemeinschaft. Sie ließen niemanden von außen herein.

Dann kam die »Und jetzt«-Phase. Cem stellte die Frage zuerst. »Und jetzt?«, fragte er. »Wir wissen jetzt, wie man richtig leben soll. Und? Was machen wir damit?«

Simon sagte, wenn alle Menschen so denken würden wie sie, dann wäre die Welt gerettet. Es gäbe Nahrungsmittel genug für alle, weil die Ressourcen nicht für die Viehzucht verschleudert würden. Kein Mensch auf der Welt müsse mehr hungern.

Jakob sagte, es gäbe viel weniger Krankheiten. Die Krebsrate würde sinken. Antibiotika würden nicht zusehends wirkungslos. Laura fügte hinzu, die Menschen würden sich besser fühlen, weil sie kein schlechtes Gewissen mehr haben müssten. Und die Umwelt würde nicht so verschmutzt werden. Das Nitrat im Grundwasser, das Ammoniak in der Luft. Vogelgrippe, Schweinepest, SARS – alles trugen sie zusammen.

»Und jetzt?«, fragte Cem. »Was machen wir mit unserem Wissen?«

»Wir müssen andere überzeugen«, sagte Laura prompt.

»Hach, die Pfarrerstochter spricht«, sagte Simon. »Ich hab keine Lust, Missionar zu werden.«

Cem: »Aber irgendwas müssen wir doch tun. Ich meine, das ist doch wie in einem Film: Eine kleine Gruppe von Forschern weiß, wie die Welt zu retten ist. Alle sind gegen sie. Trotzdem setzen sie sich ein.«

Simon: »Wir leben aber nicht in einem Film.«

Laura: »Cem hat recht. Irgendetwas müssen wir doch machen.«

Simon: »Guck dir doch die Nullen an unserer Schule an. Die sind zu dumm und zu bequem, um zu verstehen, was wir denken. Wir sind eine Art Elite.«

Cem: »Ich nicht.«

Jakob: »Ich auch nicht.«

Laura: »Was könnten wir tun?« Schweigen.

Simon: »Vielleicht könnten wir eine Website machen.«

Jakob: »Gibt es schon Tausende.«

Cem: »Wir müssen ganz normale Leute ansprechen.«

Simon: »Türken?«

Cem: »Warum nicht?«

Jakob: »Wir wenden uns an den gewöhnlichen Fleischfresser.«

Laura: »Und wo finden wir den?«

»An der Tiefkühltheke bei Edeka, Lidl, Aldi, Rewe und Metro.«

So wurde die Idee mit dem Aufkleber geboren.

Gelber Grund, schwarze Buchstaben, jedoch ohne den Balken der Stuttgart-21-Gegner.

»Esst kein Fleisch aus Massentierhaltung«, schlug Laura vor.

»Amen«, sagte Cem.

»Nein. Das muss zünden«, rief Simon, sprang auf und rannte hin und her. Aber etwas Besseres fiel ihm auch nicht ein.

Jakob sagte: »Wir müssen auf die Gesundheit abheben. Wenn die Leute denken, es ist nicht gesund, was sie hier bekommen, dann kaufen sie es nicht.«

»Sie vergiften sich mit diesem Fleisch. Lassen Sie es liegen«, schlug Cem vor.

Letztlich einigten sie sich auf: *Dieses Fleisch stammt aus Massentierhaltung. Sie vergiften damit sich und Ihre Familie!*

»Perfekt«, sagte Laura. Alle waren zufrieden.

Simon sah sich im Internet nach einer Druckerei um. Er vergewisserte sich, dass die Aufkleber in sehr guter Qualität hergestellt wurden. Schließlich mussten die Dinger ja fest an oder in Tiefkühltruhen haften.

Sie zogen meist zu viert los. Einfach war es nicht. Laura und Simon gaben das Liebespaar und stellten sich so hin, dass sie die Kameras, falls vorhanden, verdeckten. Jakob und Cem zogen die Schutzhülle von dem Aufkleber und drücken ihn gegen die Innenwand der Tiefkühltruhe. Dann: schnell raus aus dem Laden. An einem Nachmittag schafften sie es, vier, manchmal fünf oder sogar sechs Läden mit ihren Aufklebern zu versorgen.

Es machte riesigen Spaß.

Nach drei Wochen sagte Cem erneut: »Und jetzt?«

Es gab ein Problem. Sie wussten nicht, ob die Aufkleber wirkten. Kauften wirklich weniger Menschen Schweinefleisch, Putenfleisch oder Hähnchen, weil sie von ihren Aufklebern abgeschreckt wurden? Sie wussten es nicht.

Außerdem kratzte das Personal in den Läden die Aufkleber ziemlich rasch wieder ab. Die Aktion machte Spaß. Aber zeigte sie auch irgendeine Wirkung?

Sie mussten also neu überlegen. Sie gingen zu einer Demonstration gegen den Verkauf von Pelzmänteln im Kaufhaus Breuninger. Dort lernten sie Rainer Wieland kennen, den Geschäftsführer des Vereins Menschen für Tiere.

Ihm erzählten sie von ihrer Aktion. »Gute Sache das«, sagte er. »Aber es gibt Wichtigeres. Wir wollen ein Ermittlerteam zusammenstellen.«

»Ein Ermittlerteam?«

»Wir suchen Leute, die in die Hühner- und Putenställe gehen und die Tierquälerei dokumentieren. Berichte und Filme machen. Wir suchen Leute, die wir in die Schlachtereien einschleusen können.«

Sie waren sofort begeistert. Sie lernten mit Nachtsichtgeräten umzugehen, mit hochempfindlichen Kameras, sie übten über Zäune zu klettern, sie beschäftigten sich mit dem Tierschutzgesetz.

Der dunkelhäutige Cem ließ sich in den Ferien als rumänischer Schlachtarbeiter anheuern. Er brachte Minikameras an. Er lernte Adrian kennen.

Und Cem war es auch, der als Erster sagte: »Wir müssen uns auch um die Menschen kümmern. Nicht nur die Tiere leiden. Auch die Menschen, die dort arbeiten. Ich habe jemanden kennengelernt. Ein Kollege. Er heißt Adrian. Kommt aus Rumänien. Feiner Kerl. Er ist bereit, vor der Kamera mit uns reden.«

Simon war sofort dagegen. »Wir sind Tierschützer. Wir sind keine Gewerkschaft. Niemand zwingt die Leute, Tiere zu töten. Es sind Mörder.«

»Quatsch«, sagte Jakob. »Cem hat doch erzählt, in welcher Not sich diese Männer befinden.«

Sie konnten sich nicht einigen. Bis schließlich Laura den richtigen Vorschlag machte. »Wir probieren es einfach. Wir treffen diesen Adrian und reden mit ihm. Wenn wir den Film haben, entscheiden wir gemeinsam, was damit zu tun ist.«

Sie planten die Aktion gründlich. Ihren Eltern erklärten sie,

sie würden in den Pfingstferien für ein paar Tage nach Barcelona reisen. Cem verabredete sich mit Adrian in der Mastanlage, wo er ihn kennengelernt hatte.

Rainer Wieland lieh ihnen die Ausrüstung.

Alles lief gut.

Jakob grübelt und grübelt. Wie passen die Rocker dazu? Warum ist ihre Aktion trotz all der Vorbereitung und Planung so gründlich in die Hose gegangen?

Warum wurden sie gekidnappt?

99. Barcelona, mittags

»Georg, mein Süßer!«

»Hallo, Marlies. Gibt es etwas Neues? Ich sitze hier auf glühenden Kohlen.«

»Schöne Vorstellung. Also, dein Sohn und seine Freunde sind nicht auf diesem Bauernhof. Wir haben einen Streifenwagen hingeschickt. Der ist vor einer halben Stunde zurückgekommen. Nichts. Ich hab mit dem Streifenführer gesprochen. Der Bauer wohnt mit seiner Frau auf dem Hof. Es gibt keine Jugendlichen und keine Rocker auf dem Hof.«

»Aber der Steiner hat doch von dort telefoniert.«

»Dafür, Süßer, gibt es eine natürliche Erklärung. Eine Gruppe Motorradfahrer war auf dem Hof und hat sich nach dem Weg erkundigt. Aus dieser Zeit müssen die Gesprächsdaten stammen.«

»Die Kids sind nicht auf dem Hof?«

»Definitiv nicht. Und noch eines: Georg, ich bin hier die Sekretärin. Ich bin keine Ermittlerin. Ich muss hier immer irgendeinen alten …«

»Liebhaber?«, schlägt Dengler vor.

»... Bekannten aktivieren, damit ich solche Sachen organisieren kann.«

»Marlies, ich weiß. Du bist klasse. Ich danke dir.«

»Was unternimmst du jetzt?«

»Jetzt nehme ich mir diese Lady vor. Die wird mir jetzt genau erklären, wo mein Sohn ist.«

Er springt auf und wirft sich sein Jackett über die Schulter. Im Eilschritt läuft er durch die engen Gassen. Olga folgt ihm, so gut sie kann.

Kurz danach stehen sie vor der Rezeption des Hotel Colón.

»Bedauere, Frau Schulte ist abgereist.«

»Abgereist? Sie wollte doch noch einige Tage bleiben?«

Der Mann in dem dunklen Anzug zuckt bedauernd die Schultern. »Sie hat vor zwei Stunden überraschend unser Haus verlassen.«

»Wissen Sie, ob Sie nach Deutschland zurückfliegen wird?«

Ein weiteres bedauerndes Schulterzucken. »Das weiß ich leider nicht.«

»Wir haben sie aufgeschreckt, Olga. Wir haben sie irgendwie aufgeschreckt. Und ich habe keine Ahnung, wieso«, sagt er zu Olga, als sie das Hotel wieder verlassen.

100. Flughafen Barcelona, mittags

»Der nächste Flug nach Stuttgart geht erst am Abend.«

Sie stehen vor der Anzeigetafel des Flughafens.

»Das ist viel zu spät.«

Olga studiert den Flugplan: »Die beiden nächsten Flüge gehen nach Hamburg und Berlin.«

»Hamburg. Hamburg ist perfekt.«

Das Telefon klingelt. »Dengler? Hier noch mal Streich. Falls dir die Information etwas hilft: Das Rockerfrauchen hat keinen Flug von Barcelona oder einem anderen spanischen Flughafen aus gebucht. Sie hat auch keinen Mietwagen genommen. Zumindest nicht auf ihren Namen. Wir vermuten, dass sie mit ihrem eigenen Pkw unterwegs ist, vermutlich zurück nach Deutschland. Was machst du?«

»Ich fliege zurück nach Stuttgart.«

»Halt uns auf dem Laufenden.«

»Versprochen.«

Sie gehen zu dem Schalter der Fluggesellschaft. Dengler bezahlt zwei Tickets.

»Was können wir tun, Georg?«

»Ich weiß es nicht.«

Er sieht Olga an. »Ich weiß es wirklich nicht.«

Als sie bereits im Abflugterminal sitzen, klingelt sein Telefon erneut.

»Tevfik spricht hier«, sagt eine Männerstimme. »Tevfik Caimoglu. Sie erinnern sich: Tevfik Caimoglu, Sie waren bei mir zu Gast. Ich bin Cems Vater.«

»Ich erinnere mich an Sie. Haben Sie Nachrichten von Cem?«

»Schlechte Nachrichten, mein Herr. Cem bringt großes Unglück über unsere Familie. Er hat seinen Vater belogen. Er war nicht mit meinem Bruder in Istanbul. Mein Bruder hat mich auch belogen. Cem ist mit Ihrem Sohn unterwegs. Niemand in meiner Familie weiß wo. Wissen Sie es?«

»Nein. Ich weiß es nicht. Aber ich suche unsere Kinder, Herr Caimoglu. Ich suche sie. Waren Sie bei der Polizei?«

»Die Polizei hilft nicht. Sagt, Cem ist erwachsen. Kann machen, was er will. Stellen Sie sich das mal vor. Als wär er nicht mein Sohn.«

Olga zieht Dengler sanft zu dem Abfertigungsterminal. Der Counter ist geöffnet, und die ersten Fluggäste besteigen die Maschine nach Hamburg. Olga zeigt ihre Tickets und Pässe vor. Sie gehen durch den Gang zum Flugzeug.

»Herr Caimoglu, Sie haben mit Ihrem Sohn doch über das Problem, Tiere zu essen, gesprochen, sagen Sie, was …«

»Problem? Mein Herr, es gibt kein Problem. Wir essen Tiere, seit es uns gibt! Und Cem isst nicht einmal ein Zicklein! Stellen Sie sich das mal vor! Am Ende der Fastenzeit …«

»Ich weiß, ich weiß. Haben Sie mit ihm auch über Menschen gesprochen?«

»Allerdings. Das habe ich. Mehrmals. Ich hab ihm gesagt, dass nicht nur die Tiere leiden, sondern auch die Menschen. Ich hab gesagt: Cem, die Menschen in der Fleischindustrie leiden auch. Wieso kümmerst du dich um Tiere? Das hab ich zu ihm gesagt.«

Eine Stewardess sagt leise zu ihm, dass er das Gespräch beenden müsse. Beim Start sei die Benutzung elektronischer Geräte nicht erlaubt.

»Sie haben mir sehr geholfen, Herr Caimoglu.«

Dann beendet Dengler das Gespräch.

101. Hof des Bauern Zemke, Nähe Oldenburg, abends

Die First Rocker Crew arbeitet schnell und schweigend. Bruno trägt die Abfälle zusammen und sammelt sie in blauen Müllsäcken.

»Wieso müssen wir immer so viel saufen? Ich brauch einen Sack allein für die Dosen.«

»Vergiss keine. Stell die Säcke nach draußen. Wir verladen sie am Abend, wenn wir abgeholt werden.«

Kevin sammelt alle Gerätschaften und Klamotten ein. Er schwitzt und flucht, aber auch er macht seine Sache gründlich. Sicherheitshalber wird er in der Küche eine besonders große Lache Benzin hinterlassen. Sicher ist sicher.

Andere schleppen die Kanister mit Benzin in den Hof. Marcus selbst nimmt die beiden weißen Behälter, auf denen die Fingerabdrücke der Jugendlichen sind, und wirft sie zwanzig Meter vor der Mastanlage aufs Feld. Hier wird das Feuer sie nicht erreichen. Die Polizei oder die Feuerwehr werden sie finden.

Das sollen sie auch.

Es wird schon dunkel, als die Crew mit dem Aufräumen fertig ist. Sie sitzen in der Küche. Kevin will sich eine Dose Bier aufmachen.

»Auf keinen Fall«, sagt Bruno. »Ich hab alle Dosen in die Müllsäcke verstaut. Mach jetzt keinen weiteren Dreck.«

»Du mich auch«, sagt Kevin, und zischend bricht der Verschluss.

»Du Scheißer!« Bruno springt auf, packt Kevin mit zwei Fingern an den Schläfenhaaren und zieht ihn hoch. Kevin brüllt vor Schmerz. Bruno brüllt auch. »Du machst jetzt keinen Dreck mehr, du Ratte.«

Kevin nickt. Bruno lässt ihn los. Die Nerven liegen blank in der First Rocker Crew.

»Wenn ihr keine Weiber ficken könnt, dreht ihr durch«, sagt Marcus. »Bleibt einfach zwei Stunden lang ruhig sitzen. Dann ist es vorbei.«

102. Gefängnis der Kids, abends

»Wenn jeder für sich denkt, hilft uns das auch nicht weiter, Leute«, sagt Jakob schließlich.

Simon: »Wir müssen warten und warten, bis die Arschlöcher uns endlich frei lassen.«

Jakob: »Und wenn sie nicht daran denken?«

Simon: »Jakob, red bitte keinen Unsinn. Ich weiß nicht, was die vorhaben, aber irgendwann müssen sie uns laufen lassen.«

Cem: »Also ich hab langsam meine Zweifel. Vielleicht wollen sie aber nur, dass meine Familie mich verstößt.«

Jakob: »Nachdenken schadet doch nicht. Versetz dich doch mal in den Schädel von so einem Rocker.«

Simon: »Wahrscheinlich ist das ganz einfach. Sie haben einen schönen Drogendeal auf einem Bauernhof geplant. Da kommen vier doofe Jugendliche und stören. Also werden die eingesperrt, bis der Deal gelaufen ist.«

Laura: »Das ist nicht ganz logisch. Erstens würden sie uns bei einem Drogendeal nicht ihre Gesichter zeigen. Zweitens: Warum wollen sie unsere Fingerabdrücke auf den Kanistern haben?«

Jakob: »Laura hat recht. Dass sie uns ihre Gesichter zeigen, heißt doch, dass wir sie später nicht identifizieren können. Zum Beispiel, weil sie dann im Ausland sind.«

Laura: »Oder?«

Schweigen.

Kimi: »Diese Leute verkaufen keine Drogen. Sie bringen uns von Rumänien nach Deutschland. Hier müssen wir arbeiten. Das organisieren diese Leute.«

Cem: »Menschenhandel!«

Laura: »Aber das erklärt ja noch weniger, wobei wir ihnen in die Quere gekommen sind.«

Cem: »Und warum sie nicht fürchten, später von uns identifiziert zu werden.«

Jakob: »Sprechen wir's doch aus! Weil wir dann nicht mehr leben.«

Simon: »Jakob, so ein Quatsch!«

Laura: »Wieso, Simon? Wieso ist das Quatsch?«

Simon: »Das ist so großer Quatsch, dass ich nicht mal drüber nachdenke.«

Cem: »Ich denke nichts anderes.«

Jakob: »Dafür spricht auch, dass unsere Fingerabdrücke auf

den Kanistern sind. Die Kanister wird man finden, wenn wir tot sind.«

Laura: »Was wird die Nachwelt denken?«

Cem: »Laura, Jakob, Simon und Cem haben den Brand gelegt.«

Simon: »In den Kanistern ist nur Wasser.«

Cem: »Ja, jetzt noch.« Er steht auf. »Ich glaube, Jakob hat recht. Die werden den Hof abfackeln und uns gleich mit.«

Kimi: »Bitte redet nicht solche Sachen. Ich fürchte mich jetzt schon genug.«

Simon: »Cem, setz dich wieder hin. Jetzt werdet ihr alle wahnsinnig. Ihr jagt Kimi schreckliche Angst ein.«

Jakob: »Wir müssen unseren Knast hier feuerfest machen. Wir müssen jede Ritze mit unseren Klamotten abdecken. Sonst zieht das Feuer den Sauerstoff hier raus und wir ersticken.«

Simon springt auf und schreit sie an: »Hört jetzt auf, solchen Unsinn zu reden. Wir kommen hier raus. Sie lassen uns frei!«

Cem: »Und wenn nicht? Nur mal angenommen, Simon. Nur mal angenommen, Jakob hat recht.«

Jetzt steht auch Laura auf: »Jakob hat recht.«

Jakob, der als Einziger noch auf dem Boden sitzt: »Hoffentlich nicht.«

103. Hamburg Flughafen, abends

Dengler steht am Schalter des Mietwagenverleihs.

»Bei diesem BMW-Modell läge im Schadensfall die Selbstbeteiligung bei maximal 1200 Euro. Bei Vollkasko keine Selbstbeteiligung, allerdings wäre die Mietgebühr deutlich höher.«

»Ich nehme Vollkasko.«

»Gerne. Dann unterschreiben Sie bitte hier.«

104. Hof des Bauern Zemke, Nähe Oldenburg, nachts

In der Dunkelheit sieht man sie kaum.

Sie arbeiten jetzt konzentriert, und die Stimmung ist fast fröhlich. In einer Stunde ist es vorbei, und sie sehen diesen verfluchten Bauernhof nie mehr wieder.

Kevin geht mit dem Kanister durch die dichten Reihen der weißköpfigen Puten und gießt das Benzin in einem durchgehenden Fluß durch die Halle. Der Gestank ist unerträglich. Plötzlich muss er kotzen, und weil es hier keinen Platz gibt, kotzt er einfach über diese beschissenen Vögel drüber. Angewidert sieht er, wie sie sofort seine Kotze aufpicken.

Ihm ist schwindelig. Er leert den Rest des Eimers aus und geht.

Bruno geht mit einem Kanister in das Schlafzimmer der Zemkes. Die beiden Bauersleute sind ans Bett gefesselt und haben Knebel im Mund. Mit geweiteten Augen sieht Julia, wie Bruno, eine Spur aus Brandverstärker hinter sich ziehend, zu ihnen kommt und Benzin über ihr Bett kippt. Sie will »Christian, hilf mir« schreien, aber sie kann nicht. Christian liegt neben ihr gefesselt und geknebelt. Sie sieht, dass seine Backen sich leicht bewegen. Er betet. Er hat aufgegeben.

Bruno schüttet den Rest des Benzins über ihn und geht dann. Aber sie will nicht sterben. Sie hat noch nicht aufgegeben. Sie rüttelt an den Fesseln. Sie versucht den Knebel aus dem Mund zu drücken. Vergebens. Die Fesseln sitzen straff und der Knebel fest. Sie bewegt die Hände, um die Fesseln zu lockern. Sie zieht. Sie dehnt. Sie kämpft.

Und tatsächlich: Nach einer Weile fühlt sie, dass die Seile etwas lockerer sind. Nicht viel. Ein Millimeter vielleicht nur. Hoffnung. Sie reibt und dehnt und zieht erneut. Wenn sie den Knebel nicht hätte, würde sie Christian zusammenstauchen.

Dann irgendwann hält sie ein.
Sie lauscht.
Im Haus ist es totenstill.
Da merkt sie, wie sie zittert. Die Knie zittern. Die Hände zittern. Sie hat Angst.

Zehnter Tag

Dienstag, 28. Mai 2013

105. Autobahn vor Oldenburg, nachts

Olga sitzt auf dem Beifahrersitz. Auf dem Display des Navigationssystems verfolgt sie die Route und blickt immer wieder hoch.

»Diese Ausfahrt«, sagt sie und deutet auf das große blauweiße Schild neben der Autobahn.

Dengler nickt, setzt den Blinker. Aber er nimmt den Fuß nicht vom Gas. Mit hohem Tempo rast der BMW in die Ausfahrt. Dengler steuert, bremst, gibt Gas. Der Wagen ruckt, will ausbrechen und bleibt dann doch in der Spur.

Für einen Moment sieht Dengler wieder den Mercedes des Bankers vor sich, zerfetzt von der Detonation. Dahinter der Wagen der Kollegen. Dann schüttelt er den Kopf und konzentriert sich aufs Fahren.

»Jetzt links abbiegen«, sagt Olga.

106. Hof des Bauern Zemke, Nähe Oldenburg, nachts

Es sind zwei dunkle Ford-Kombis, die ohne Licht den Weg entlanggleiten. Sie wenden an der Auffahrt und bleiben dann stehen. Die First Rocker Crew steht vor dem Haus und wartet.

Dann werden in den Kombis die Hintertüren aufgezogen, und die Rocker gehen in schnellen Schritten zu den Fahrzeugen. Kevin erreicht als Erster den hinteren Wagen. Er steigt ein.

Bruno und der Bär schleppen die Leiche von Ronnie. Der Bär hat Ronnie unter den Armen gefasst, Bruno trägt ihn

an den Füßen. Der Tote ist in einer durchsichtigen Plastik-
plane eingewickelt. Die beiden Männer ziehen und heben,
aber die Leiche knickt in der Mitte immer wieder durch und
platscht auf den Weg.

»Nicht über den Boden schleifen«, kommandiert Marcus.
»Keine Spuren, verdammt noch mal.«

Bruno wird sofort wütend. »Du kannst den Arsch gern selber schleppen.«

»Spar dir deine Volksreden. Rein mit dem Arsch.«

Bruno und der Bär versuchen die Leiche hochzuheben, aber
sie hängt in der Mitte durch wie ein nasser Sack.

Der Bär flucht. Er packt den Toten jetzt in der Mitte und versucht ihn hochzuheben. Doch die Plane ist nass vom Regen.
Er rutscht ab, und die Leiche fällt auf den Boden. Beide Männer packen sie jetzt in der Mitte und wuchten sie hoch. Die
Plane reißt vorne. Ronnies glasige Augen starren sie an.

»Absetzen, absetzen«, schreit der Bär.

Ronnie plumpst noch einmal zurück auf die Erde.

»Der stinkt, der stinkt. Das halte ich nicht aus.« Der Bär
würgt.

»Hey, kotz hier nicht hin. Keine Spuren. Und packt den Kerl
ins Auto.«

Der Bär würgt und sieht sich um. Dann beugt er sich über
den Toten und kotzt durch den Riss im Leichensack Ronnie
mitten ins Gesicht.

Marcus schüttelt den Kopf. »Das ist nicht zu fassen … Schlimmer als ein Kindergarten ist das hier.«

»Im Kindergarten musste ich noch keine Leichen schleppen.«

»Ich weiß, das kam erst in der Grundschule.«

Zu dritt kippen sie Ronnies Leiche auf die Ladefläche des
Fords. Drinnen heult Kevin auf. »Hey, das stinkt ja unglaublich.« Er reißt die Tür auf, will rausspringen – und blickt in
die Mündung von Marcus' Waffe.

»Rein. Rein und Schnauze halten.«

Kevin atmet noch einmal tief ein, hält sich die Nase zu, wirft Marcus einen wütenden Blick zu und steigt in den Wagen.

Marcus geht zurück in den Hof. Dann bückt er sich. Er zieht sein Feuerzeug aus der Hosentasche und reibt mit dem Daumen über den Anzünder.

Nichts.

Er versucht es noch einmal.

Nichts.

Und noch einmal.

Nichts.

Wütend steht er auf und rennt in das Haus. Er stolpert im Flur über eine Stufe, fängt sich wieder, reißt die Tür zur Küche auf. In dem Schrank oben, in dem Fach ganz links, liegen die Streichhölzer. Er reißt die Schranktür auf, wühlt sich durch Kaffeefilter, Salz- und Pfefferstreuer, findet die Streichhölzer, reißt eine Schachtel aus der Packung, öffnet sie, nimmt ein Streichholz heraus und fährt damit über die Reibfläche. Der rote Schwefelkopf entzündet sich sofort. Marcus schüttelt das Streichholz, bis die Flamme erlischt.

Dann stürzt er nach draußen. Bleibt in der Mitte des Hofes stehen, dreht sich noch einmal um, sieht die dunklen Schatten der wartenden Kombis, nimmt die Streichholzschachtel in die linke Hand, drückt mit dem Zeigefinger der rechten Hand die Schachtel auf, kniet sich nieder, zieht das Zündholz über die Reibfläche, formt mit der linken Hand einen Windschutz für die Flamme, dann senkt er beide Hände und streichelt mit dem zuckenden Flämmchen zärtlich das wartende Benzin.

Einmal.

Und noch einmal.

Das Streichholz erlischt.

Marcus flucht. Mit zitternden Fingern zieht er ein neues Streichholz hervor und hält es an die Seitenfläche.

Er wartet einen Augenblick.

»Lieber Gott, bitte lass es brennen.«

Mit einem entschlossenen Zug zieht er das Hölzchen über die Reibfläche, schützt die Flamme mit der hohlen linken Land.

»Lass es brennen, lieber Gott, lass es brennen. Lass mich meine Leute hier heil rausbringen.«

Dann lässt er das flackernde Streichholz fallen.

107. Gefängnis der Kids, nachts

»Das ist doch verrückt!«, schreit Simon.

»Gib mir deine Unterhose. Ich muss eine Lücke füllen.«

Jakob kniet vor der großen Tür. Durch einen Spalt scheint noch Licht in ihr Gefängnis. Jakob ist nackt, Cem ist nackt, Kimi ist nackt, Laura – nur mit BH und notdürftig zusammengeknotetem Slip bekleidet – drückt ihr T-Shirt fest gegen den Rahmen des Fensters.

»Gib mir deine verdammte Unterhose, Simon. Wir sterben hier.«

»Leck mich mal. Du bist völlig durchgeknallt. Die zünden uns nicht an.«

»Wieso nicht?«, fragt Laura.

»Ich weiß es halt.«

»Gib mir endlich deine versiffte Unterhose.«

»Ich denke nicht dran. Du bist bloß auf Laura scharf. Laura, gib ihm deinen BH. Darauf arbeitet er doch die ganze Zeit hin. Gib ihm deinen BH. Und deinen Slip gleich mit.«

Cem steht auf und geht auf Simon zu. »Schluss jetzt, Simon.« Er stellt sich direkt vor Simon und sieht ihm in die Augen. Ganz ruhig und kalt. Dann streckt er die Hand aus. »Deine Unterhose.«

»Ihr spinnt doch alle. Aber meinetwegen.« Simon streift die

Unterhose die Beine hinab und wirft sie Jakob zu. Der fängt sie in der Luft und stopft sie in die Lücke.

Laura dreht sich um und sieht ihn an. »Warum, Simon? Warum glaubst du, dass sie uns nicht anzünden?«

Simon wendet sich von ihr ab und antwortet nicht.

108. Hof des Bauern Zemke, Nähe Oldenburg, nachts

Wumm.

Vor Marcus schießen die Flammen in die Höhe.

Und sofort rast das Feuer dem Wohnhaus entgegen, teilt sich, zischend wie eine Natter, stürzt sich einer Verzweigung entlang dem Haus entgegen, während die andere auf den Stall zurast, in dem zehntausend Puten und fünf Menschen gefangen sind.

Marcus steht auf, schlägt sich den Schmutz von den Knien und geht hinüber zu den wartenden Wagen. Er steigt ein, die Tür fällt mit einem satten Plopp ins Schloss, und die dunklen Kombis fahren ohne Licht bis zur Landstraße.

Erst dort beschleunigen sie und schalten die Scheinwerfer an.

109. Landstraße in der Nähe von Oldenburg, nachts

»Ich hab diesen blöden Bauernhof verloren. Wir sind vielleicht schon ein Stück zu weit gefahren«, sagt Olga und starrt auf das Display des Navis.
Es ist dunkel draußen. Sie sehen kein Licht weit und breit.
Dengler stoppt den Wagen und beugt sich zu Olga hinüber, um besser auf das Display sehen zu können. »Ich meine nicht«, sagt er.
Zwei Scheinwerfer kommen ihnen entgegen.
»Ich frag mal«, sagt Olga und öffnet den Verschluss des Sicherheitsgurtes. Sie öffnet die Tür und schlüpft hinaus auf die Straße. Sie läuft auf die andere Straßenseite, hebt die Arme und winkt den beiden Fahrzeugen, die ihr mit hohem Tempo entgegenfahren.
»Stopp«, schreit sie und hebt die Hände. Mitten auf der Fahrbahn bleibt sie stehen, beleuchtet vom Fernlicht der heranrauschenden Fahrzeuge.

110. Schlafzimmer im Bauernhof Zemke, nachts

Wie verrückt die Hoffnung ist!
Wie verrückt die Hoffnung ist, selbst wenn man weiß, dass es keine Chance gibt. Julias Fesseln haben sich um einen halben Zentimeter gelockert. Nur ein halber Zentimeter! Aber diese kleine, diese klitzekleine Bewegungsfreiheit reicht für eine wahnsinnige Hoffnung.
Und gibt ihr Kraft.
Sie zerrt und reißt. Sie sieht ihren Mann neben sich, betend vor sich hinbrabbelnd. Unfähig zur Gegenwehr. Sie ist wü-

tend. Sie würde ihn anschreien, wenn sie den verdammten Knebel nicht im Mund hätte. Sie versucht es. Sie zerrt und reißt. Und die Fesseln geben ein kleines Stück nach. Glaubt sie jedenfalls. Sie ist sich nicht sicher. Vielleicht ist es Einbildung. Aber es verdoppelt ihre Energie.

Wie verrückt die Hoffnung ist!

111. Landstraße in der Nähe von Oldenburg, nachts

Der dunkle Kombi kommt direkt vor ihr zum Halten. Olga ist geblendet und legt den Arm vor ihre Augen. Sie geht zur Fahrerseite und sanft gleitet die Fensterscheibe ein Stück herunter. Nicht weit. Nicht so weit, dass sie den Mann am Steuer sehen kann.

»Ich such den Zernke-Hof. Wissen Sie, wie ich dort hinkomme?«

»Allerdings. Sie müssen umdrehen. Fahren Sie fünf Kilometer in die Gegenrichtung. Dann geht es rechts ab. Steht ein Schild davor.«

Olga läuft zum BMW zurück. Die beiden Kombis verschwinden.

Dengler wendet den Wagen und gibt Gas.

Keiner von ihnen spricht jetzt.

Im Rückspiegel sieht Dengler den Feuerball. Hell und klar und hoch stehen die Flammen.

Er tritt mit aller Kraft auf die Bremse. Das Fahrzeug blockiert und schleudert. Olga wird nach vorne geworfen. Die Sicherheitsgurte fangen sie ab, nur wenige Zentimeter vor der Windschutzscheibe.

Dengler wendet und gibt Gas.

112. Gefängnis der Kids, nachts

Durch das Fenster sehen sie den ersten Feuerschein.

Alle halten den Atem an.

Laura dreht sich zu Simon um. »Scheiße, Simon, ich hab dich wirklich geliebt.« Dann: »Du warst es. Du hast deinen Eltern nichts erzählt. Dein Vater hätte dich umgebracht. Oder er hätte dich in eine andere Schule gesteckt. Oder in ein Internat. Jakob hat recht. Keiner von uns hat mit den Eltern gesprochen. Du erst recht nicht. Aber du hast die Termine gemacht, die Planungen waren deine Planungen. Du bist es gewesen, Simon. Du hast uns verraten.«

Doch Simon hört ihr nicht zu. Er schaut auf das flackernde Licht und dreht sich zu den anderen um. »Die bringen uns wirklich um.« Das sagt er ganz leise. Dann brüllt er: »Die bringen uns wirklich um!« Er rennt zur Tür und hämmert mit beiden Fäusten dagegen. »Lasst mich raus. Das war nicht abgemacht. Das war doch nicht abgemacht. Lasst mich raus!«

Laura reicht Jakob die Hand, dann Cem. Jakob reicht Cem die Hand. Cem zieht Kimi zu ihnen.

Sie stehen nahe beieinander. Laura weint. »Ich will nicht sterben.«

Jakob sagt: »Ich dachte wirklich, mein Vater holt uns hier raus.«

Cem: »Hoffentlich hält unsere Abdichtung. Wenigstens ein bisschen noch.«

Simon sieht keiner mehr an.

113. Schlafzimmer im Bauernhof Zemke, nachts

Die Rocker haben die Spur breit gelegt. Sie haben es dem
Feuer leicht gemacht. Es kennt den Weg. Es durchquert in
Windeseile den Flur und teilt sich wieder. Eine Spur hastet
in die Küche. Das Benzin führt die Flamme über Stühle und
den Tisch zum Schrank. Durch die Tür und durch den Flur
strömt der lebensnotwendige Sauerstoff, der Sauerstoff, der
das Feuer groß macht, ihm den Appetit gibt auf die Holz-
bank und die Gardinen, den Fußboden und die Stühle, alles
vorbereitet durchs Benzin.

Das Feuer entfacht seine Hitze und wütet. Die Fensterscheiben platzen, und neuer Sauerstoff entfacht einen Feuer-
sturm, der die Flammen aus dem Fenster hinaustreibt ins
Freie, mit den Resten der glimmenden Gardinen, der brennenden Handtücher, der glühenden Packung Haferflocken,
die hoch in den Himmel getragen wird. Von außen sucht
das Feuer die Wände nach Brennbarem ab, findet Efeu und
Fensterläden, nimmt alles, verzehrt alles in einer einzigen
glühenden Hölle.

Die zweite Spur eilt die Treppe hinauf, frisst im Vorbeigehen
den alten Läufer auf, zündelt an den Türpfosten des Schlafzimmers, folgt der Spur des Benzins, lässt den Teppich lo-
dern und freut sich auf das Bett mit den Daunen und dem
alten Stoff und den Kleidern und der Haut und den Haaren der beiden alten Menschen, die dort gefesselt liegen. Das
Feuer folgt der Spur des Benzins, springt auf das Bett und die
Brust von Christian Zemke. Es frisst sich in seine Jacke, die
brennenden Haare verwandeln seinen Kopf in eine Fackel.
Die Haut auf seiner Stirn wird rot, dann schwarz, platzt
auf, die brennenden Brauen und Wimpern tropfen in seine
schreckensgeweiteten Augen.

Christian Zemke kann nicht einmal schreien. Als der Knebel
verbrennt, lebt er nicht mehr.

Aber Julia lebt noch. Die heiße Luft sengt ihre Lungen. Sie hat sich weit nach der anderen Seite des Bettes gelehnt, weg von ihrem brennenden Mann, weg, soweit es die Fesseln erlauben. Aber dann, in einem irrwitzigen Moment der Vernunft inmitten des Infernos dreht sie sich zurück und hält ihre Hände ins Feuer, das ihren Mann verbrennt. Der Schmerz ist unbeschreiblich. Aber sie lässt die Hände im Feuer und reißt an den Fesseln, sie glühen und glimmen doch schon. Und endlich geben sie nach. Mit dem Arm löscht sie in drei Schlägen den Brand auf ihrem Kopf, dann steht sie auf. Ihr Rock brennt. Sie steht inmitten eines Flammenmeers.

Dann rennt sie los.

Monolog Carsten Osterhannes

Unser Verhältnis zur Regierung?

Ohne Unterstützung durch die Regierung und durch die EU läuft gar nichts. Ich geb Ihnen mal ein Beispiel im Kleinen. Früher waren die Veterinäre, also die beamteten Tierärzte, eine Landesbehörde. Wir haben hart gearbeitet, dass sie heute bei den Landkreisen angesiedelt sind. Das hat einen praktischen Sinn.

Wenn heute ein Veterinär Ärger macht, nicht spurt, sich irgendwie aufbläst, dann rufe ich den Landrat an. Ich kenne die ja alle, zumindest hier in der Gegend. Ich sag dem Landrat ganz klar: Wenn dein Veterinär mir noch länger auf den Nerven rumtanzt, gehe ich mit meiner Schlachterei in den Nachbarkreis. Das würde für den Landrat bedeuten: weniger Steuereinnahmen, weniger Reputation, weniger angenehme Abendeinladungen. Der staucht seinen Tierarzt dann gleich mal zusammen. Erinnert ihn daran, dass er Partner der Fleischindustrie ist und nicht ein Gegner. Ich habe ein paarmal solche Telefonate erledigen müssen. Seither habe ich keine Probleme mit den Tierärzten mehr.

Oder nehmen wir Landesbürgschaften: In Niedersachsen hat meist die CDU regiert. Da gab's nie Probleme mit den Bürgschaften. Ich war ein bisschen unruhig, als der Gabriel ein paar Monate Ministerpräsident wurde. Aber siehe da: Kein Problem, auch da flossen die Bürgschaften für uns.

Oder nehmen wir die Werksverträge. Jeder, der sich ein bisschen auskennt, weiß, dass die Beschaffung der billigen Rumänen und Bulgaren nichts mit den ursprünglichen Verträgen zu tun hat. Grauzone ist da schon ein gewagter Ausdruck. Aber das ist alles amtlich. Das Landesarbeitsamt Frankfurt prüft ja alle Verträge. Würden die alles durchwinken, wenn sie nicht Direktiven von oben bekämen? Wir brauchen die Politik. Im Gegenzug helfen wir, wo wir können. Glauben Sie, dass die Oldenburger Gegend ohne Hilfe so schwarz geblieben wäre? In Cloppenburg ist immer die CDU Stimmenkönig. Von nix kommt nix.

Wir brauchen die Subunternehmer, weil wir sonst Tariflöhne zahlen müssten. Jeder weiß, dass die Subler, wie ich die immer nenne, Mafiosi sind. Normalerweise schmuggeln die Nutten nach Frankfurt, Berlin und Hannover. Jetzt haben sie durch uns einen neuen Vertriebszweig entdeckt: Arbeitskräfte für die Fleischindustrie.

Uns ist es recht, solange der Nachschub funktioniert.

Manchmal vergessen die aber, wer der Chef ist. Fährt so ein Rumäne vor und will mit mir verhandeln. Wir gehen essen. Wir reden freundlich. Ich sag ihm, er bekommt nicht mehr. Freundlich. Freundlich, aber bestimmt. Und wissen Sie, was der Kerl macht? Er beugt sich beim Nachtisch leise zu mir hinüber und sagt: Ihre Tochter geht in den privaten Kindergarten in der Hauptstraße. Nicht wahr?

Der wusste nicht, mit wem er es zu tun hat. Seither überwacht unser Sicherheitsdienst meine Familie. Und die Rumänen waren draußen. Ratzfatz! Von heut auf morgen. Es gibt jetzt andere, die das organisieren können, auch keine Engel, sicher nicht. Aber zuverlässig.

114. Hof des Bauern Zemke, nachts

Die andere Todesspur rast auf die Mastanlage zu. Auch hier folgt sie dem Benzin, das üppig in Pfützen vor der großen Holztür liegt und um die Anlage herum, alles versengend, was sich ihr in den Weg stellt. Sie erhitzt die beiden Scheiben, hinter denen Laura eng umschlungen mit Jakob und Cem und Kimi steht und hinter denen Simon immer noch schreiend gegen die Tür hämmert.

Das Feuer nähert sich ihnen von der anderen Seite. Es kriecht, dem Benzin folgend, unter der Tür hindurch, findet neues Benzin, findet Stroh, folgt beiden, findet die Federn der verzweifelten Puten, die sich übereinander in die hinterste Ecke drängen, dutzendfach übereinander. In ihrer Verzweiflung klettern immer mehr Vögel übereinander, weg, nur weg von dem Feuer, das die ersten bereits erreicht hat, dankbar die Federn frisst, das Fleisch platzen lässt, mit den kämpfenden Vögeln auf den Berg der Tiere klettert, versengt und mordet. Als die Fenster bersten, verdoppelt, nein, vervielfacht neuer Sauerstoff die Energie des Feuers und verwandelt den Turm der Tiere in einen einzigen kreischenden Feuerball.

115. Gefängnis der Kids, nachts

Sie hören das Prasseln des Feuers und das Schreien der sterbenden Vögel. Die Stoffe ihrer Hemden und Hosen unter den Ritzen der Tür beginnen zu glimmen. Jakob schlägt mit der bloßen Hand auf die Glut, versucht sie zu löschen. Cem kniet sich neben ihn und hilft. Dämpfe ziehen durch die Ritzen. Kimi sitzt am Fenster und starrt hinaus, als könne er etwas sehen.

Laura zieht Jakob von der Tür weg. Weit nach hinten in die letzte Ecke. Sie umarmt ihn. Sie zittert. Und weint. Er spürt ihre Haut. Er drückt sie, so fest er kann, und ihnen beiden rinnen die Tränen aus den Augen.

Cem stolpert vorbei. Der Rauch brennt in den Augen und ist jetzt so dicht, dass Jakob ihn kaum erkennen kann.

So wird es also zu Ende gehen. Mit Laura im Arm. Die Dämpfe kriechen an ihnen hoch. Der Boden wird heiß und versengt ihre Füße. Laura wird in seinem Arm ohnmächtig. Und auch er fühlt den Tod. Und Laura. Und plötzlich ist Friede um ihn.

116. Straße in der Nähe von Oldenburg

Dengler versucht den Wagen auf der Straße zu halten, als er die Abzweigung zu dem brennenden Gehöft verpasst. Die Reifen qualmen, als der Wagen endlich steht.

Rückwärtsgang.

Gas.

Erster Gang.

Steuer nach links.

Vollgas.

Zweiter Gang.

Dritter Gang.

Der BMW fliegt über den Feldweg. Dengler reißt das Lenkrad herum, und der Wagen schleudert in den Hof. Er sieht das brennende Hauptgebäude und den brennenden Stall, durch dessen zerstörtes Dach platzende Vögel aus Feuer in die Luft katapultiert werden.

Er sieht einen Arm oder einen Kopf hinter einer Scheibe und drückt erneut auf das Gaspedal. Da läuft eine brennende Frau vor den Wagen.

Olga öffnet die Tür und springt hinaus. Sie rennt der Frau nach, fängt sie ein, gibt ihr einen Stoß, der sie umwirft, dann schlägt sie mit ihrer Jacke auf die Flammen ein.

Dengler sieht die Tür an dem brennenden Stall. Daneben das schmale Fenster mit der Hand.

Er prüft den Sicherheitsgurt. Dann wendet er den Wagen und gibt Gas.

Elfter Tag

Mittwoch, 29. Mai 2013

117. Klinikum Oldenburg, morgens

»Dengler, bist du wieder unter uns?«

Er träumt von Christof Streich, dem Verbindungsbeamten des BKA in Madrid. Dengler hält die Augen geschlossen. Er träumt, Streich halte ihm die Hand.

»Hörst du mich? Mach mal die Augen auf. Stell dich nicht so an. Du hast nur ein paar Prellungen. Und eine klitzekleine Gehirnerschütterung.«

Die Stimme klingt verdammt nahe. Dengler öffnet die Augen und sieht den BKA-Beamten. Schnell guckt er auf seine Hand. Aber Gott sei Dank wird sie von Olga gehalten. Sie sitzt neben ihm, mit müden und verweinten Augen und hält seine Hand. Fest und warm. Dengler schließt die Augen.

»Vernehmung, Dengler. Wir müssen reden. Darf ich Ihnen vorstellen: Kollege Schuster vom SO11 und die Kollegin Hauptkommissarin Ginter von SO13, sie leitet die Abteilung ›Menschenhandel zum Zwecke der Ausbeutung der Arbeitskraft‹. Wie hast du rausgefunden …«

»Wo ist mein Sohn? Wie geht es Jakob?«

»Deinem Sohn geht es gut. Er hat eine Rauchvergiftung. Nur eine leichte. Aber jetzt müssen wir reden … He, bleib liegen.«

Dengler stützt sich ab und wuchtet den Oberkörper hoch. Sofort springen ihn hämmernde Kopfschmerzen an. Er hält inne.

»Jakob«, sagt er.

Hauptkommissarin Ginter nimmt ihn am Arm. »Kommen Sie, wir bringen Sie zu Ihrem Sohn.«

Dengler läuft, gestützt auf Olga und die unbekannte Frau, durch den Flur des Klinikums. Drei Zimmer weiter klopft die Beamtin an die Tür, und sie hören ein mehrstimmiges »Herein«. Als sie eintreten, sieht er Jakob und Laura auf einem Bett sitzen, in dem ein breit grinsender Junge liegt. Das kann nur Cem sein.

»Ich wusste es. Du holst uns da raus!«

Jakob liegt in seinem Arm. Dengler atmet aus. Sein Sohn fühlt sich gut an, dünn – er kann mit der Hand seine Rippen nachfahren –, aber warm und lebendig.

»Unglaublich, wie Sie plötzlich mit dem Auto in unserem Gefängnis standen«, sagt Laura.

»Endlich hatten wir frische Luft«, sagt Cem.

»Wo ist denn der Vierte in eurem Bunde?«

»Simon liegt privat.« Dengler kommt Lauras Bemerkung etwas spitz vor.

»Wo ist Kimi geblieben?«, fragt Cem. »Wissen Sie, wo der Kimi ist, Herr Dengler?«

»Kimi?«

Jakob sagt: »Setz dich zu uns. Wir müssen dir von Kimi erzählen.«

118. Flur im Klinikum Oldenburg, vormittags

Hier müsste es doch irgendwo sein. Die Flure und die Zimmer sehen alle irgendwie gleich aus. Er klopft an eine Tür, geht hinein, aber Adrian liegt hier nicht. Er wandert weiter, geht von Zimmer zu Zimmer, ist immer verwirrter. Er muss doch hier in einem dieser Zimmer gelegen haben.

»Wen suchen sie?«, fragt eine Schwester.

»Adrian. Adrian Radu.«

»Den rumänischen Fleischarbeiter? Den mit der Kopfwunde?«

Kimi nickt. »Ja, genau den.«

Das Gesicht der Schwester überzieht ein Schatten. »Sind Sie ein Freund?«

Kimi nickt. Er kann in dem Gesicht der Schwester lesen.

»Kommen Sie mit mir«, sagt die Frau. »Ich bringe Sie zu unserem Seelsorger.«

Kimi schüttelt den Kopf. Keinen Seelsorger.

Er hat nichts mehr. Keinen Freund. Kein Geld. Keinen Pass. Nicht einmal mehr Kleider. Die Sachen, die Jurgis und die Frau ihm gegeben haben, sind weggeschmissen worden, weil sie halb verbrannt waren. Nicht einmal mehr Kleider sind ihm geblieben.

Aber er weiß, wer schuld ist. Cem hat es ihm erklärt. Cem hat ihm alles erklärt. Die großen Dinge. Das Netz. Die Spinne, die im Zentrum sitzt.

Der kleine Holzklotz bringt den Wagen zum Stürzen. Hat das nicht immer seine Mutter gesagt? Er ist der Holzklotz. Das weiß er jetzt ganz genau. Er ist es. Er, der er ein Nichts war. Jetzt ist er zum Holzklotz geworden. Zum gefährlichen Holzklotz.

Kimi dankt der Schwester. »Nein, keinen Seelsorger«, sagt er.

»Aber sie weinen doch.«

»Ich habe wirklich Grund dazu.«

»Kommen Sie, ich bringe Sie auf Ihr Zimmer.«

Sie nimmt ihn resolut am Arm und führt ihn wieder durch die Gänge und Flure. Vor irgendeiner Tür halten sie, und die Schwester öffnet sie. »Legen Sie sich wieder hin. Ich werde dafür sorgen, dass Sie ein Beruhigungsmittel bekommen.«

Er steigt in das Bett, und sie zieht die Decke gerade.

»Wir wissen, was Sie alle in der Nacht durchmachen mussten. Scheußlich.«

»Ich bin der Holzklotz.«

»Ich bringe Ihnen ein Beruhigungsmittel.«

Als die Frau die Tür hinter sich geschlossen hat, steht er wieder auf. Er geht in den Flur und sieht sich um. Dann huscht er zum Aufzug und fährt ins Erdgeschoss. Er kennt den Weg hinaus. Nur die Straßen muss er meiden. Er hat ja nur einen Schlafanzug an und die Klinik-Latschen. Die Leute würden sich wundern.

Er ist der Holzklotz. Er sucht den Wagen.

119. Klinikum Oldenburg, vormittags

»Also, uns interessiert: Wie hast du deinen Sohn und seine Freunde gefunden? Ich habe dir den Standort von Marcus Steiner nicht genannt.«

»Ich war Polizist, Christof. Ich kann ermitteln.«

»Ja, aber wir haben einen Streifenwagen hingeschickt. Die Kollegen haben die Jungs nicht gefunden. Und der Bauer hat den beiden Streifenpolizisten erzählt, die Rocker seien nur kurz auf dem Hof gewesen. Sie hätten nur nach dem Weg gefragt. Wir nahmen daher an, dass der Standort des Telefonats von Steiner mit seiner Freundin in Barcelona Zufall war. Außerdem haben die Kollegen die Jugendlichen auf dem Hof nicht gefunden.«

»Sie haben vermutlich nicht gesucht. Ich wusste, dass Steiner mehrmals von diesem Standort aus telefoniert hat. Mehrmals. Daher konnte diese Auskunft nicht stimmen. Mehr hatte ich auch nicht in der Hand.«

»Und woher wusstest du von dem Streifenwagen?«

Dengler grinst Streich an. »Ich bin müde, Christof. Wir müssen die Vernehmung beenden. Ich hatte eine anstrengende Nacht.«

Streich beugt sich über ihn. »Wenn du's offiziell nicht erzählen willst, verrätst du es mir als Kollegen, woher du das weißt?«

»Niemals«, flüstert Dengler ihm ins Ohr und schließt die Augen.

120. Quartier der Landsleute

Sie haben ihm Suppe gebracht, und er hat von Jurgis eine Hose, von der Frau Unterwäsche und ein Hemd bekommen. Sie alle haben von dem Brand gehört. Einer erzählt von der Meyer-Werft. Auch dort habe es gebrannt, im Wohnheim. Zwei Landsleute seien in den Flammen umgekommen. Das sei schlimm gewesen. Die Deutschen hätten sogar in den Zeitungen darüber geschrieben. Aber nur ein oder zwei Tage lang. Geändert habe sich nichts.

Aber auf dem Zemke-Hof habe es einen Deutschen erwischt, seine Frau kämpfe noch ums Überleben. So erzählt man, sagt die Frau.

Auch Kimi erzählt. Wie er von den Landsleuten ausgenutzt worden ist. Wie die Wikinger die Landsleute mitsamt ihrer schwarzen Mercedes-Limousinen vertrieben haben. Wie die Wikinger mit einer Maschinenpistole geschossen haben. Wie die Landsleute ihn bei den Wikingern zurückgelassen haben. Wie er in den Raum mit den deutschen Jugendlichen gestoßen worden ist. Einer von ihnen hat seinen Freund Adrian gekannt. Da wird sein Kopf schwer, und er kann kaum den Löffel heben.

»Leg dich in mein Bett«, sagt Jurgis, und die Frau übersetzt. »Ich muss nachher zur Schicht.«

Er schläft schon im Gehen, als sie ihn hinüber in die Stube bringen.

»Ich bin kein Nichts«, sagt er. »Jurgis, ich bin der Holzklotz.«

»Das freut mich«, sagt Jurgis.

»Wann kommst du von der Schicht zurück?«

»Am frühen Morgen. Warum?«

»Kannst du mir zwei Messer leihen?«

Jurgis lacht: »Willst du etwa Schweine zerlegen?«

»Ich werde zu der großen Spinne im Netz gehen. Ich will

mein Geld und ich will meinen Pass.« Und er erzählt, was Cem ihm gesagt hat.

Die Frau sagt: »Ich kenne den Mann. Ab und zu werde ich in sein Haus gerufen. Dann muss ich die Schlachterei sauber machen. Er hat eine eigene Schlachterei. In einem kleinen Haus hinter seinem großen Haus. Jeden Dienstagmorgen geht er dorthin und schlachtet ein Tier. Am Nachmittag kommen ein paar Frauen und machen sauber. Es gibt eine Kombination, eine Zahl an der Tür. Wir Putzfrauen kennen die. Du gibst die Zahl ein, und die Tür geht auf.«

»Wie heißt die Zahl?«

»6560.«

»Zeigst du mir den Weg zu dem Haus?«

Die Frau setzt sich neben ihn und streicht ihm übers Gesicht. »Ja. Das tue ich. Das tue ich sogar gerne. Du bist der Holzklotz. Am besten gehst du noch heute Nacht. Du musst über den Zaun klettern. Nimm eine Decke von uns mit. Ruhe dich vorher aus. Am Morgen kommt die Spinne.«

Die Augen der Frau glänzen. »Du bist der Holzklotz, der den Wagen zum Stürzen bringt.«

Kimi steht auf: »Ich will nur mein Geld. Ich will nur meinen Pass. Ich will Gerechtigkeit für Adrian.«

Die Frau steht auf. »Ich hole dir jetzt eine warme Decke. Heute Abend bringe ich dich zum Haus.«

Monolog Carsten Osterhannes

Wir haben also die rumänischen Mafiosi durch Berliner Rocker ersetzt. Mir wurde zugetragen, dass es Reibereien zwischen den beiden Gruppen gab, aber nichts Wesentliches. Wir haben eine gute Sicherheitsabteilung im Konzern. Ausgestattet mit modernster Technik, genügend geschultem Personal, allem Pipapo. Das braucht man ab einer bestimmten Firmengröße. Klaus Werner ist der Chef. Guter Mann, ehemaliger Polizist.

Klaus, sagte ich, es reicht eigentlich nicht, diese Rocker als neue Subunternehmer einzusetzen. Ich würde gerne die ganzen Protestler loswerden, die Bürgerinitiativen und den ganzen Scheiß. Du weißt ja, bei jeder Mastanlage gibt es Ärger. Wir gewinnen jedes Mal, das schon, aber es zögert sich alles raus. Die Zeitpläne geraten manchmal in Verzug. Und mit Zeitverzögerungen steigen auch die Kosten. Wir brauchen einen Plan, wie wir uns die Protestler vom Hals schaffen.

Und zwar ein für alle Mal.

Kannst du da nicht mal drüber nachdenken? Vielleicht können wir das mit den Rockern irgendwie verbinden?

Die Sache wurde immer dringender. In Niedersachsen gab es eine neue Landesregierung. Ein sogenannter Kritiker der sogenannten Massentierhaltung wurde Landwirtschaftsminister. Alle Ampeln stehen auf Rot für uns.

Wir haben lange überlegt. Dann hatten wir einen Plan. Die Rocker sollten die Schmutzarbeit machen. Gewissermaßen als Dankeschön, dass sie jetzt die Rumänen und Bulgaren beischaffen dürfen. Es musste etwas passieren, das die sogenannten Tierschützer ein für alle Mal um ihre Glaubwürdigkeit bringt.

Ein Ereignis, und dann eine PR-Kampagne.

Das war der Plan.

Er war genial.

121. Automaten-Spielkasino, Berlin-Wedding, vormittags

Wie lange dauert das noch?

Marcus Steiner steht an dem schmalen Tisch und wartet.

Heute ist Zahltag.

Seine Leute wollen Geld sehen. Sie stinken alle noch nach Putenscheiße. Steiner schüttelt sich.

Wo bleibt der Karim? Er wollte nur mal schnell nach hinten gehen. Die Kohle holen. Was immer bei dem Karim das heißen mag: mal schnell nach hinten gehen.

Steiner steht in einer der Berliner Automaten-Spielhöllen, die das Straßenbild im Wedding prägen. Dicht an dicht stehen sie. Alle mit gleicher oder ähnlicher Neonschrift: Automatenkasino, 24 Stunden geöffnet. Innen ist meist wenig los. Trotzdem: tolle Umsätze. Gute Steuerzahler. Vielleicht dulden der Senat, die Bundesregierung und die Finanzbehörden den ungenierten Betrieb dieser Geldwaschanlagen deshalb, weil sie ihren Teil der Beute über die Steuer kassieren? Wer weiß?

Steiner ist es egal.

Er will sein Geld.

Jetzt!

Gerade als Karim, den Koffer gut gelaunt schwenkend, aus dem Büro kommt, kracht eine Fensterscheibe, und direkt vor Steiner entlädt sich eine Blendgranate. Er taumelt zurück, ist blind, aber er ist Profi. Er rennt in die Richtung des Büros, tastet nach dem Türgriff, reißt immer noch blind die Tür auf, stürzt in den Raum, knallt die Tür zu, sucht und findet den Schlüssel, dreht ihn um, zieht das Handy aus der Hosentasche, sucht den Knopf auf der Rückseite, findet ihn, reißt das Gerät auseinander, fingert die Chipkarte heraus und steckt sie in den Mund. Dann splittert die Tür, er wird zu Boden geworfen, seine Hände werden auf den

Rücken gebogen, und er fühlt, wie sich der Kabelbinder in das Fleisch der Handgelenke gräbt. Er hört: Mord, Mordversuch, Brandstiftung, versuchte Vergewaltigung – der Bulle hört gar nicht mehr auf mit der Aufzählung.
Da weiß Marcus Steiner, dass die Sache auf dem Bauernhof schiefgelaufen ist. Er beißt die Zähne zusammen, sammelt Spucke im Mund und würgt den Chip den Schlund hinab.

Bruno erwischen sie, als er im Vereinsheim an seiner Harley schraubt. Er hört ein Geräusch, blickt auf und sieht in die Mündung einer Walther und ein Stück höher in das grinsende Gesicht eines Bullen. Ganz langsam legt er den Schraubenschlüssel zur Seite und hebt die Hände.

Kevin hat sich eine Sklavin gegönnt. Er hat ihre Hände gefesselt und sie an die Garderobe gebunden. Sie steht vor ihm, richtig gut sieht sie aus, nackt, nur mit roten High Heels an, den Arsch ihm entgegenstreckend. Zweimal hat er ihr kräftig den Gürtel über Hintern und Rücken gezogen, hat sich gefreut, dass sie glaubhaft stöhnte, und hat interessiert zugesehen, wie sich die Striemen auf dem braunen Fleisch entwickeln. Er holt noch einmal aus – diesmal aber richtig, denkt er –, als die Wohnungstür auseinanderfliegt. Als er zu Boden geht, denkt er: Scheiße, ich hab die Nutte schon bezahlt.

122. Klinikum Oldenburg, Besprechungsraum, mittags

»Okay. Dann guck noch mal dieses Foto an.«
»Sehen Sie denn nicht, dass mein Sohn erschöpft ist? Er kann nicht mehr. Ich protestiere entschieden …«

»Herr von Papen, wir führen hier eine Mordermittlung durch. Auch ihr Sohn sollte ermordet werden. Also Simon, schau dir dieses Foto an.«

»Aufs Äußerste verwahre ich mich …«

»Lass es, Papa.« Simon sieht sich das Foto an und schüttelt den Kopf.

»Das waren keine Rocker.«

Hauptkommissarin Ginter ruft ein neues Foto auf dem iPad auf.

»Auch keine Ausländer. Deutsche. Zwei Deutsche. Alt. Das heißt verhältnismäßig alt, so zwischen dreißig und vierzig. Sie haben auf mich nach der Schule gewartet. Großer schwarzer Audi. A8.«

»Kennzeichen?«

Simon schüttelt den Kopf. »Hab ich nicht drauf geachtet.«

»Du hast denen Informationen über deine Freunde gegeben. Handynummern? Wie die Eltern heißen? Umfeldinformationen, wie wir Polizisten sagen. Warum?«

Simon senkt den Kopf. »Die haben mir zweitausend Euro gegeben. Einfach so. Die gehören dir, sagten sie. Ob du mit uns redest oder nicht. Aber wenn du mit uns redest, dann gehört dir das hier. Und dann haben sie einen richtig großen Stapel hingelegt, Grüne, Sie wissen, was sich meine.«

»Hunderterscheine?«

»Ja. Das müssen einige Tausend Euro gewesen sein.«

»Und dafür hast du deine Freunde verraten?«

»Ich hatte keine Ahnung, was die in Wirklichkeit wollten. Ich hab ihnen harmlose Informationen gegeben. Wirklich.«

»Harmlos? Denkst du das immer noch?«

»Nein. Natürlich nicht.«

»Und wofür brauchtest du das Geld?«

Simon sieht auf. Er sieht seinen Vater an, das strenge Gesicht, die aufrechte Haltung, die korrekt sitzende Krawatte, die trommelnden Finger auf der Tischplatte.

»Ich wollte ausziehen. Ich wollte endlich weg von ihm.«

123. Klinikum Oldenburg, nachmittags

Dengler sieht die Nachricht von der Festnahme der First Rocker Crew in Jakobs Krankenzimmer im Fernsehen. »Wir haben sie heute Morgen identifiziert«, erklärt Jakob. »Die BKA-Tusse hatte ihre Fotos auf einem iPad dabei.«

»Guck mal, der Widerlichtste von allen«, sagt Laura und zeigt auf den Fernseher, auf dem Kevins Bild zu sehen ist.

»Dschingis Khan. Jetzt ist er im Knast, wo er hingehört«, sagt Cem.

»Aus bisher unbekannten Gründen hat die Rockergruppe First Rocker Crew mehrere Tag lang einen Bauernhof in der Nähe von Oldenburg besetzt, den Bauern und seine Frau festgesetzt sowie vier Jugendliche als Geiseln genommen. In der letzten Nacht zündeten die Rocker den Hof an. Der Bauer kam bei dem Brand ums Leben, seine Frau schwebt noch in Lebensgefahr. Die Jugendlichen sind wohlauf. Die Rockerbande wurde mittlerweile gefasst. Der Bundesinnenminister hat für den Abend eine Pressekonferenz anberaumt. Erwartet wird, dass er ein bundesweites Verbot der First Rocker Crew ausspricht.«

»Bullshit, die Nachrichten«, sagt Laura.

»Großer Bullshit«, bestätigt Jakob. Sie nimmt seine Hand und küsst sie. Dengler sieht, wie sein Sohn strahlt.

»Die Rocker waren nur die Handlanger für die große Spinne«, sagt Cem.

»Die große Spinne?«

Jakob, Laura und Cem sehen Dengler an wie jemanden, der ohnehin keine Ahnung hat.

»Die Tierquälerei, Herr Dengler, ist ein Teil. Die Vergiftung des Fleisches durch Medikamente und gefährliche Keime ist ein zweiter Teil. Das wussten wir. Wir sind einer dritten Sache gefolgt. Der Extrem-Ausbeutung von Arbeitsemigranten. Cem brachte uns auf diese Spur.«

»Nein«, sagt Cem. »Eigentlich mein Vater. Der isst Zicklein, ist aber Betriebsrat und …«

»Entschuldigung bitte, haben Sie den Herrn Kimi Radu gesehen?« In der Tür steht mit besorgtem Gesicht eine Schwester. »Kimi? Nein.« Sie schütteln die Köpfe. Die Schwester schließt die Tür wieder.

»Der große Fleischfabrikant Osterhannes ist hier der König. Es gibt noch andere, aber ihm sind wir auf die Füße getreten«, sagt Jakob.

»Und du meinst, ein Fabrikant lässt euch einsperren? Und fackelt einen Bauernhof ab? Ich habe die Filme auf Jakobs Rechner gesehen. Meint ihr, deswegen riskiert ein reicher Mann Gefängnis? Super Verschwörungstheorie.«

»Du hast meinen Rechner geknackt?«

»Sonst wärst du jetzt Staub und Asche.«

Cem: »Trotzdem haben wir recht, Herr Dengler: Es gibt die große Spinne. Sie zieht die Fäden bei allem.«

»Ich glaube, da seid ihr auf dem Holzweg. Habt ihr der Polizei das auch so gesagt? Habt ihr Beweise? Oder zumindest Anhaltspunkte?«

Jakob sieht Cem an. »Siehst du, die Alten kapieren nichts.«

»Herr Dengler, was glauben Sie? Glauben Sie, dass jemand sonderliche Skrupel hat, der sich Arbeitskräfte von kriminellen Rockerbanden beschaffen lässt?«, sagt Laura.

»Oder von der rumänischen Mafia?«, sagt Jakob.

»Von den gleichen Verbrechern, die den Frauenhandel kontrollieren und als Zusatzgeschäft die billigsten Arbeitskräfte herschaffen«, sagt Cem.

»Also, Herr Dengler, glauben Sie, dass diese Fleischfabrikanten irgendwelche Skrupel kennen?«, fragt Laura.

»Ich bitte euch: Bleibt mal auf dem Boden. Hier geht es um Mord.«

»Die Alten kapieren es nicht, ich hab's doch gesagt.«

»Jetzt wird's ernst.«

In der Tür steht Tevfik Caimoglu, dahinter seine Frau und

ein vielleicht vierzehnjähriges Mädchen, Cems Schwester, dahinter ein älterer Mann, der Cems Vater ähnlich sieht, vermutlich sein Bruder, und dahinter stehen zwei Frauen und einige Kinder.

Cem erhebt sich, steht krumm und steif da in seinem Schlafanzug. Er sieht verlegen grinsend zu seinem Vater und macht den Rücken krumm.

Tevfik Caimoglus Gesicht ist ernst. Er atmet schwer. Er hebt die Hand und deutet auf Cem. »Du … Du … Du bist nicht länger …«

Seine Frau schluchzt hinter ihm. Cem sieht zu Boden.

»Du bist nicht mehr länger …« Dann breitet er die Arme aus. »Ach was, mein Sohn, niemals mehr musst du Zicklein essen. Nicht einmal, wenn ich selbst geschlachtet habe.« Tränen laufen ihm übers Gesicht.

Dengler schließt leise die Tür hinter sich.

124. Vernehmungsraum 1, Polizeipräsidium Berlin, nachmittags

»Also noch einmal. Wie ist Ihr Name?«

»Marcus Steiner, zum siebenhundertsten Mal. Und zum siebenhundersten Mal gleich mit: Ich heiße Marcus Steiner.«

»In wessen Auftrag waren Sie auf dem Hof des Bauern Zemke?«

Steiner schließt die Augen.

Sein Rechtsanwalt sagt: »Mein Mandant hat keine Hintermänner. Wir wiederholen das gerne. Und sehr oft.«

»Warum hat er dann den Chip seines Handys vernichtet?«

»Mein Mandant macht gerne ungewöhnliche Dinge. Deshalb ist er doch hier.«

»Sie haben mit einem ausländischen Prepaidhandy angerufen. Danach haben Sie das Feuer gelegt. Wem gehört dieses Handy?«
Marcus Steiner gähnt.
»Ich glaube, mein Mandant erinnert sich nicht.«

125. Vernehmungsraum 2, Polizeipräsidium Berlin, nachmittags

»Hör zu, Bruno: Du bist voll am Arsch. Mord, mehrere Mordversuche, Brandstiftung mit Todesfolge, Vergewaltigung – wir haben Zeugen. Die Kids haben überlebt. Sie sagen, du wärst einer von den besseren Scheißern gewesen. Das ist deine Chance. Ergreif sie. Sonst hockst du im Knast, bis du verfaulst. Wir bieten nur einem von euch die Kronzeugenregelung an. Du bist der Erste. Sei nicht bescheuert. Nur dieses eine Mal in deinem verpfuschten Leben: Sei nicht bescheuert.«
Bruno hört aufmerksam zu. Er kaut auf den Fingernägeln herum und sieht dabei den Vernehmungsbeamten an. Seine Augen glänzen. Dann legt er beide Hände auf den Tisch und sieht den vernehmenden Polizisten an. Und räuspert sich.
»Mein Mandant ist an Ihrem Angebot nicht interessiert«, sagt der Anwalt.
Alle Spannung weicht aus Brunos Gestalt. Mit einem Pfeifton atmet er wieder aus. Dann nimmt er seine rechte Hand und kaut wieder auf den Nägeln. Der Vernehmungsbeamte lehnt sich resigniert zurück.

126. Klinikum Oldenburg, nachmittags

Hildegard steigt aus dem Taxi.

Sie sieht ihren Sohn, läuft auf ihn zu und umarmt ihn. Tränen laufen ihr übers Gesicht, schwarze Fäden der verwischten Wimperntusche. Auch Jakob weint. Als die beiden sich lösen, umarmt Hildegard auch Laura. Dann sieht sie Dengler. Sie stehen einander direkt gegenüber, und etwas Fremdes und etwas Intimes ist zwischen ihnen.

Sie legt ihm eine Hand auf seine Schulter. »Ich wusste, dass du ihn findest«, sagt sie.

Dengler sieht Hildegard an, und jetzt, zum ersten Mal, denkt er, dass der Liebe, der Wut und der Gleichgültigkeit endlich Freundschaft folgen könnte.

Sie sieht Olga und geht auf sie zu.

Die beiden Frauen stehen sich gegenüber.

»Ich weiß, was Sie für meinen Sohn getan haben.«

Olga deutet ein Lächeln an.

»Ich danke Ihnen.«

Für einen Augenblick überlegt Olga, ob sie die ausgestreckte Hand annehmen soll, dann sieht sie in Hildegards Augen. Und plötzlich liegen sich die beiden Frauen in den Armen.

»Ist ja richtig peinlich. Langsam werden wir hier eine richtige Familie«, sagt Jakob leise zu Laura. Sie drückt ihm die Hand und geht zu ihrer Mutter und ihrem Vater, die in einigem Abstand warten.

»Nicht, dass ich stören will«, sagt der Taxifahrer, »aber irgendjemand muss noch die Fahrt bezahlen.«

127. Am Zaun vor Carsten Osterhannes' Anwesen, nachts

»Hier ist es. Pass auf den Stacheldraht auf«, sagt die Frau.
»Weißt du noch die Nummer?«
»6560.«
»Genau. Viel Glück.«
»Ich will nur mein Geld. Und meinen Pass.«
»Und Gerechtigkeit für Adrian.«
»Ja. Und Gerechtigkeit für Adrian.«
Die Frau verschwindet in der Dunkelheit. Kimi wirft die Decke über den Zaun. Dann greift er in die Maschen und zieht sich hoch. Als er oben ist, verfängt sich seine Hose im Stacheldraht. Er zieht, aber der Stoff hängt fest. Er versucht, ihn mit den Fingern zu lösen – vergebens. Er hört einen Hund bellen und bleibt für einen Augenblick still auf dem Zaun sitzen.
Beim zweiten Versuch löst sich die Hose vom Zaun. Vorsichtig klettert er auf der anderen Seite des Zaunes herunter, sieht sich um und rennt dann über die Wiese zu dem kleinen Gebäude direkt hinter dem Haupthaus. Er sieht das Tastenfeld an der Eingangstür sofort und gibt die Kombination ein: 6065.
Falsche Eingabe. Noch zwei Versuche vor Alarm.
Kimi überlegt. Seine Handflächen sind feucht. Er tippt erneut: 6605.
Falsche Eingabe. Noch ein Versuch vor Alarm.
Jetzt ist auch seine Stirn schweißnass. Er überlegt und gibt erneut eine Zahl ein: 6560.
Summend öffnet sich die Tür.
Er steht in einem gekachelten Flur. Hinter ihm fällt die Tür schwer ins Schloss. Kimi wirft sich die Decke um die Schulter und geht weiter.

Zwölfter Tag

Donnerstag, 30. Mai 2013

128. Küche, Villa Osterhannes, morgens

»Ich gehe mal rüber«, sagt Carsten Osterhannes und steht vom Frühstückstisch auf. Er fährt seiner Tochter über den Kopf und küsst seine Frau.

»Bitte vergiss nicht: Um elf kommt der Techniker für die Heizung.«

»Mach dir keine Sorgen. Ich bin da und lasse ihn in den Keller.«

»Ich bin um halb zwölf wieder hier.«

»Mama holt mich von der Schule ab.«

»Ich weiß, mein Schatz. Und vorher geht sie zur Massage.«

Seine Frau verzieht das Gesicht. »Und was schlachtest du heute?«

»Ein Schwein.«

»Ich hab gesehen, wie die Männer es gestern gebracht haben«, ruft seine Tochter.

Osterhannes zieht an der Garderobe die Hausschuhe aus und schlüpft in schwere grüne Gummistiefel.

»Schlepp nicht wieder Blut in die Wohnung«, ruft seine Frau ihm hinterher. Wütend schlägt Osterhannes die Tür hinter sich zu. Vielleicht hätte er doch nicht ein zweites Mal heiraten sollen. Er gibt den Code an der Tür des Nachbargebäudes ein, die Tür geht auf, und er tritt ein.

129. Krankenzimmer von Jakob und Cem, morgens

»Bitte hören Sie mir einen Augenblick zu. Sie sollten noch nicht nach unten in die Kantine gehen«, sagt die Hauptkommissarin Ginter. »Dort lauert immer noch die Presse. Das Krankenhaus entlässt Sie heute. Und unsere Fragen haben Sie alle beantwortet. Sie können heute zurück nach Stuttgart fahren. Noch eine Frage: Wissen Sie, wo Kimi Radu sein könnte?«

»Kimi?«, sagt Cem. »Hier war er heute noch nicht. Aber er ist ja nur zwei Türen weiter.«

»Nein. Er ist gestern Abend verschwunden. Auf einem Videoband habe ich gesehen, wie er im Schlafanzug und mit den Krankenhausschlappen gestern Abend durch die Pforte gegangen ist. Wissen Sie, ob er Freunde unter den rumänischen Fleischarbeitern hat? Wir müssen ihn unbedingt finden.«

»Ach du große Scheiße«, sagt Cem und greift sich an den Kopf.

»Wissen Sie etwas? Ich möchte ihn zu dem Tod eines rumänischen Arbeiters befragen.«

»Nein. Ich weiß nichts. Auf keinen Fall.«

»Die Streifenwagen sind alarmiert. Hoffentlich hat er sich nicht unterkühlt. Ein Mann in Schlafanzug und Schlappen läuft durch die Straßen.« Sie schüttelt den Kopf.

Cem: »Nichts für ungut, Herr Dengler. Aber wir, Laura, Jakob und ich, müssten etwas mit der Polizistin besprechen. Würden Sie uns bitte vielleicht einen Augenblick alleine lassen?«

»Sicher.« Dengler steht auf.

»Hey«, sagt Jakob. »Mein Vater hat uns da rausgeholt. Er kann ruhig hören, was wir über Kimi wissen.«

»Seh ich auch so«, sagt Laura.

»Abstimmung«, sagt Cem und dann: »Okay. Zwei gegen eins. Bleiben Sie also bei uns.«

»Worum geht es?«

»Es ist so«, sagt Jakob, »als wir mit Kimi eingeschlossen waren, haben wir ihm genau erzählt, wie alles zusammenhängt. Alles, was ihm widerfahren ist, und alles, was wir aushalten mussten, hat einem bestimmtem Mann genutzt.«

»Jetzt kommt ihr schon wieder mit dieser Verschwörungstheorie.«

Laura: »Entscheidend ist jetzt nicht, dass Sie uns nicht glauben, sondern, dass Kimi uns geglaubt hat.«

»Okay«, sagt Dengler.

Hauptkommissarin Ginter: »Okay. Worauf wollt ihr raus?«

Jakob: »Kimi wollte eigentlich nur sein ihm zustehendes Geld und seinen Pass zurück, den die Subunternehmer ihm abgenommen haben. Seit gestern kam ein Drittes dazu. Er wollte Gerechtigkeit für seinen Kumpel, den die Rocker zusammengeschlagen haben.«

Hauptkommissarin Ginter: »Genau dazu möchte ich ihn befragen.«

Cem: »Ich hab ihm erklärt, wie die Zusammenhänge sind. Wer die große Spinne im Netz ist. Kimi hatte davon echt null Ahnung.«

Dengler: »Und?«

Jakob: »Es kann sein, dass Kimi aufgrund unserer Informationen gerade dabei ist, ein Verbrechen zu begehen.«

Hauptkommissarin Ginter: »Dann reden Sie. Jetzt. Sie sind verpflichtet, uns zu helfen.«

Laura: »Wir helfen gerne. Wir wollen auch nicht, dass Kimi sich ins Elend stürzt. Aber wir stellen Bedingungen.«

Hauptkommisarin Ginter: »Bedingungen?«

Jakob: »Sie haben sicher eine Videokamera in Ihrer Ausrüstung?«

130. Privatschlachthaus Osterhannes, morgens

Kimi Radu schrickt hoch. Hat er eben das Grunzen eines Schweins gehört? Er lauscht. Erneutes Grunzen. Dann die Stimme eines Mannes: »Na, du süße Sau, hast du die anderen Schweine heute Nacht vermisst? Die leben schon nicht mehr. Und jetzt bist du dran.«

Kimi lauscht dem Tonfall. Es ist die sonore Stimme eines älteren Mannes, der ruhig und besonnen spricht. Kann das die Stimme der Spinne sein? Er schiebt die Decke beiseite und steht auf. Die ganze Nacht hat er auf dem Kachelboden gefroren. Seine Arme sind steif, und seine Beine auch. Er streckt sich. Dann geht er der Stimme entgegen.

Der kleine Holzklotz bringt den Wagen zum Stürzen.

Vorsichtig bewegt er sich den schmalen Flur entlang. Er weiß, dass er in den Schlachtraum mündet. Er sieht das Licht, das von vorne kommt. Leise tritt er auf. Sachte. Kein Geräusch. Er lauscht der Stimme der Spinne. »Ich bereite in Ruhe das Bolzenschussgerät vor und dann lasse ich dich herein.«

Der Mann dreht ihm den Rücken zu. Eine Tür, die gestern noch geschlossen war, steht auf, dahinter ist ein Stall mit dem Schwein. Die Spinne lehnt sich über eine Brüstung und tätschelt den Kopf des Tieres.

Vorsichtig nimmt Kimi ein langes Messer von der Wand. Es sieht ähnlich aus wie die Messer, mit denen er geschuftet hat, aber die Verarbeitung ist besser. Viel besser. Das sieht er gleich. Prüfend fährt er mit dem Daumen über die Klinge. Exzellent geschärft. Ein Zerlegemesser, wie es besser nicht geht.

Er hebt es hoch und geht von der Seite auf den Mann zu. Tritt näher, näher, nah zu ihm und berührt mit der Spitze der Klinge den Hals des Mannes.

»Nicht bewegen«, sagt Kimi rau.

131. Krankenzimmer von Jakob und Cem, morgens

Hauptkommissar Schuster sagt: »Sie glauben also, dass Kimi an diesem Osterhannes eine Straftat begehen will. Das Problem ist aber, dass dieser Osterhannes auf einem Grundstück sitzt, das gesichert ist wie Fort Knox. Seine Frau ist auf dem Weg in die Stadt. Ich habe eben mit ihr telefoniert. Ihr Mann ist in seinem Hobbyraum, hat sie gesagt. Wisst ihr, was der Hobbyraum von Herrn Osterhannes ist? Ein privates Schlachthaus! Die Kollegin Ginter macht Drachenfliegen. Und ich dachte schon, das sei exotisch.«
»Gibt es ein Gefährdungspotenzial? Oder nicht? Bevor wir uns über meine Hobbys unterhalten.«
»Ich glaube nicht.«
»Ich glaube doch«, sagt Jakob. »Unterschätzen Sie Kimi nicht.«
»Gibt es eine Spur von dem Rumänen?«
»Nichts.«
»Dann sollten wir mal zu der Privatschlachterei fahren und sehen, ob Kimi dort tatsächlich ist.«
Laura springt auf.
»Wir brauchen euch nicht.«
»Hey, so läuft das nicht. Wir haben eine eindeutige Abmachung. Wir kommen mit der Videokamera mit.«

132. Privatschlachthaus Osterhannes, morgens

»Was willst du?«
»Ich will mein Geld und meinen Pass.«
»Du meinst wohl, du willst *mein* Geld. Wie viel?«
»2400 Euro.«

Osterhannes lacht rau. »Deshalb hältst du mir ein Messer an den Hals? Ich geb dir dreitausend, wenn du das Messer wegnimmst.«

»Ich will nur meinen Lohn.«

»Guck mal, drüben auf dem Tisch liegt meine Brieftasche. Da sind dreitausend Euro drin. Hol dir raus, was du brauchst.«

Kimi dreht sich um. Osterhannes ist schnell. Er schlägt mit dem Arm das Messer weg, wendet sich zur Seite und tritt Kimi in den Unterleib. Der Rumäne krümmt sich, und Osterhannes schlägt ihm weit ausholend von unten mit beiden Händen ins Gesicht. Kimis Kopf wird hochgerissen. Er fällt nach hinten auf den Kachelboden und schlägt hart auf. Osterhannes tritt das Messer weg, dann nimmt er Kimis Kopf und schlägt ihn auf die Kacheln. Er schreit: »Das hat noch keiner gewagt.« Tritt noch einmal zu. Schreit noch einmal: »Das hat noch keiner von euch Schweinehunden gewagt.« Er tritt zu. Einmal. Zweimal. Dreimal. Und schreit: »Das wirst du büßen. Das wirst du büßen, du Schwein.«

Er reißt Kimis Hemd auseinander, nimmt ein kleineres Messer von der Wand und schneidet es ihm vom Leib, dreht Kimi um und schneidet ihm Hose und Unterhose vom Körper. Dann schleppt er den nackten Kimi zu der Schlachtbank in der Mitte des Raums. Er hebt ihn hoch, wirft ihn auf die Steinplatte und schlägt ihm noch einmal ins Gesicht. »Büßen wirst du das, du Ratte.«

Mit einem Klebestreifen bindet er Kimis Arme und Beine an dem Tisch fest.

Er zieht Kimis Kopf mit einer Hand hoch. »Haben sie dir deinen Lohn nicht gegeben? Haben sie dich beschissen? Und du Scheißer denkst, von mir bekommst du irgendwas? Du gibst mir was! Verstehst du? Du gibst mir!«

Er lässt den Kopf auf die Steinplatte fallen. Osterhannes nimmt ein großes Messer und zeigt es Kimi. »Damit schneid ich dich jetzt auf. Mit dem anderen Messer zerleg ich dich. Du wirst es spüren. Du wirst spüren, wie ein richtiger Metzger arbeitet.«

Kimi sieht den Mann mit dem Messer über sich stehen. Er sieht den irren Blick des Mannes und schreit. Er schreit, so laut er kann. Doch die Spinne lacht. »Schrei nur, schrei nur, du hast genug gegrunzt in deinem Leben.«

Osterhannes greift in seine Tasche, zieht ein Handy hervor und wählt eine Nummer. »Klaus? Osterhannes hier. Spezialauftrag für dich. Komm in einer dreiviertel Stunde mit dem Kombi vorbei und hol was ab. Das muss in die Fabrik. Musst du zum Marinierten einfädeln. Ja, es muss sein. Wird dein Schaden nicht sein.« Er sieht auf die Uhr. »Ja, in einer dreiviertel Stunde. Pass auf, dass dich niemand sieht. Weißt ja Bescheid.«

Dann fährt er mit dem großen Messer zärtlich über Kimis Rücken. »Es dauert eine Weile«, sagt er. »Du kannst ruhig schreien. Laut. So viel du willst.«

133. Auffahrt des Klinikums Oldenburg, morgens

»Nein, Frau Dengler, wir passen auf Ihren Sohn und die beiden anderen jungen Leute auf«, versichert Hauptkommissar Schuster Hildegard. »Aber Jakob, Cem und Laura können uns bei einer wichtigen Sache weiterhelfen. Vielleicht.« Er dreht sich um. »Also, alles einsteigen.«

Jakob und Laura springen auf den Rücksitz eines blauen Polizei-VW-Kombis. Cem folgt, sorgfältig eine Videokamera samt Stativ tragend. Als Letzter steigt Georg Dengler in den Wagen. Dann setzt sich der Konvoi in Bewegung. Vorne ein Streifenwagen, dahinter ein VW mit Ginter, Schuster und

Streich und zuletzt der Kombi mit Dengler und den Jugendlichen.

»Ob wir Kimi wirklich finden?«, fragt Laura.

»Hoffentlich hab ich nicht zu viel versprochen«, sagt Cem.

»Nach den Gesetzen der Logik, die uns in den letzten Tagen ihre überwältigende Beweiskraft geliefert haben, indem sie uns das Leben gerettet haben, müssten wir Kimi genau bei Osterhannes antreffen«, sagt Jakob.

Dengler sagt nichts.

134. Anwesen Carsten Osterhannes, vormittags

Das Tor zu Osterhannes' Anwesen steht offen. Die große Grasfläche um die Villa und um das angebaute kleinere Schlachthaus wird von einigen osteuropäisch aussehenden Männern gemäht. Die Tür zu dem Schlachthaus steht offen, und ein Mann in einem blauen Kittel kommt gerade heraus und trägt zwei offenbar schwere Säcke zu einem dunklen Mercedes-Kombi, dessen Hecktür offen steht. Dengler registriert, dass schon drei ähnlich aussehende Säcke auf der Ladefläche stehen. Wie eine kleine Prozession bewegen sich die Polizisten, die Jugendlichen und Dengler auf die offene Tür zu.

Ginter nimmt Streich beiseite. »Überprüfen Sie mal den Kerl!« Und deutet auf den Mann, der gerade die Säcke in den Mercedes wuchtet. Streich nickt und geht nach links.

Sie treffen Osterhannes in dem Schlachtraum, dem Mittelpunkt des Gebäudes. Osterhannes sieht erschöpft aus. Er hat eine weiße, blutverschmierte Metzgerschürze um. Auch die Ärmel seines Hemdes und die Hose – alles blutverschmiert. Sogar im Gesicht leuchten Blutsprenkel.

»Bundeskriminalamt, mein Name ist Ginter.« Die Hauptkommissarin hebt ihren Ausweis dicht vor Osterhannes' Gesicht. »Sie sind Carsten Osterhannes?«

Der Mann nickt.

»Wir suchen einen rumänischen Arbeiter, der für Sie bezie-
hungsweise für einen Ihrer Subunternehmer gearbeitet hat.
Er hat dort seit zwei Monaten keinen Lohn bekommen.
Wir haben Grund zu der Annahme, dass er sein ausstehen-
des Geld direkt von Ihnen holen wollte. Haben Sie zwischen
gestern Abend und heute Vormittag einen rumänischen Arbeiter namens Kimi Radu gesehen? Hat er sie bedroht?«

Das Handy der Hauptkommissarin klingelt. Sie geht nicht
dran.

Osterhannes schüttelt den Kopf.

»Meine einzige Begleitung hier war ein Schwein. Ich habe es
geschlachtet.« Er zuckt mit den Schultern.

»Das beruhigt mich. Und das war's dann auch schon. Bitte
entschuldigen Sie die …« Ihr Handy klingelt erneut. Sie
drückt den Anrufer weg.

»Wir haben aber noch ein paar Fragen!« Laura tritt vor.

»Wir wollen wissen, warum Sie Tausende Tiere auf erbar-
mungslose Weise quälen!«

»Und warum Sie Ihre Arbeiter ausbeuten für zwei und drei
Euro die Stunde«, schreit Cem.

»Wissen Sie, dass das Fleisch, das Sie verkaufen, die Menschen krank macht?«, ruft Jakob.

»Schaffen Sie die Kinder raus«, sagt Osterhannes ruhig. »Dies
ist eine Schlachterei.« Dann wendet er sich an die Polizistin:
»Frau Kommissarin, unsere Produktion wird fast ausschließlich von Subunternehmen ausgeführt. Die Kooperation mit
anderen Unternehmen ist in der Fleischbranche notwen-
dig, um zum Beispiel saisonale Spitzen abzudecken. Alle
Dienstleister, mit denen Osterhannes zusammenarbeitet,
sind entsprechend geschult und werden verpflichtet, sämtliche Tierschutzvorgaben einzuhalten. Darüber hinaus sorgt

ein mehrstufiges Kontrollsystem dafür, dass die hohen Ansprüche in Sachen Qualität, Sicherheit und Tierschutz auch umgesetzt werden. Trotz engmaschiger Kontrolle kann ein Fehlverhalten Einzelner nie mit hundertprozentiger Sicherheit ausgeschlossen werden. Wann immer die Osterhannes-Ansprüche in Sachen Qualität, Sicherheit und Tierschutz in der Vergangenheit von Vertragspartnern nicht erfüllt wurden, habe ich sofort entsprechende Konsequenzen gezogen. Wenn dieser Mann nicht vertragsgemäß bezahlt wurde, werde ich selbst unverzüglich dafür sorgen, dass ...«

Diesmal nimmt Ginter ab. Sie hört dem Anrufer eine Weile zu. Dann steckt sie ihr Handy zurück. Mit einer schnellen Bewegung zieht sie ihre Dienstwaffe hervor und richtet sie auf Osterhannes.

»Hände hoch, Osterhannes. Ein Kollege hat eben kontrolliert, was Sie in den schwarzen Kombi laden ließen.« Sie entsichert die Waffe. »Hände hoch. Oder ich schieße. Und glauben Sie mir, ich tu's gerne.«

Osterhannes nimmt die Hände hoch.

»Ich verhafte Sie wegen ...«

»Halt«, schreit Jakob und stellt die Videokamera auf. »Wir haben eine Vereinbarung mit der Polizei.«

Ginter lässt Osterhannes nicht aus den Augen.

»Gut, stellt ihm eure Fragen.«

Laura, Jakob und Cem reden gleichzeitig. »Warum quälen Sie die Tiere? Wie viel Antibiotika verfüttern Sie? Warum bezahlen Sie die rumänischen Arbeiter so schlecht? Wie konnten Sie ein solches Monster werden?«

Kamera läuft.

Osterhannes blickt genau in die Kamera und lächelt verächtlich. Dann sagt er: »Niemand sagt es mir direkt oder gar offen ins Gesicht, aber ich weiß, dass ich Hühnerbaron genannt werde. Das ist natürlich grober Unsinn. Ich bin kein Baron. Ich bin auch kein König. Ich bin der Kaiser.«

Er redet lange. Als er geendet und Jakob die Kamera ausgeschaltet hat, sagt er noch: »Wären Sie drei, vielleicht vier Minuten später gekommen, sähe alles anders aus. Es ist nur ein Zufall. Und ich will Ihnen eines sagen: Sie können mich verhaften. Sie können vielleicht sogar die Marke Osterhannes vom Markt nehmen. Aber Sie können die deutsche Fleischwirtschaft nicht zerstören. Meine Markanteile übernehmen andere. Es wird weitergehen. Viele denken, wir Schlachter seien primitive Kerle. Die Fleischindustrie sei rückständig. Das Gegenteil ist wahr. Wir sind die Zukunft. Haben Sie nicht neulich den Film im Fernsehen gesehen? Er wurde direkt nach der Tagesschau gesendet, ›Hungerlohn am Fließband‹. Die Daimler AG kopiert unser Konzept der Werkverträge. Im Herzen der Industrie, an den Bändern in Untertürkheim. Und wir, wir werden weitergehen.

Wir arbeiten mit den allermodernsten Unternehmen zusammen. Stellen Sie sich vor, Sie besuchen vegetarische Websites, erkundigen sich auf Facebook nach veganen Rezepten, fragen, ob fleischloses Essen gesundheitsgefährdend ist. Facebook, oder welches Programm auch immer, erkennt, dass Sie vor einer wichtigen Entscheidung stehen. Und dass diese Entscheidung negativ für die Fleischbranche ausfallen könnte. Nun wird in Zukunft folgendes geschehen: Sie sind in einem Supermarkt, und ihr Smartphone zeigt Ihnen plötzlich an, dass Sie, und nur Sie, heute an der Fleischtheke einen Rabatt von 25 Prozent bekommen. Oder: Sie parken irgendwo. Und schon wieder meldet sich ihr Smartphone: Das Steakhaus um die Ecke lädt Sie zu einem Ribeye zum Sonderpreis ein. Wie lange wird diese Person ihre Position zum fleischlosen Essen wohl aufrechterhalten? Zwei Wochen? Drei? Wir werden eine Vegetarierdatei aufbauen, eine Veganerdatei. Wir werden diese blutleeren Gestalten überschwemmen mit Angeboten, die sie nicht ablehnen können.

Wir machen sie fertig! Wir werden riesige Mastanlagen bauen. In zehn Jahren werden wir in Hochhäusern mitten in Hamburg, in Berlin, in München brüten, mästen und schlachten. Wir werden Ställe mit hunderttausend Puten bauen. Wir werden geruchsfreie Schlachtereien in Wohnvierteln haben. Hohe Stückzahlen verringern die Kosten pro Stück – das ist das Credo, gegen das diese Kinder ohne jeden Erfolg anstürmen.«

»Das werden wir sehen«, ruft Laura. »Ich werde Ihnen entgegentreten, wo immer Sie auftreten.«

»Und ich«, sagt Cem.

»Und ich«, sagt Jakob.

»Und ich«, sagt Dengler leise.

Dann klicken die Handschellen.

Finden und erfinden: ein Nachwort

Die Fleischindustrie hat sich ihren miserablen Ruf hart erarbeitet. Die Wirklichkeit ist jedoch vielfach noch schrecklicher als die übelsten Phantasien. Nach der Recherche zu diesem Buch kann ich begründet sagen: Eigentümer und Manager der Fleischindustrie sind in jeder Hinsicht – unterste Schublade. Ausnahmen habe ich nicht gefunden.

Die Tiere, die für diese Industrie ihr Leben lassen, werden vom ersten bis zu ihrem letzten Tag systematisch misshandelt und gequält. Wenn Jakob in diesem Buch sagt, die Tiere hätten keinen einzigen glücklichen Tag in ihrem Leben, hat er recht. Soweit man davon ausgeht, dass Tiere Glücksgefühle haben. Aber wer, der je mit einem Tier zu tun hatte, wollte das bestreiten?

Die Fleischindustrie hat es außerdem geschafft, nahezu unbemerkt von der Öffentlichkeit in Deutschland eine Billiglohnhölle für Arbeitsmigranten aus Rumänien und Bulgarien zu schaffen, in der sie die extreme Überausbeutung dieser Menschen organisiert. Durch den systematischen Missbrauch von Werkverträgen und das undurchschaubare System von Sub- und Subsub-Unternehmen erhalten die Arbeiter oft Stundenlöhne, die bei zwei oder drei Euro liegen, und dies bei Arbeitszeiten, die jeder Arbeitszeitordnung Hohn sprechen.

Die Fleischindustrie kennt keinen Respekt vor den Tieren und keinen Respekt vor den Beschäftigten. Es wundert daher nicht, dass sie auch keinen Respekt vor den Verbrauchern kennt, denen sie ihre Produkte anbietet. Das Fleisch aus diesen Fabriken ist oft voll von giftigen Keimen. Ihr Verzehr beinhaltet ein erhebliches gesundheitliches Risiko. Seit ich mich mit den Methoden der Fleischindustrie beschäftige, mache ich einen großen Bogen um jede Fleischtheke und jede Tiefkühltruhe im Supermarkt.

Schließlich etabliert die Fleischindustrie mafiöse Strukturen und fördert die organisierte Kriminalität in Deutschland, denn es sind häufig dieselben Schlepperringe, die Frauenhandel mit Osteuropa betreiben, die nun ihr Portfolio um den Handel mit Arbeitskräften erweitert haben.

Ich danke herzlich allen, die mich bei der Arbeit an diesem Roman unterstützt haben. Dies gilt insbesondere für *Matthias Brümmer* von der Gewerkschaft Nahrung-Genuss-Gaststätten (NGG) und *Dr. sc. agr. Edmund Haferbeck,* die auf ganz unterschiedliche Weise ihre Erfahrungen und Kenntnisse mit mir teilten. Ich danke den »Ermittlern« von Peta e. V., die mich mit ihrer Arbeit vertraut gemacht haben. Ich danke *Eberhard B.* für den Einblick in Leben und Ökonomie eines Tiermästers.

Bei der Arbeit an diesem Buch habe ich mich auf die Werke einiger wichtiger Autoren gestützt. Hervorheben möchte ich das ausgezeichnete Buch von *Adrian Peter*, »Die Fleischmafia«.

Klaus Theweleit überließ mir zwei Kapitel aus seinem neuen, noch unveröffentlichten Buch. Diese Kapitel sind die Grundlage für die Ausarbeitung von Laura Trapp. Ich danke ihm herzlich für seine Großzügigkeit.

Jakobs Ausarbeitung stützt sich auf den Artikel »Saumäßig krank« von *Hilal Szegin* in der *Süddeutschen Zeitung* vom 14./15. August 2013.

Weitere Informationen und Materialien zu den Methoden der Fleischmafia finden sich auf meiner Homepage www. schorlau.com.

Ich danke *Ana Cuenca Lopez, Christian Lutzeyer, Ekkehard Sieker, Hansl Schulder, Jochen Riehle. David Streit* danke ich für Unterstützung und Inspiration.

Die Methoden der Fleischindustrie stehen immer wieder in der Kritik. Bundesweite Aufmerksamkeit gewann diese Kritik jedoch vor allem durch zwei wegweisende Predigten von Monsignore *Peter Kossen*. Ich freue mich sehr, dass er sie großzügig für dieses Buch zur Verfügung gestellt hat. Sie sind im Anhang nachzulesen.

Das Schreiben eines Romans ist der Himmel, das Lektorat die Hölle. Ich danke *Lutz Dursthoff* und dem unermüdlichen *Nikolaus Wolters* für die freundliche Begleitung bei beidem.

Anhang

Monsignore Peter Kossen:

Der Missbrauch der Werkverträge als moderne Sklaverei

Predigt vom 11./12. August 2012 in Lohne

Liebe Mitchristen, Schwestern und Brüder,
ich möchte in dieser Predigt noch einmal die skrupellosen
und menschenverachtenden Beschäftigungsverhältnisse ansprechen, mit denen in manchen Schlachthöfen auch hier
bei uns Arbeiter aus Rumänien und Bulgarien ausgebeutet
werden.
Es ist ein schmaler Grat, wenn sich Kirche in die Tagespolitik
einmischt. Ein Gottesdienst ist keine politische Demonstration. Eine Predigt soll nicht polarisieren und die Gemeinde
spalten.
Aber ist es nicht so, dass wirtschaftlich gesunde Unternehmen ohne Not öffentliche Leistungen wie die Hartz-IV-
Aufstockung und Wohngeld von vornherein in ihre Lohn-
kalkulation mit einrechnen, anstatt selbst die Leute so zu
bezahlen, dass sie von ihrem Einkommen auch leben können? Das ist doch Sozialbetrug! Das sind Steuergelder, un-
rechtmäßige Subventionen!
Wie funktioniert dieser »legale« Sozialbetrug durch Unternehmen? – Mit den Arbeitern werden »Werkverträge« geschlossen. Sie arbeiten als Scheinselbstständige ohne irgendwelche Absicherungen, und das für einen schäbigen
Dumpinglohn. Oftmals haben Schlepper diese Arbeiter nach
Deutschland gelockt und nehmen sie dann aus: zunächst für
die Vermittlung, dann auch für erbärmliche Unterkünfte,
für Transporte und so weiter.
Sr. Elisabeth von den Benediktinerinnen in Dinklage erzählte
mir diese Woche, sie sei vor etwa drei Wochen von einer Un-

ternehmerin aus Dinklage gefragt worden, ob die Schwestern Zimmer in ihrer »Martinsscheune« an diese Firma vermieten könnten für die Unterbringung von rumänischen und bulgarischen Arbeitern. Sr. Elisabeth hat die Unternehmerin darauf hingewiesen, dafür sei die »Martinsscheune« als Hilfe für Obdachlose nicht gedacht. Aber sie könne sich ja mal nach einem günstigen Hotel in Dinklage umhören. Das sei ihnen zu teuer, habe die Frau geantwortet. Scheinbar ist für Arbeitsmigranten eine »Obdachlosen-Unterkunft« allemal gut genug … – Das beschreibt doch genau das Problem: Es gibt Arbeitsverhältnisse zweiter Klasse, und die Arbeiter werden behandelt wie Menschen zweiter Klasse!

Schwangerschaftskonfliktberaterinnen vom »Sozialdienst katholischer Frauen« erzählten mir kürzlich von rumänischen und bulgarischen Arbeiterinnen, die hier bei uns zu Dumpinglöhnen arbeiten müssen und mit einer ungeplanten Schwangerschaft *alles* verlieren. Sie haben buchstäblich nichts mehr: keine Rechte, kein Geld, keine Versicherung … Die Beraterinnen erzählten mir auch aus *ihrer* Erfahrung von den rumänischen und bulgarischen Arbeitern in Schlachtkolonnen auf großen Schlachthöfen, die zu Kleinstlöhnen arbeiten, aber zum Beispiel für ihre oft erbärmliche Unterkunft horrende Preise zahlen müssen. Sie wüssten von Fällen, wo das gleiche Bett von drei Arbeitern genutzt wird – »Schichtbetrieb«! So etwas wird berichtet aus der Zeit der industriellen Revolution zu Beginn des 19. Jahrhunderts.

Ludger Mayhaus, ehemaliger Bürgermeister in Garrel und im Ruhestand noch engagiert in der ehrenamtlichen Schuldnerberatung, erzählte mir das Beispiel von drei rumänischen Brüdern, die alle drei mit mehr als 200 Arbeitsstunden im Monat in seine Beratung gekommen sind. Mit allen Zuschlägen für Nacht- und Feiertagsarbeit hatte der erste von ihnen 1700 Euro brutto (!), der zweite 1600 Euro und der dritte 1400 Euro brutto. Der dritte wohnt mit Frau und zwei Kindern hier.

Wenn Jesus sich des Hungers der Menschen erbarmt, dann hat er ihre konkrete Not im Blick. Das Ausbeuten von Migranten auch in unserer Heimat ist ein Skandal! Alle Kraft müssen Menschen, müssen Christen aufwenden, um diese Not, diese Ungerechtigkeit zu bekämpfen! *Wenn es uns nicht gelingt, menschenwürdige Arbeits- und Lebensbedingungen auch für Migranten zu garantieren, dann verrotten unsere Werte von innen! All das, worauf wir in Südoldenburg stolz sind: Fleiß, Innovation, Mut und auch unser Gemeinschaftsgefüge verrottet von innen, wenn es uns nicht gelingt, Rechte und Gerechtigkeit allen zugänglich zu machen, auch den Migranten!*

Mindestlöhne und Lohnuntergrenzen sind der richtige und zu fordernde Weg. Darüber hinaus müssen die kriminellen Praktiken moderner Sklaverei mitten unter uns verfolgt, bestraft und unterbunden werden! Da ist die Politik in der Pflicht, also auch jeder von uns. Die Gesetzeslücke, die dieses Unrecht ermöglicht, muss geschlossen werden!

Es liegt eine Sozialpflicht auf jeder Art von Besitz, eine Sozialpflicht, die begründet ist in der Frage Gottes: »Kain, wo ist dein Bruder Abel?« und in dem Wort Jesu: »Was ihr dem Geringsten meiner Brüder getan habt, das habt ihr mir getan.« Gott solidarisiert, ja identifiziert sich mit den Kleinen und Schwachen. Solidarität schafft Leben und Freude! Und diese Solidarität brauchen besonders die Schwächsten, die Menschen *ohne Lobby*.

»Bleibt niemandem etwas schuldig!«, schreibt der Apostel Paulus an die Gemeinde in Rom. Bleibt man hier nicht Menschen, Arbeitnehmern, etwas schuldig, nämlich den anständigen Lohn für anständige Arbeit? Unsere soziale Marktwirtschaft ist nicht sozial geworden aus dem freien Spiel der Kräfte des Marktes. Sozialgesetzgebung zum Ziele von sozialer Gerechtigkeit ist immer ein Eingriff in das freie Kräftespiel zugunsten derer, die keine Lobby haben.

Was ist uns als Christen soziale Gerechtigkeit wert? Die Katholische Arbeitnehmer-Bewegung und das Kolpingwerk sollten uns hier helfen, eine Antwort zu finden, sollten wach hinschauen und im Gespräch darüber bleiben.

Denken wir auch an die betroffenen Kinder! Eine Grundschulleiterin erzählte mir von den großen Schwierigkeiten der Kinder, die zum Teil in unzumutbaren Unterkünften leben und deren Mütter in ständig wechselnden Schichten arbeiten müssen. Wo nicht die Schule solche Kinder auffangen kann, sind sie die meiste Zeit des Tages sich selbst überlassen. Bildung hat nachweisbar etwas mit dem sozialen Umfeld zu tun.

Zu allen Zeiten gab es das Phänomen, dass Handlungsweisen legal und trotzdem unmoralisch sind. Der Missbrauch der Werkverträge ist ein Beispiel dafür. Aber Gesetze kann man ändern und Unrecht beim Namen nennen. Materielle Ausbeutung ist die eine Seite, aber sie hat die furchtbare Konsequenz, dass Menschen ihre Würde verlieren …

Der Hunger des Leibes ist das eine, der Hunger der Seele ist genauso bedrängend. Der Sonntag als arbeitsfreier Tag für möglichst viele Menschen antwortet auf den Hunger der Seele. Dass der Mensch nicht nur zum Arbeiten da ist, dass seine Bestimmung sich nicht auf Leistung und Konsum reduzieren lässt, daran erinnert uns der Sonntag. In der Erfahrung von Gemeinschaft, Kultur, Spiel und Gottesdienst hebt der Mensch den Blick über den Alltag. Und auch dieses Recht muss genauso wie für uns auch für die Arbeitsmigranten gelten.

Das Rückgrat unserer Demokratie und unseres Wohlstandes sind verwurzelte freie Menschen. Der im Glauben verwurzelte Mensch rechnet mit Gott und weiß, dass es im Leben durchaus noch Wichtigeres gibt als Arbeit. Der gläubige Mensch verbeugt sich nicht vor den scheinbaren Sachzwängen, auch nicht vor denen des Wettbewerbes und des Marktes. Er weiß: Zur Ungerechtigkeit gibt es immer noch Alternativen! Arbeiten wir an den Alternativen! Finden wir uns nicht ab mit moderner Sklaverei mitten unter uns!

Monsignore Peter Kossen:

Erschreckende Menschenverachtung und mafiöse Strukturen

Predigt vom 10./11. November 2012 in Lohne

Von »Witwen und Waisen« haben wir gerade in den Bibelstellen gehört: Fast sprichwörtlich sind sie im Alten und im Neuen Testament die Schutzlosen und Schutzbedürftigen ... – immer wieder weisen die Propheten darauf hin, dass sich am Umgang mit ihnen Glaubwürdigkeit und auch Frömmigkeit erweist.

Die christliche Tradition hat die Werke *der leiblichen (a) und der geistigen (b) Barmherzigkeit* formuliert:

a) Hungrige speisen, Durstige tränken, Fremde aufnehmen, Nackte kleiden, Kranke besuchen, Gefangene befreien, Tote bestatten;

b) Unwissende lehren, Zweifelnden raten, Trauernde trösten, Irrende zurechtweisen, Unrecht ertragen, Beleidigungen verzeihen, für Lebende und Tote beten.

Heute denkt die Kirche besonders an den heiligen Martin. Sein Lebenszeugnis ist: Bei Jesus Christus gibt es kein oben und unten, kein vorn und hinten, kein drinnen und draußen. Wo die Welt solche Grenzen zieht, da ist der Platz des Christen unten, hinten und draußen, da sind die Armen und die Randgestalten keine Almosen-Empfänger, sondern Freunde. Der Theologe Paul Michael Zulehner sagt: »Wer bei Gott eintaucht, der taucht bei den Armen auf.«

Berichte in der *Oldenburgischen Volkszeitung* zu Wohnsituationen und Einkommensverhältnissen der Arbeitsmigranten: Ganz unbescholtene Bürger verdienen mitten unter uns kräftig an der Situation der Migranten mit, wenn abbruchreife Häuser für horrende Preise vermietet werden an

Rumänen und Bulgaren. Das ist so in Essen, in Emstek, in Visbek, auch in Lohne ... – noch mehr verdienen die Zeitarbeitsfirmen, die dazwischen sind ...

Unternehmer können nicht ihre »Hände in Unschuld waschen« mit dem Hinweis, dass die Entsendefirma oder die Zeitarbeitsfirma verantwortlich sei für die Missstände. Wenn eine Personalvermittlung 50 Prozent des Stundenlohns abschöpft, dann ist das durch nichts zu rechtfertigen! »Schwarze Schafe« machen den Ruf ganzer Branchen kaputt. Es gibt diese Kriminalität, auch hier bei uns! Zoll und Gewerbeaufsicht müssen in die Lage versetzt werden, diese Kriminalität zu bekämpfen. Ehrenerklärungen, dass Produkte nicht mit Kinderarbeit erstellt worden sind, gehören in vielen Branchen mittlerweile zum Standard. Müsste es nicht ähnliche Ehrenerklärungen geben, die eine Mindestentlohnung und Sozialleistungen garantieren? – Teil der Wirklichkeit ist, dass der Konkurrenzkampf an der Discounter-Kasse entschieden wird: Was sind uns gute Nahrungsmittel wert? Wird das wertvolle und aufwendig produzierte Gut Fleisch bei uns nicht im großen Stil verschleudert?

Es gibt Firmen in der Region, auch hier in Lohne, die dafür bekannt sind, dass sie ihre Mitarbeiter ordentlich behandeln und anständig bezahlen; sie spielen trotzdem in der ersten Liga des Weltmarktes mit – oder gerade deshalb??

Zeitarbeit ist nur als Instrument zur Überbrückung temporärer Belastungsspitzen zulässig, nicht als Weg zur Umgehung von Tarifen. Mitunter wird sie aber genauso praktiziert! Einige Scharlatane und Bauernfänger reichen, um die ganze Branche der Zeitarbeit in Misskredit zu bringen. Sie arbeiten mit hoher krimineller Energie, erschreckender Menschenverachtung und mafiösen Strukturen ...

In Stuttgart gibt es seit Jahren das Café »La Strada«, ein Angebot der Caritas für Prostituierte. Die Mitarbeiterinnen berichten: Waren die Prostituierten vor Jahren hauptsächlich Deutsche oder Polinnen, so sind es jetzt ausschließlich

Frauen aus Rumänien und Bulgarien. Mit welchen Versprechungen hat man diese Frauen wohl nach Deutschland gelockt, und wie sind sie hier auf den Straßenstrich geraten? Mindestlöhne und Lohnuntergrenzen sind der richtige und zu fordernde Weg. Darüber hinaus müssen die kriminellen Praktiken moderner Sklaverei mitten unter uns verfolgt, bestraft und unterbunden werden! Da ist die Politik in der Pflicht. Die Gesetzeslücke, die dieses Unrecht ermöglicht, muss geschlossen werden!

Wissen Sie übrigens, warum überhaupt unter Bismarck die Sozialgesetzgebung angestoßen worden ist? – Man hatte bei den Musterungen für die Reichswehr festgestellt, dass die jungen Männer aus der Arbeiterschicht so schlecht ernährt waren, dass sie für den Kriegsdienst untauglich waren … Aus gutem Grund und mit vollem Recht gelten in unserem Land soziale Standards in der Arbeitswelt wie das Verbot von Kinderarbeit, gesetzlich verankerte Standards wie Arbeitsschutz und Sozialleistungen. Auch in einer Marktwirtschaft darf und muss es Mindeststandards geben, von denen wir sagen: »Darunter tun wir's nicht! Darunter müssen's auch andere bei uns nicht tun!«

Deutschland gilt in Europa als Billiglohnland. Es braucht verbindliche Lohnuntergrenzen, um den erbarmungslosen und rücksichtslosen Unterbietungswettbewerb zu verhindern. Scheinselbstständigkeit muss bestraft werden!

Die Arbeit der Rumänen und Bulgaren bei uns muss legalisiert werden. Der Gesetzgeber muss den Arbeitsmarkt öffnen, wie es für Polen, Tschechen und andere schon geschehen ist: Wenn sie schon bei uns die Schwerstarbeit machen, dann sollen sie dafür auch ganz legal anständig bezahlt werden können. Das Gebot der Gerechtigkeit ist: »Equal pay« – »Gleicher Lohn für gleiche Arbeit«! Bürgermeister Gerdesmeyer hat angekündigt, dass der Rat der Stadt Lohne eine Resolution in diesem Sinne verabschieden wird.

Ist es nicht so, dass osteuropäische Arbeiter in manchen Arbeitsbereichen leistungsfähiger und belastbarer sind als ihre deutschen Kollegen? Wie ist es dann zu rechtfertigen, wenn sie nur die Hälfte oder ein Drittel des vergleichbaren Lohnes bekommen? Sie schaffen doch mit ihrer Arbeitskraft einen Gegenwert, den der Unternehmer selbst wieder vermarktet! Der Hinweis, dass es ihnen zu Hause noch schlechter geht und sie dort noch viel weniger verdienen würden, ist einfach zynisch! Das bedeutet doch: Not und Perspektivlosigkeit auszunutzen!

Ich will an dieser Stelle das problematische Outsourcing von Dienstleistungen wie Reinigungsdiensten auch in christlichen Krankenhäusern nicht verschweigen. Da haben wir als Kirchen durchaus eigene Baustellen; auch hier braucht es verbindliche Lohnuntergrenzen!

Der heilige Martin lehrt Barmherzigkeit. – Barmherzigkeit ist viel mehr als Mildtätigkeit. Sie ist nicht Almosen. Sie stellt den Menschen in Not nicht ruhig, sondern macht ihn stark, gegen Ungerechtigkeit aufzubegehren. Barmherzigkeit fordert ein und ermöglicht Teilhabe gerade der Kleinen.

Die Festlegung eines Mindesteinkommens ist nicht willkürlich oder ein »gefühlt gerechter Wert«, sondern muss sich an der Armutsdefinition der UN orientieren (Armutsgrenze: Zwei Drittel des Durchschnittseinkommens in einer Volkswirtschaft). Wer 40 Stunden in der Woche und mehr arbeitet, muss von seinem Lohn leben können oberhalb der Armutsgrenze.

Wer für 200 Arbeitsstunden 800 oder 1000 Euro bekommt, kann das definitiv nicht!

Als Christen erkennen wir im andern, besonders im Notleidenden, unseren Bruder, unsere Schwester. Und – da ist die Bibel eindeutig – Gott steht auf ihrer Seite!

Die Legende vom heiligen Martin erzählt: In der Nacht nach der Mantelteilung träumt Martin, dass Jesus Christus ihm begegnet; er trägt die Mantelhälfte und ruft den Engeln zu: »Martin hat mich mit diesem Mantel bekleidet!« – Gott identifiziert sich mit den Armen. »Was ihr dem Geringsten meiner Schwestern und Brüder getan habt«, sagt Jesus, »das habt ihr mir getan.«

Was können, was müssen wir tun? Hinschauen – öffentlich machen, was wir sehen – ansprechen, was gesagt werden muss; auch die Betroffenen ansprechen, sie damit aus der Isolation holen – und, wenn wir es uns leisten können: bewusst einkaufen!

Monsignore Peter Kossen, geboren 1968 in Wildeshausen, ist der Ständige Vertreter des Bischöflichen Offizials im Offizialatsbezirk Oldenburg.

Figurenverzeichnis

Georg Dengler, Privatermittler
Olga, seine Freundin
Jakob, sein Sohn
Hildegard, seine Exfrau
Carsten Osterhannes, Fleischfabrikant
Laura Trapp, geht in Jakobs Parallelklasse
Simon van Papen, ihr Freund
Cem Caimoglu ist Simons Freund aus dem Handballverein
Marcus Steiner, Chef der First Rocker Crew
Kevin Dobner (Dschingis Kahn), Mitglied der First Rocker Crew
Ronnie Götting (Walross), Mitglied der First Rocker Crew
Bruno Wetzel, Mitglied der First Rocker Crew
Der Bär und weitere Rocker
Gisela Schulte, Geliebte von Marcus Steiner

Kimi Radu, rumänischer Arbeiter
Adrian Dimitr, sein Kollege
Viktor, Dane, Livin, Vasile, weitere Kollegen
Toma, der Vorarbeiter

Christian Zemke, Bauer
Julia Zemke, seine Frau
Carsten Zemke, ihr Sohn

Christof Streich, BKA-Verbindungsbeamter in Madrid
Jörg Baumann und Willi Hanke, Streifenpolizisten

Hauptkommissarin Ginter, SO13: Menschenhandel zum Zwecke der Ausbeutung der Arbeitskraft
Oberkommissar Schuster, SO11: Gewalt- und Rockerkriminalität

Jakobs Schulleiter
Edith Metzger, Jakobs Deutschlehrerin

Wolfgang Schorlau. Die blaue Liste.
Denglers erster Fall. Taschenbuch.
Verfügbar auch als eBook

Wolfgang Schorlau. Das dunkle Schweigen.
Denglers zweiter Fall. Taschenbuch.
Verfügbar auch als eBook

Wolfgang Schorlau. Fremde Wasser.
Denglers dritter Fall. Taschenbuch.
Verfügbar auch als eBook

Wolfgang Schorlau. Brennende Kälte.
Denglers vierter Fall. Taschenbuch.
Verfügbar auch als eBook

Wolfgang Schorlau. Sommer am Bosporus. Roman.
Taschenbuch. Verfügbar auch als 🔲Book

Sehnsucht treibt Andreas Leuchtenberg nach Istanbul, um
einer alten, nicht gelebten Liebe nachzuspüren und die
Frau wiederzufinden, deren Liebe er vor vielen Jahren zu-
rückwies, als seine Kumpels sie als seine »Kanakenbraut«
verhöhnten ... Er lässt sich durch die Stadt treiben, lernt
Alt-Istanbul, den europäischen Teil, kennen und gerät dann
in die abgelegeneren orientalischen Stadtviertel. Immer
weiter verliert er sich in der geheimnisvollen Atmosphäre
dieser Stadt mit ihrer 2500-jährigen Geschichte.

Wolfgang Schorlau, Rebellen, Roman, Gebunden.
Verfügbar auch als eBook

Dies ist die Geschichte von Alexander und Paul. Es ist die
Geschichte einer ungewöhnlichen Freundschaft zwischen
einem Jungen aus begüterten Verhältnissen und einem
Kind aus dem Waisenhaus. Es ist die Geschichte eines Ver-
rats. Und die Geschichte einer großen Liebe. Nicht zuletzt
erzählt sie von den gesellschaftlichen Umwälzungen der
Sechziger- und Siebzigerjahre, von den damit verbunde-
nen Träumen und Hoffnungen und von dem, was davon
schließlich übrig bleibt.

Kiepenheuer & Witsch

Leseproben und mehr unter www.kiwi-verlag.de

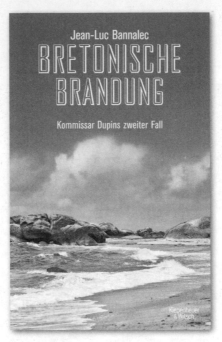

Jean-Luc Bannalec. Bretonische Brandung.
Kommissar Dupins zweiter Fall. Klappenbroschur.
Verfügbar auch als Book

Zehn Seemeilen vor Concarneau: Die sagenumwobenen
Glénan-Inseln wirken mit ihrem weißen Sand und kris-
tallklaren Wasser wie ein karibisches Paradies – bis eines
schönen Maitages drei Leichen angespült werden. Das
hatte Kommissar Dupin gerade noch gefehlt: eine wacke-
lige Bootsfahrt am frühen Morgen, ein nervtötender Prä-
fekt, zu wenig Kaffee und keinerlei Anhaltspunkte. Ein
raffinierter Krimi und eine mitreißende Liebeserklärung
an die Bretagne.

Das neue Traumpaar des Schweden-Krimis

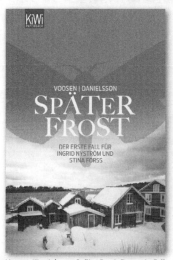

Voosen/Danielsson. Später Frost. Der erste Fall für Ingrid Nyström und Stina Forss. Taschenbuch. Verfügbar auch als eBook

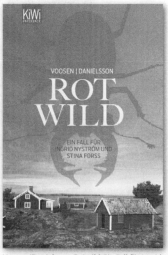

Voosen/Danielsson. Rotwild. Ein Fall für Ingrid Nyström und Stina Forss. Taschenbuch. Verfügbar auch als eBook

Die småländische Kommissarin Ingrid Nyström ist gerade befördert worden und ihre neue Mitarbeiterin Stina Forss hat sich kaum in der südschwedischen Provinz zurechtgefunden, da wird der greise Schmetterlingsforscher Balthasar Frost – grausam zu Tode gefoltert – in seinem Gewächshaus entdeckt ...

Kurz vor Mittsommer im småländischen Växjö: In einem Wald am Seeufer wird der von Pfeilen durchbohrte Leichnam eines Lehrers gefunden. Die Todesumstände erinnern an die Darstellungen frühchristlicher Märtyrer. Haben die Polizistinnen es mit einem religiösen Ritualmord zu tun?

Viveca Sten. Mörderische Schärennächte. Ein Fall für
Thomas Andreasson. Deutsch von Dagmar Lendt.
Klappenbroschur. Verfügbar auch als Book

Der letzte Einsatz hätte ihn fast das Leben gekostet, doch
Thomas Andreasson kehrt zurück auf die Polizeistation in
Nacka. Sein erster Fall nach langer Krankheit scheint ein-
deutig zu sein: Markus Nielsen wird erhängt in seinem
Zimmer aufgefunden, und er hat einen Abschiedsbrief hin-
terlassen. Doch seine Mutter glaubt nicht an Selbstmord ...

»Viveca Sten ist Anwärterin auf den Thron der schwedi-
schen Krimikönigin.« *Grazia*

Viveca Sten auf Facebook: www.facebook.com/VivecaStenDE

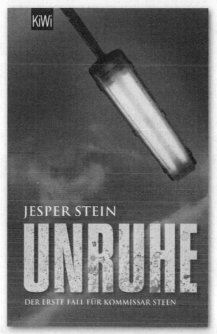

Jesper Stein. Unruhe. Der erste Fall für Kommissar Steen.
Deutsch von Patrick Zöller. Taschenbuch.
Verfügbar auch als eBook

Axel Steen, Ermittler im Kopenhagener Morddezernat, wird von einer inneren Unruhe getrieben. Die panische Angst, sein Herz könne plötzlich aufhören zu schlagen, hält ihn Nacht für Nacht wach. Als während der Unruhen um die Zwangsräumung und den Abriss eines Jugendzentrums im Multikulti-Viertel Nørrebro die Leiche eines Autonomen gefunden wird, fällt der Verdacht auf die Einsatzkräfte der Polizei. Steen gerät nicht zuletzt wegen seiner unkonventionellen Ermittlungsmethoden unter Druck ...

Tom Hillenbrand. Teufelsfrucht. Ein kulinarischer Krimi. Taschenbuch. Verfügbar auch als ⊒Book

Tom Hillenbrand. Letzte Ernte. Ein kulinarischer Krimi. Xavier Kieffers dritter Fall. Taschenbuch. Verfügbar auch als ⊒Book

Der ehemalige Sternekoch Xavier Kieffer betreibt ein kleines Restaurant in der Luxemburger Unterstadt. Dort bricht eines Tages ein renommierter Gastro-Kritiker tot zusammen und plötzlich gerät Kieffer unter Mordverdacht. Er macht sich auf die Suche nach dem wahren Mörder...

Wein, Rieslingspastete und Quetschetaart – der ehemalige Sternekoch Xavier Kieffer genießt mit seiner Freundin den Luxemburger Sommer. Doch damit ist es abrupt vorbei, als ein Fremder sie auf der Sommerkirmes attackiert, dabei eine Magnetkarte hinterlässt und am nächsten Morgen tot aufgefunden wird ...

KiWi

Dinah Marte Golch. Wo die Angst ist. Der erste Fall für
Behrens und Kamm. Klappenbroschur. Verfügbar auch
als ☐Book

Ein erschütterndes Verbrechen an Potsdams Ufern. Auf einen
türkischen Abiturienten wird ein Mordanschlag verübt. Der
einzige Zeuge muss um das Leben seiner Familie fürchten.
Und der verzweifelte Vater des Opfers will nur eins: den Täter
bestraft sehen.

»Ein atemberaubend spannendes Krimidebüt, das zweifellos
nach Fortsetzung schreit!« *Miroslav Nemec, Schauspieler und
bayerischer »Tatort«-Kommissar*

Leseproben und mehr unter www.kiwi-verlag.de